Anthony Burgess

Laranja Mecânica
edição especial de 50 anos

Tradução
Fábio Fernandes

ALEPH

Copyright © The Estate of Anthony Burgess, 2012
Copyright *A condição mecânica* © The Estate of Anthony Burgess
Copyright *Notas* © Andrew Biswell, 2012
Copyright © Editora Aleph, 2012
(edição em língua portuguesa para o Brasil)

Copyright ilustrações p. 45, 75 e 119 © Dave McKean, 2012
Copyright ilustrações p. 165, 179 e 195 © Angeli, 2012
Copyright ilustrações p. 205, 231 e 251 © Oscar Grillo, 2012

TÍTULO ORIGINAL	A Clockwork Orange
CAPA E PROJETO GRÁFICO	Pedro Inoue
TRADUÇÃO DOS EXTRAS	Henrique Szolnoky
REVISÃO	Hebe Ester Lucas
EDITORAÇÃO	Sergio Rossi
COORDENAÇÃO EDITORIAL	Débora Dutra Vieira
	Marcos Fernando de Barros Lima
CURADORIA, PRODUÇÃO EXECUTIVA E COORDENAÇÃO ARTÍSTICA	Mariana Baccarin
REVISÃO DA TRADUÇÃO E DIREÇÃO EDITORIAL	Adriano Fromer Piazzi

Todos os direitos reservados.
Proibida a reprodução, no todo ou em parte, através de quaisquer meios.

EDITORA ALEPH LTDA.
Rua Tabapuã, 81, cj. 134
04533-010 – São Paulo – SP – Brasil
Tel.: [55 11] 3743-3202
www.editoraaleph.com.br

Dados Internacionais de Catalogação na Publicação (CIP)
(Câmara Brasileira do Livro, SP, Brasil)

Burgess, Anthony
Laranja mecânica / Anthony Burgess ; tradução
Fábio Fernandes. -- São Paulo : Aleph, 2012.

Título original: A clockwork orange.
"Edição especial de 50 anos"
ISBN 978-85-7657-136-0

1. Ficção inglesa I. Título.

12-13113   CDD-823

Índices para catálogo sistemático:
1. Ficção : Literatura inglesa 823

PAPEL:
Couché fosco 115 g/m² [miolo]
Couché fosco 150 g/m² [revestimento da capa]
Couché fosco 170 g/m² [sobrecapa]
Offset 150 g/m² [guardas]

IMPRESSÃO:
Ipsis Gráfica [outubro de 2022 - 9ª reimpressão]

Sumário

08
A LARANJA AO MEIO
(1962-2012)

22
NOTA SOBRE A NOVA
TRADUÇÃO BRASILEIRA

35
LARANJA MECÂNICA

39 Parte Um
131 Parte Dois
199 Parte Três

276
GLOSSÁRIO NADSAT

287
EXTRAS

288 Notas
296 A condição mecânica
314 Geleia mecânica
322 Os russos humanos
330 De uma entrevista inédita
com Anthony Burgess
338 Nota a *A clockwork orange 2004*
344 Páginas originais com anotações
e ilustrações do autor

A LARANJA AO MEIO
(1962-2012)

Escrito em 1961 e publicado pela primeira vez em 1962, *Laranja mecânica* está entre os clássicos eternos da literatura, seja por sua qualidade intrínseca, seja por ter significado um marco na cultura do século 20, uma fonte de discussões filosóficas e de ousadias estéticas cujas referências perduram até hoje.

Não seria exagero afirmar que o livro influenciou uma geração de escritores, de artistas plásticos, de dramaturgos, de cineastas, de intelectuais. Por quê? Porque a discussão proposta por seu autor nunca perdeu a atualidade. E nunca perderá. Pois está na essência daquilo que nos define como seres humanos: a capacidade de discernimento e a liberdade de escolha.

O autor

Escritor, poeta, dramaturgo, compositor, linguista, tradutor e crítico, John Anthony Burgess Wilson* nasceu em 25 de fevereiro de 1917 em Manchester, Inglaterra.

Sua mãe, Elizabeth Burgess, cantora e bailarina em casas de espetáculo, faleceu em 1918, vítima da gripe espanhola, bem como Muriel, irmã mais velha do autor, que morrera quatro dias antes. Seu pai, Joseph Wilson, tocava piano em teatros e sessões de cinema mudo, até ter de aceitar um emprego de caixa em um açougue. Em 1922, Joseph casou-se novamente com Margaret Dwyer.

Criado no catolicismo romano, Burgess frequentou a Bishop Bilsborrow Memorial School (1923-1928) e o Xaverian College (1928-1935), ambos em Manchester. Nessa época, publicou seus

---

* Nascido John Burgess Wilson, escolheu acrescentar "Anthony" como "nome de confirmação". Na tradição católica, a Confirmação, ou Crisma, é o sacramento que marca a maturidade espiritual, a ratificação do Batismo. O ritual pode incluir o recebimento de um nome, geralmente de um santo ou personagem bíblica.

primeiros poemas e contos e, segundo ele próprio, compôs sua primeira sinfonia, aos 18 anos. Em 1940, graduou-se em Literatura Inglesa pela Universidade de Manchester.

Alistou-se e serviu no Exército Real entre 1940 e 1946, no Corpo Médico e no Corpo Educacional. Em 1942, casou-se pela primeira vez, com Llewela (Lynne) Jones. Após a Segunda Guerra, Burgess dedicou-se ao magistério e às letras. Escreveu sua primeira peça de teatro em 1951, mesma época em que redigiu seus dois primeiros romances, *A vision of battlements* e *The worm and the ring*. Em 1954, o casal se mudou para a Malásia, onde Burgess lecionaria em uma faculdade local e onde, dois anos mais tarde, publicaria seu primeiro livro, *Time for a tiger*, dando início à Trilogia Malaia, completada por *The enemy in the blanket* (1958) e *Beds in the East* (1959). No final de 1959, Lynne e Burgess se transferiram para o sultanato de Brunei, onde, durante uma aula, ele desmaiou em plena sala.

De volta à Inglaterra, Burgess foi equivocadamente diagnosticado com um tumor cerebral que deveria levá-lo à morte em pouco tempo. No intuito de deixar a futura viúva em uma situação material confortável, ele escreveu mais intensamente nesse início dos anos 1960, concebendo, inclusive, *Laranja mecânica* (*A clockwork orange*), sua obra mais conhecida.

A princípio, Burgess temia não conseguir finalizar *Laranja mecânica*, mas sua "sobrevida" acabou permitindo que ele se aprofundasse em dois aspectos essenciais do livro: as gírias usadas pelos jovens na época e o idioma russo, no qual se aprimorou durante uma viagem a Leningrado. Contrariando seu receio, o autor não apenas concluiu seu trabalho como testemunhou as reações que sua obra-prima causou em várias gerações, pois só viria a falecer 31 anos após a publicação original de *Laranja mecânica*.

Nos anos que se seguiram, já patente o erro médico, a produção intelectual de Burgess continuou bastante profícua, com romances, críticas literárias, composições musicais e trabalhos acadêmicos. Após o falecimento de Lynne, em 1968, casou-se com Liliana (Liana) Macellari, uma tradutora italiana cujo filho, Paolo Andrea, foi criado por Burgess como seu próprio (foi chamado Andrew Burgess Wilson). Os três deixaram a Inglaterra rumo a Malta, dando início a uma vida itinerante que se prolongaria até a morte de Burgess.

Reconhecido internacionalmente pela criação de *Laranja mecânica*, Anthony Burgess escreveu vários outros livros, como *The wanting seed* (1962), os quatro volumes da série *Enderby* (iniciada em 1963 e concluída em 1984) e *Earthly powers* (1980). Como crítico, realizou estudos consagrados sobre escritores clássicos como William Shakespeare e James Joyce. Sua obra musical conta mais de duzentas composições dos mais variados gêneros e estilos – sinfonias, músicas de câmara, óperas, trilhas para cinema, musicais etc.

Até mesmo quando descobriu o câncer de pulmão que o levaria à morte, Burgess continuou a escrever e a compor. Seu último romance, *Byrne,* foi publicado postumamente em 1995. Morreu em 22 de novembro de 1993, em Londres, aos 76 anos.

O livro

Ao lado de *Admirável mundo novo* (1932), de Aldous Huxley; *1984* (1949), de George Orwell; e *Fahrenheit 451* (1953), de Ray Bradbury, *Laranja mecânica* está entre as distopias mais importantes e influentes de todos os tempos.

Ambientado em uma sociedade futura tutelada pelo Estado, o livro é uma fábula assustadora sobre o bem e o mal, sobre os limites entre natureza humana e condicionamento social, sobre o real significado da liberdade.

Seu narrador e protagonista, o adolescente Alex, um apaixonado por música clássica, é membro de uma gangue de jovens que se reúne para cometer perversidades e atos de violência. Além do comportamento brutal, ele e seus druguis se identificam pela maneira de se vestir e por se comunicar em um dialeto próprio (o nadsat, inventado por Burgess, mescla gírias da classe operária inglesa e palavras do idioma russo).

Após uma malsucedida incursão noturna, Alex é capturado e preso pela polícia. Na prisão, é submetido à Técnica Ludovico, uma terapia de condicionamento comportamental patrocinada pelo Estado, cuja finalidade é reabilitá-lo psicológica e socialmente, eliminando seus impulsos violentos e sua conduta desviante.

O resultado desse processo, bem como sua legitimidade, estão no cerne da reflexão magistralmente proposta por Burgess. E, é claro, provocaram polêmica. O capítulo final da edição original britânica de *Laranja mecânica*, por questões conceituais, foi deliberadamente excluído da primeira edição norte-americana, a mesma adotada por Stanley Kubrick para realizar sua cultuada adaptação cinematográfica.

Desde seu lançamento, em 1962, o livro jamais deixou de ser impresso. Em 2005, a *Time* colocou-o entre os cem melhores romances em língua inglesa do século 20 – considerando as obras editadas a partir de 1923, ano de criação da revista.

Ao questionar se é justo reprimir a livre vontade e o impulso criativo em prol de um "bem maior", Burgess lança um desafio que nos perturba até hoje. Sua mensagem, aliada ao caráter distintivo da linguagem nadsat e ao enredo único capitaneado pelo anti-herói Alex, faz de *Laranja mecânica* uma leitura atemporal, um dos textos mais influentes e duradouros da cultura pop e da literatura de ficção científica.

Referências e influências

Em 50 anos, *Laranja mecânica* conquistou uma legião de fãs pelo mundo, ganhando uma projeção ainda maior por conta das referências feitas às suas páginas em filmes, seriados de televisão, canções e muitas outras expressões culturais.

O livro ganhou duas adaptações para o cinema. A primeira, uma livre interpretação da obra de Burgess intitulada *Vinyl*, foi realizada por Andy Warhol em 1965. A segunda, o filme homônimo dirigido pelo norte-americano Stanley Kubrick em 1971, se tornaria o mais célebre subproduto do livro.

Considerado na época extremamente violento, *Laranja Mecânica* causou polêmica em razão das cenas de espancamento e estupro; sua exibição chegou a ser censurada em alguns países, inclusive na Inglaterra, onde o filme foi retirado de cartaz a pedido do próprio Kubrick – irritado com as críticas –, e só voltou a ser exibido após a morte dele, em 1999. No Brasil, em pleno regime militar, o filme não passou incólume pela censura, e só foi liberado em 1978 com as indefectíveis bolinhas pretas cobrindo a genitália dos personagens. *Laranja Mecânica* recebeu quatro indicações ao Oscar – melhor filme, melhor diretor, melhor roteiro adaptado e melhor edição –, mas não venceu em nenhuma categoria.

Em que pese o descontentamento de Anthony Burgess com os desdobramentos do trabalho de Kubrick, o escritor elogiou o filme e julgou que ele fez justiça à sua obra.

Em 1987, Anthony Bugess publicou *A clockwork orange: a play with music*. Dramaturgo e compositor competente, Burgess escreveu o roteiro e musicou a versão para os palcos de sua obra mais conhecida. De acordo com Andrew Biswell, diretor da Fundação Internacional Anthony Burgess, o musical foi a maneira encontrada pelo autor para revisitar o próprio livro, para se reaproximar da história que praticamente passou a pertencer a Stanley Kubrick depois de sua consagrada adaptação cinematográfica. "A razão para Burgess querer montar sua adaptação do livro para o teatro tanto tempo depois do filme de Kubrick é simples: ele queria confirmar sua própria autoria da história", diz Biswell.

E Burgess não perdeu a oportunidade de cometer uma pequena maldade com Kubrick no ato final da peça. Eis o que segue após Alex dirigir suas últimas palavras à plateia:

> Ele se junta a todo elenco que segue cantando. Um homem barbado, tal como Stanley Kubrick, chega tocando "Singin' in the Rain" no trompete, em refinado contraponto. Ele é expulso do palco aos pontapés.[*]

A primeira adaptação musical de *Laranja mecânica – A Clockwork Orange 2004* – foi encenada em 1990 no Barbican Theatre

---

[*] No original: *He joins with the entire company in singing the following. A man bearded like Stanley Kubrick comes on playing, in exquisite counterpoint, Singin' in the Rain on a trumpet. He is kicked off the stage.*

de Londres pela Royal Shakespeare Company, mas não incluiu as composições originais de Burgess. A trilha musical foi assinada por Bono e The Edge, da banda irlandesa U2. Em 2012, as obras compostas pelo autor para a versão musical de seu romance – parte delas escrita em nadsat – foram executadas pela primeira vez no Reino Unido, na íntegra, pelo Coro de Câmara de Manchester. A audição foi realizada em plena Fundação Internacional Anthony Burgess, na abertura da conferência de 50 anos do livro.

No mundo da música, uma série de artistas e bandas homenageia a obra de Burgess, como o Sepultura, que, em 2009, lançou o álbum *A-lex*, totalmente inspirado no livro. Também dividido em partes, o álbum conta a desnorteante trajetória de Alex até sua controversa "regeneração". Os músicos chegaram mesmo a recorrer ao glossário nadsat para escrever parte das letras, a fim de preservar a fidelidade à obra original.

O nadsat de Burgess também deu nome à banda anglo-irlandesa Moloko, referência à bebida láctea que Alex e seus druguis consomem, misturada com drogas. E batizou a banda punk norte-americana The Devotchkas, que, como o próprio significado sugere, era formada apenas por garotas.

A banda inglesa de punk rock The Adicts assumiu o visual da gangue criado para o longa de Kubrick, bem como o fez a cantora Rihanna no clipe de "You Da One", de 2011. Os integrantes da banda estadunidense My Chemical Romance também fizeram uma sessão de fotos inspirada na estética do filme.

No single *The Fly*, de 1991, o U2 incluiu a música "Alex Descends into Hell for a Bottle of Milk/Korova 1" [Alex Desce ao Inferno para uma Garrafa de Leite/Korova 1], que também foi destaque na trilha sonora do filme *Johnny Mnemonic*, de 1995. Até mesmo o carro roubado por Alex e seus comparsas foi lembrado pelos Ramones com a música "Durango 95".

David Bowie declaradamente se inspirou em *Laranja Mecânica* para criar o visual do álbum e do personagem Ziggy Stardust; também usou trechos da trilha sonora do filme na abertura de suas apresentações ao vivo, caso dos concertos *Santa Monica '72* e *Ziggy Stardust: the Motion Picture*.

As alusões a *Laranja mecânica* e à gíria nadsat na música são incontáveis. As referências ao livro e ao filme vão muito além das mencionadas e continuam se multiplicando em repertórios, figurinos, nomes de bandas e letras de diversas canções.

Mas não só as performances musicais foram influenciadas pelo enredo e pelos personagens de Anthony Burgess. O ator norte-americano Heath Ledger, pouco antes de falecer, revelou ter sido *Laranja mecânica* uma de suas inspirações para compor seu elogiado Coringa, em *Batman – O Cavaleiro das Trevas*.

Na televisão, o seriado *Os Simpsons* esbanja referências a *Laranja Mecânica*, como nos episódios em que parodia a sequência da lavagem cerebral ou naqueles em que Bart e Maggie aparecem vestidos de Alex. A animação *South Park* também faz menções ao clássico, notadamente no episódio em que um dos personagens agride seus companheiros ao som de um trecho da abertura de "A Pega Ladra", ópera de Gioacchino Rossini, tal como em cena do filme.

Laranja mecânica também inspirou a moda mundo afora, em especial o figurino criado pela designer italiana Milena Canonero para o longa de Kubrick. No Brasil, o estilista Alexandre Herchcovitch apresentou uma coleção inteira inspirada no filme, em 2011.

Até mesmo uma premiada cerveja inglesa leva esse nome. Caracterizada pelo elevado teor alcoólico, a Clockwork Orange, da Brentwood Brewing Company, contém laranja entre seus ingredientes, o que lhe confere certo amargor e um toque cítrico de fundo.

As edições brasileiras anteriores

Laranja mecânica foi publicado pela primeira vez no Brasil pela extinta editora Artenova, com tradução de Nelson Dantas. Lançado em 1972, o livro já incorporava o glossário nadsat organizado por Stanley Edgar Hyman – a contragosto de Burgess – para a primeira edição norte-americana, de 1963; mas, diferente dela, o livro manteve o texto original, ou seja, com o 21º capítulo. Em 1994, *Laranja mecânica* passou a ser editado pela Ediouro, que preservou tanto a tradução de Dantas como o capítulo final e o glossário.

Em 2004, a Editora Aleph adquiriu os direitos de publicação da obra e optou por traduzi-la novamente. Para tanto, contou com o talento do escritor, jornalista e tradutor Fábio Fernandes, que, além de preservar o glossário das edições precedentes, complementou-o baseando-se não só no trabalho de Hyman, mas em outras duas relações: a compilada por Scott McDonald, com a ajuda de Elizabeth Cole, Andy Webb, Kevin Faust e Michael Wargula para o The Kubrick Site (que pode ser encontrada em inglês no link www.visual-memory.co.uk/amk/doc/nadsat.html); e a lista de Alex D. Thrawn em seu site-tributo a Malcolm McDowell, que imortalizou o personagem Alex no filme de Kubrick (disponível em www.malcolmtribute.freeiz.com). Todo o processo de "retradução" foi detalhadamente explicado por Fernandes em "Nota sobre a nova tradução brasileira". Seu cuidadoso trabalho de tradução, bem como o glossário e a nota, foi mantido para esta edição de 50 anos.

A edição especial de 50 anos

Após meio século, *Laranja mecânica* ainda conserva o brilho perturbador de seu texto, o frescor de sua crítica desconcertante, e demonstra uma incrível vitalidade. O livro de Anthony Burgess fala por si. Nesta edição comemorativa, porém, a Aleph reuniu três ilustradores de primeiríssima linha, material extra inédito e um acabamento apurado para apresentar a novos e velhos leitores uma publicação excepcional, verdadeira peça de colecionador.

A começar pelo texto do livro propriamente dito, publicado aqui em versão restaurada por Andrew Biswell – organizador da edição inglesa de 50 anos, biógrafo de Burgess e diretor da Fundação que leva seu nome. Ao estabelecer uma comparação linha a linha entre a versão original de *Laranja mecânica* e suas primeiras edições, Biswell recuperou o texto tal como originalmente escrito por seu criador.

O editor inglês também assina as notas que abrem o material extra. São curiosidades e esclarecimentos acerca das referências culturais disseminadas pelo autor ao longo do livro.

Outro diferencial é a inclusão de textos escritos por Anthony Burgess para revistas e periódicos, inéditos em língua portuguesa. Em "A condição mecânica" (1973) e "Geleia mecânica" (1972), bem como na transcrição de entrevista concedida por Burgess em 1972, o autor discute as questões morais e filosóficas que atravessam seu livro, comenta os motivos que o levaram a escrever *Laranja mecânica*, suas inspirações e a repercussão de sua obra, especialmente a adaptação cinematográfica de Stanley Kubrick.

Incluiu-se também um ensaio escrito por Burgess no fim de 1961, quando de sua viagem a Leningrado (atual São Petersburgo), antes ainda do lançamento do livro. "Os russos humanos" é um retrato de suas impressões sobre os usos e costumes locais e sobre a sociedade soviética na época da Guerra Fria.

A essa compilação se acrescenta, ainda, uma nota introdutória redigida por Burgess para o programa do musical *A Clockwork Orange 2004*, espetáculo montado pela Royal Shakespeare Company e encenado no Barbican Theatre, em Londres, em 1990. Nela o autor revela por que decidiu escrever a peça, comenta seu conteúdo dramático e seu papel como escritor.

Fechando em grande estilo, esta edição especial reproduz algumas páginas dos originais datilografados de *Laranja mecânica*, com anotações e ilustrações do autor.

As ilustrações exclusivas desta edição brasileira – nove pequenas obras de arte criadas por três mestres da área – são um capítulo à parte. Cada artista escolheu e recriou três cenas marcantes para cada uma das três partes do livro, unindo seus traços únicos ao texto impiedoso de Burgess.

O inglês Dave McKean criou as ilustrações da Parte Um. Ilustrador, fotógrafo e quadrinista, McKean é conhecido pela longa parceria com Neil Gaiman, com quem publicou *Sinal e ruído* e *Mr. Punch,* além de criar as capas da aclamada série *Sandman*. Também trabalhou como *conceptual artist* para o filme *Harry Potter e o Prisioneiro de Azkaban*. Em 1989, ilustrou a cultuada *graphic novel* de Batman, *Asilo Arkhan: uma séria casa em um sério mundo*.

Angeli, o ilustrador da Parte Dois, é um dos mais importantes cartunistas brasileiros. Criador de personagens inesquecíveis como

Rê Bordosa, Os Skrotinhos e Bob Cuspe, também participou – com Glauco, Laerte e outros artistas de sua geração – da revista *Chiclete com Banana*, um clássico dos quadrinhos nacionais e verdadeiro ícone cultural dos anos 1980.

Fechando a trinca de ilustradores, coube ao argentino Oscar Grillo ilustrar a Parte Três. Animador e artista plástico, Grillo trabalhou como desenhista no filme *Great (Isambard Kingdom Brunel)*, ganhador do Oscar de melhor curta de animação em 1975. Também colaborou como assessor de animação no filme *MIB – Homens de Preto* (1997). No início da década de 1970, em Londres, Grillo assistiu à estreia de *Laranja Mecânica* no cinema na companhia do cartunista brasileiro Ziraldo.

Esta edição especial de 50 anos foi concebida para reverenciar a obra de Burgess e para enaltecer a força dos grandes clássicos da ficção, uma das marcas da Editora Aleph. E também para oferecer um produto único, que propicie não apenas uma leitura de qualidade, mas uma experiência intelectual e estética. Os textos inéditos, as referências, as ilustrações e o acabamento de luxo são parte dessa experiência. Mas é fato que todos esses elementos apenas orbitam em torno do livro, e cairiam no vazio não fosse a grandeza de *Laranja mecânica*.

Em meio século o mundo se transformou profundamente, mas não mudaram tanto assim as inquietações, as incertezas e as esperanças que habitam a mente e o coração humanos. Essa é a matéria-prima dos clássicos eternos da literatura. É disso que é feito *Laranja mecânica*.

Editora Aleph, novembro de 2012

NOTA SOBRE A NOVA TRADUÇÃO BRASILEIRA

Das primeiras leituras do original até a última revisão, o processo de tradução de *Laranja mecânica* durou cerca de nove meses. Os cuidados com que cercamos esta narrativa de Anthony Burgess foram tantos que pedem uma explicação ao leitor.

A intenção de Burgess era de que o leitor fizesse uma imersão radical no texto, vivenciando a narrativa como um participante dos tempos sombrios que descreve. Para tornar essa imersão possível, ele criou uma estrutura de narração em primeira pessoa: quem fala é Alex, o protagonista, que se dirige ao leitor como a alguém a quem acabou de conhecer e ao qual conta sua história pregressa, agindo então segundo o princípio do narrador onisciente, ou seja, aquele que já sabe tudo o que irá acontecer ao longo da trama e vai nos revelando pouco a pouco seus detalhes.

Portanto, o leitor é jogado de saída no universo ficcional de *Laranja mecânica* como se fizesse parte dele. Para aumentar ainda mais a sensação de estranhamento, ele é convidado a ouvir a história de Alex da maneira como ele a contaria normalmente a qualquer pessoa de seu universo, e não como Burgess provavelmente a contaria na (que convencionamos chamar de) vida real. Essa maneira de falar pessoal de Alex, seu idioleto, é ela própria a tradução do dialeto da tribo à qual ele pertence: as gangues de rua de uma Inglaterra futurista.

Burgess deu a essa linguagem muito particular o nome de nadsat. Esse termo é uma transliteração para o idioma russo do sufixo inglês *teen*, que abrange as idades entre 13 e 19 anos e é traduzido em português como "adolescência". Como o próprio uso do russo para batizar essa linguagem indica, essa gíria adolescente, portanto, utiliza palavras russas (ou corruptelas de determinadas palavras) misturadas com o inglês.

Mas a linguagem nadsat não se restringe ao uso de substantivos de origem eslava. Ela também se vale de pelo menos duas outras características básicas: a primeira é a que Burgess denominou de *rhyming slang*, uma espécie de gíria rimada que é uma mistura de *cockney* (o modo de falar da classe operária britânica) com um vocabulário de repetições típico das crianças em fase de aprendizado da fala. A outra, menos utilizada mas sempre presente no decorrer da narrativa, é uma espécie de falar pseudoelisabetano (o que o crítico Blake Morrison chama, em seu prefácio para a edição de 1996 de *Laranja mecânica*, de "inglês shakespeariano ou bíblico"), uma tentativa de aproximação do rigor formal conhecido por nós através das peças de William Shakespeare ou Christopher Marlowe, escritas no século 16.

Naturalmente, isso é apenas uma simplificação, pois o texto de Burgess está repleto de fragmentos de várias outras diferentes linguagens: o falar sem sentido dos usuários das drogas sintéticas, que pontua alguns momentos do livro, segue uma orientação joyceana em sua caudalosidade (não de tamanho, mas de "espessura" sintática e fonética). O mesmo acontece com a gíria dos ladrões mais velhos na prisão, na Parte Dois. Todas essas linguagens paralelas que se alternam em *Laranja mecânica* foram vertidas para o português brasileiro segundo determinados parâmetros de tradução, alguns dos quais são explicados de forma resumida a seguir.

Os termos eslavos

Burgess aproveitou muitas palavras russas para construir a linguagem nadsat. Quase todas tiveram sua grafia alterada por ele para adquirirem uma sonoridade anglo-russa (que pode ser conferida no filme homônimo de Stanley Kubrick*). Por exemplo, a palavra russa *babushka*, que significa velha ou avó, é grafada por Burgess como *baboochka*, e *rassudok* (cabeça, mente), como *rassoodock*. Manter as palavras conforme grafadas pelo autor daria ao leitor brasileiro uma ideia de pronúncia completamente diferente da intenção original. Para preservar essa sonoridade, sempre que necessário grafamos as palavras foneticamente (ainda utilizando os exemplos acima, substituímos "oo" por "u" e o encontro consonantal "ck" pela letra "k"), sem, no entanto, exagerar no aportuguesamento desses termos.

Em outros casos, como a palavra russa *drug* (amigo), Burgess grafa o termo segundo a pronúncia inglesa (*droog*), mas concluímos que grafá-la foneticamente (trocando o "o" duplo por "u") confundiria o leitor, pois a palavra drug também significa "droga" em inglês. Nesse caso, optamos pela tradução *drugui*, uma forma aportuguesada cuja pronúncia é semelhante à original, que mantém o estranhamento pretendido e não deixa margem a confusões.

O aportuguesamento foi matéria de muitas deliberações ao longo do processo. Optamos, sempre que possível, por não aportuguesar a grafia das palavras eslavas, particularmente os substantivos. A maioria das palavras terminadas em "y" tiveram essa letra substituída por "i" (*molodoy/molodoi*, *nagoy/nagoi*), mas decidimos preservá-la no início de palavras (*yahzick/yazik*, *yahma/yama*), bem como a letra "k" (*tolchock/toltchok*, *veck/vek*) para preservar a estranheza, que um aportuguesamento mais radical (por exemplo, traduzir *tolchock* por *toltchoque*) prejudicaria.

---

* Não é a única representação não literária de *Laranja mecânica*. O próprio Burgess adaptou o livro como um musical em 1987, e a peça foi apresentada pela primeira vez em Londres, em 1990. Desde então, outras cinco versões para o teatro foram exibidas. A BBC lançou a peça em dois CDs de áudio em 1998.

O caso dos verbos, entretanto, pode levar a uma certa desorientação. O verbo *to itty* (do russo *idit*), usado com muita frequência no livro, é o equivalente do verbo inglês *to go* – em todas as suas acepções. Pois *to go* não significa somente *ir*, mas também pode ser usado em expressões como "what's going on?" ("o que está acontecendo?"), e Burgess aproveitou a mesma polissemia do verbo inglês em seu texto. Portanto, mesmo que essa multiplicidade de sentidos não ocorra normalmente no português, decidimos mantê-la, traduzindo todas as ocorrências de *itty* por *itiar*, pois o contexto deixa claro qual é a acepção utilizada.

Em algumas situações, optamos por mudar sutilmente a pronúncia original para facilitar a leitura. *Ooko* (ouvido) foi traduzida como *oko* em vez de *uko*, porque a sonoridade lembraria mais a palavra *ouvido* ou *orelha*. Outras palavras com a mesma grafia, como *oozhassny* (horrível) e *oomny* (inteligente), foram traduzidas segundo o padrão fonético tradicional (*ujasni* e *umni*).

A "Rhyming Slang"

Em *Laranja mecânica*, as gangues são compostas por adolescentes, ao contrário do que é mostrado no filme de Kubrick (Malcolm McDowell tinha 28 anos quando interpretou o protagonista Alex). Na verdade, Alex e seus colegas são muito mais jovens. Por isso, em diversos momentos, a linguagem deles se torna um tanto infantil, com jogos de palavras do tipo que seria de se esperar de crianças mais novas, baseados em repetição silábica na mesma palavra ou em palavras adjacentes.

Skoliwoll, por exemplo, é *rhyming slang* para *school* (escola), que traduzimos aqui como escolacola. (Notem, nesse caso específico, a conotação com o ato de "colar" que a repetição trouxe em português, e que, embora não tenha sido procurada propositalmente, optamos por preservar.) Em casos como *jammiwam* (traduzido como *geleialeca*), a repetição não trouxe a reboque nenhuma outra significação. Já *gutiwutis* (tripas) foi traduzido como *categutes*, um tipo de borracha usada em hospitais que antigamente era feita à base de tripa de gato (*catgut*), pois mantém a rima e se adapta bem ao contexto.

Em outros casos ainda, a repetição se dá por inferência a gírias da época em que Burgess escreveu o livro: o termo *luscious glory*, que Alex usa para denominar os próprios cabelos, é uma rima com *upper story* (andar de cima), que no Brasil era o nosso popular topete. Para manter o clima retrô-futurista da história, recorremos aqui não à rima, mas a uma gíria antiga e simples, de fácil reconhecimento pelo leitor: *basta cabeleira*, um termo bastante usado na primeira metade do século 20.

Dois termos de tradução especialmente difícil foram *pretty polly* e *sinny*. O caso de *pretty polly*, gíria rimada para dinheiro (*lolly*), não parece tão complexo num primeiro momento: afinal, sinônimos para dinheiro em gíria existem aos montes no Brasil. *Grana*, *arame*, *tutu* são apenas alguns dentre centenas de exemplos, mas encontrar um termo que parecesse gíria de malandragem e que, ao mesmo tempo, não soasse brasileiro demais se revelou um desafio.

Uma pesquisa mais aprofundada nesse universo de sinônimos acabou nos trazendo de volta à memória a palavra *pecúnia*. Esse termo, que já caiu em desuso há décadas, possui uma característica interessante: assim como *polly* (substantivo próprio feminino), *pecúnia* lembra *petúnia* (que é o nome de uma flor e também já foi usado no

Brasil como nome próprio). O encadeamento lógico nos levou, por associação, a criar a expressão *tia pecúnia*, que, acreditamos, transmite a intenção do autor e mantém, pela antiguidade do termo em português, o mesmo teor de estranhamento do original em inglês.

Sinny demonstrou ser ainda mais complicado de traduzir. Esse sinônimo de cinema no universo de Alex e sua gangue é um trocadilho com a palavra *sin*, que significa pecado. Este é um dos tristemente famosos casos de intraduzibilidade. Como relacionar pecado e cinema na mesma palavra sem perda de sentido? Optamos por tangenciar essa relação cinematográfico-pecaminosa e aplicar o princípio da *rhyming slang*, criando a palavra *cine-cínico*, que, embora retire o aspecto sexual da equação, preserva a ironia, rimando cinema e cinismo.

Uma menção especial merece ser dada à expressão mais frequentemente utilizada por Alex no livro, uma repetição não silábica, mas gramatical, que entra no meio das frases do narrador mais como um marcador de idioleto (ou seja, um termo que assinala a característica específica do falar) do que propriamente uma expressão que signifique de fato alguma coisa relevante. É o caso de *like*, usado à exaustão por Alex como se fosse um sinal de pontuação. Traduzimos *like* por *tipo assim*, que desempenha o mesmo papel, grosso modo, nas conversas entre jovens falantes do português brasileiro.

A linguagem pseudoelisabetana

Tanto Joyce quanto Shakespeare e Marlowe eram autores da predileção de Anthony Burgess. Além do musical *Blooms of Dublin* e do livro *Joysprick*, em homenagem ao autor de *Finnegans wake*, Burgess escreveu uma ficção sobre a vida amorosa de Shakespeare (*Nada como o sol*, Ediouro, 2003) e seu último romance, publicado no ano de sua morte (1993), *A dead man in Deptford,* foi uma ficção baseada no controvertido assassinato de Christopher Marlowe, dramaturgo contemporâneo de Shakespeare.

Talvez esse fascínio pela era elisabetana o tenha feito inserir no jargão da tribo de Alex um falar ainda mais estranho: quem sabe justamente para transmitir uma impressão de mais maturidade (ou apenas por estar no "auge da moda", expressão que Alex usa muito em sua narrativa e que constitui um fator de importância fundamental para ele), as gangues intercalam o uso da linguagem nadsat e da gíria rimada com um falar que lembra o Middle English, mas sem o mesmo rigor gramatical. *Tu e os teus* (*thee and thine*), por exemplo, são expressões salpicadas ao longo do texto, sempre nas falas de Alex e de seus companheiros de gangue, mas a evidência mais forte de que se trata de um falar no fim das contas mais esquisito e talvez até mais infantil do que a *rhyming slang* está no encontro de Alex, na Parte Três, com um ex-colega e sua esposa, que acha engraçado o jeito de falar do protagonista ("e eis-te aqui e eis-me aqui, e que novas me trazes, velho drugui?").

Apesar da falta de rigor do falar pseudoelisabetano (que não passa de um arremedo propositalmente mal costurado da linguagem dos tempos de Shakespeare), pesquisamos algumas traduções de Shakespeare em busca de um tom mais adequado na língua portuguesa, entre elas, as edições bilíngues da Nova Fronteira com as traduções de Bárbara Heliodora.

Alguns outros casos

O poder de sátira de Burgess era fulminante. Os menores detalhes de *Laranja mecânica* nos revelam não só a preocupação com a construção de um universo em termos de história e política, mas também de usos e costumes – e um costume presente em qualquer sociedade é o recurso ao humor. Ácido e contundente – como é de hábito em tempos de repressão –, mas ainda assim humor.

Um dos pontos de quebra de tensão no texto através do humor está no tratamento dispensado por Alex e sua gangue aos policiais com quem volta e meia se confrontam. Os homens da lei (tão violentos quanto as gangues nadsats) são ridicularizados por meio do recurso mais eficiente para Burgess: a língua. Ao longo da narrativa, policiais são chamados por dois nomes: *millicents* ou *rozzes*.

Millicent é nome próprio feminino, pouco usado atualmente na Inglaterra, mas frequente nas páginas dos folhetins góticos e românticos da era vitoriana. Ou seja, na cabeça de Alex e sua gangue, Millicent é nome de mulherzinha, logo, uma ofensa à masculinidade dos policiais – além de não violar a lógica nadsat, pois há uma ligeira semelhança com o vocábulo russo *militsiya*. Entretanto, dada a aparente impossibilidade de se encontrar um nome brasileiro que correspondesse exatamente a Millicent, optamos por um trocadilho: a palavra *miliquinha*, que reproduz o caráter satírico e ofensivo do termo original.

A palavra *rozzes* (nadsat para a palavra russa *rozh*, que significa cara feia) foi por nós traduzida segundo a mesma lógica de sátira pela humilhação: o trocadilho óbvio com rosas era bom demais para ser posto de lado, razão pela qual criamos a palavra *rozas*.

Ainda com um pé na esfera do humor e da sátira, o falar sem sentido já citado acima, típico dos usuários das drogas sintéticas alucinógenas criadas por Burgess (como *sintemesc*, uma versão sintética da mescalina), é uma clara homenagem a James Joyce e seu *riverrun*, seu rio caudaloso de imagens e palavras que flui em *Finnegans wake*. Consultamos, para criar uma versão igualmente sonora (pois a sonoridade é a pedra de toque da prosódia joyceana), o *Panaroma do Finnegans Wake*, de Haroldo e Augusto de Campos, e *Finnicius revem*, a monumental tradução de Donaldo Schüler para a obra-prima de Joyce.

O som foi um elemento fundamental na escolha de palavras desta tradução. Para intensificar a sensação de estranhamento, era necessário manter a naturalidade da pronúncia e a cadência do ritmo da narrativa de Burgess. Em alguns casos, a origem russa do termo ajudou mais do que a palavra inglesa, como no verbo *to rabbit*, usado no original como sinônimo de *trabalhar*. Contudo, conforme nos lembra Blake Morrison, o uso de *rabbit* (em inglês, coelho) é um trocadilho com o verbo russo *rabotat* (que, embora também signifique *trabalhar*, tem como raiz a palavra *rab*, escravo). Não por coincidência, foi seguindo esse raciocínio que o escritor e dramaturgo tcheco Karel Capek, em sua peça *R.U.R.*, criou a palavra *robot* – um trabalhador mecânico escravo. Nada mais coerente, portanto, que aproveitar a etimologia original e verter *to rabbit* para *robotar*.

Uma das expressões mais utilizadas por Alex ao longo de sua narrativa, entretanto, não precisou de tanta ginástica idiomática. *Kiss-my-sharries* mistura o popular xingamento inglês *kiss my ass* com *sharries*, corruptela nadsat da palavra russa *shariki* (bola de gude). *Beije minhas bolas* seria uma solução mais imediatamente reconhecível e graficamente aceitável, mas soaria muito artificial. Optamos, então, pela criação de um trocadilho mais próximo da malemolência brasileira, mas que não perde a sonoridade nem a agressividade pré-punk que Burgess queria transmitir: *chupa meu shako*.

O uso de palavras já existentes na língua portuguesa também serviu como recurso para a tradução por sonoridade: é o caso dos verbos *to peet* (beber) e *to filly* (bagunçar), traduzidos, respectivamente, como *pitar* e *filar*. Embora esses verbos já estejam dicionarizados com outros significados (pitar é fumar, e filar é pedir alguma coisa a alguém), optamos por utilizá-los em outro contexto não só pela homofonia com os termos originais, mas para preservar o estranhamento na leitura.

Exemplo semelhante ocorre com a tradução do nome de um dos amigos de Alex: embora Georgie e Pete sejam nomes ingleses típicos, Blake Morrison nos lembra que eles "possuem nomes agradavelmente desenraizados, anglo-russo-americanos". Ou seja, são nomes que, embora escritos em sua forma anglo-americana, também possuem equivalentes eslavos (Gyorg e Pyotr, cuja pronúncia em russo tem um som próximo ao de George e Peter). Lógica semelhante é seguida no caso do último amigo: no original, o amigo mais violento da gangue é tratado pelo apelido Dim (em inglês, *burro, ignorante*). Como essa palavra tem uma sonoridade próxima à do idioma russo e sua tradução era necessária para que o leitor pudesse compreender melhor as características do personagem, optamos por chamá-lo de Tosko (com "k", para obter um efeito de "russificação"), que traduz com precisão seu jeito e modo de agir.

Para encerrar, não poderíamos deixar de comentar pelo menos um termo intraduzível, mas cuja impossibilidade de tradução confere ao livro um charme especial: o neologismo *heavenmetal*, criado por Burgess para descrever o êxtase sentido por Alex ao ouvir a música de seu ídolo, Ludwig van Beethoven. Se Burgess não teve a menor intenção de brincar de futurólogo com *Laranja mecânica*, não há como não nos admirarmos com a previsão involuntária: a expressão *heavy metal* só seria criada anos depois, no final da década de 1960, para descrever o blues/rock elétrico e pesado de bandas como The Yardbirds e Led Zeppelin. Pelo contexto, *heavenmetal* (que poderia ser traduzido como *metais celestiais*), portanto, não poderia nem deveria ser traduzido.

Se o ofício do tradutor consiste em tornar o texto produzido em um idioma acessível aos leitores de outro com o máximo de fidelidade e o mínimo de perdas, esperamos ter cumprido a missão neste trabalho – que teria, sem dúvida, ficado mais pobre sem as sugestões valiosas e as horas de *brainstorm* com o editor Adriano Fromer Piazzi e Aurora Barbosa, e o aprendizado do ofício com Paulo Rónai e Daniel Brilhante de Brito.

Fábio Fernandes

Texto originalmente publicado pela Editora Aleph na edição de 2004, quando lançou *Laranja mecânica* com uma nova tradução para o português.

LARANJA MECÂNICA

PASTOR: Desejara que não houvesse idade entre dezesseis e vinte e três anos, ou que a mocidade dormisse todo esse tempo, que só é ocupado em deixar com filhos as raparigas, aborrecer os velhos, roubar e provocar brigas.

– Shakespeare, *Conto de Inverno*, Ato III, Cena 3

PARTE UM

1

– Então, o que é que vai ser, hein?

Éramos eu, ou seja, Alex, e meus três druguis, ou seja, Pete, Georgie e Tosko, Tosko porque ele era muito tosco, e estávamos no Lactobar Korova botando nossas rassudoks pra funcionar e ver o que fazer naquela noite de inverno sem-vergonha, fria, escura e miserável, embora seca. O Lactobar Korova era um mesto de leite-com, e possa ser,

Ó, meus irmãos, que tenhais esquecido de como eram esses mestos, pois as coisas mudam tão skorre hoje em dia e todo mundo esquece tão depressa, porque também quase não se lê mais os jornais mesmo.

Bom, o que vendiam ali era leite-com-tudo-e-mais-alguma--coisa. Eles não tinham autorização para vender álcool, mas ainda não havia leis contra prodar algumas das novas veshkas que costumavam colocar no bom e velho moloko, então você podia pitar com velocet, sintemesc, drencrom ou alguma outra veshka que lhe daria uns belos de uns quinze minutos muito horrorshow só ali, admirando Bog e Todos os Seus Anjos e Santos no seu sapato esquerdo com luzes espocando por cima da sua mosga. Ou você podia pitar leite com faca dentro, como a gente costumava dizer, e isso te aguçava e te deixava pronto para um vinte-contra-um do cacete, e era isso o que estávamos pitando naquela noite com a qual começo esta história.

A gente estava com o bolso cheio de denji, por isso não havia realmente necessidade, do ponto de vista de krastar mais tia pecúnia, de dar um toltchok em algum vekio num beco e videá-lo nadar no próprio sangue enquanto a gente contava a pilhagem e dividia em quatro, nem ultraviolentar alguma ptitsa tremelique de cabelos branquinhos em uma loja e sair smekando com as tripas da caixa registradora. Mas, como dizem, dinheiro não é tudo.

Nós quatro estávamos no auge da moda, o que naqueles dias era vestir um par de calças pretas bem justas com o bom e velho molde de geleia, como a gente chamava, encaixado na virilha por dentro das calças para proteger, além do que também formava uma espécie de desenho que dava para videar com bastante clareza, dependendo da luz. Eu tinha um em forma de aranha. Pete tinha uma ruka (ou seja, uma mão), Georgie tinha um que era muito extravagante, de uma flor, e o coitado do Tosko tinha um muito brega com um litso (ou seja, rosto) de palhaço. Tosko era meio sem noção das coisas, e era, sem qualquer sombra de dúvida, o mais tosco de nós quatro. Também vestíamos paletós sem lapela que iam até a cintura, tipo colete, mas com ombros muito grandes dentro (a gente chamava eles de "pletchos"), que eram meio que uma sacaneada em quem tinha ombros daquele tamanho mesmo. Então, meus irmãos, usávamos uns plastrons off-white que mais pareciam purê de kartofel ou batata com uma espécie de desenho feito com garfo. Usávamos o cabelo não muito comprido e tínhamos umas botas horrorshow, ideais para chutar.

– Então, o que é que vai ser, hein?

Havia três devotchkas sentadas juntas no balcão, mas nós éramos quatro maltchiks e o negócio costumava ser um por todos e todos por um. As esticas também estavam no auge da moda, com perucas roxas, verdes e laranjas nas gúlivers, cada qual custando, calculei eu, no mínimo três ou quatro semanas dos salários daquelas esticas, e maquiagem combinando (ou seja, arco-íris ao redor dos glazis e a rot pintada muito grande). Tinham ainda vestidos pretos longos muito retos, e na parte bombada usavam crachazinhos tipo assim de prata com nomes de maltchiks em cada um: Joe, Mike e outros assim. Normalmente eram os nomes dos vários maltchiks com quem elas haviam espetado antes dos quatorze. Elas não paravam de olhar na nossa direção e eu quase senti vontade de dizer que nós três (pelo canto da minha rot, ou seja) deveríamos sair para fazer um pouco de pol e deixar o coitado do Tosko para trás, porque seria apenas uma questão de kupetar para o Tosko meio litro de branquinho, mas com um tanto de sintemesc misturado, só que isso não seria jogar direito o jogo. Tosko era feio feio feio e igualzinho ao seu nome, mas era um tremendo lutador horrorshow e usava a bota muito bem.

– Então, o que é que vai ser, hein?

O tchelovek sentado ao meu lado, ali naquele banco comprido e grande de pelúcia que percorria três paredes, estava longe, longe, com os glazis embaçados e meio que borbulhando slovos tipo "Aristóteles trama tralha trabalha vomitando ciclâmens e fica forficuladamente inteligente". Ele estava em outro mundo mesmo, bem distante, lá em órbita, e eu sabia bem como era isso, pois já tinha experimentado essa sensação como todo mundo, mas daquela vez fiquei pensando que era uma veshka tipo assim meio covarde, Ó, meus irmãos. Você fica ali jogado depois de tomar o bom e velho moloko e aí fica com a messel de que tudo ao seu redor meio que já aconteceu antes. Você até consegue videar tudo direitinho, tudo mesmo, com muita clareza – as mesas, o estéreo, as luzes, as esticas e os maltchiks – mas era como se fosse uma veshka que antes estava lá mas agora não está mais. E você ficava assim meio que tipo hipnotizado pela sua bota ou pelo seu sapato ou pela unha, tanto faz, e ao mesmo tempo você ficava meio como se te pegassem pelo cangote e sacudissem que nem um gato. Você é sacudido sem parar até não sobrar mais nada. Você perde seu nome, seu corpo, seu eu e não está nem aí, e espera até sua bota ou sua unha ficarem amarelas, e ficarem cada vez mais amarelas. Então as luzes começam a piscar como explosões atômicas e a bota ou a unha ou, também pode acontecer, uma sujeirinha no fundo das suas calças se transforma num mesto grande grande grande, maior que o mundo inteiro, e aí você vai justamente ser apresentado ao bom e velho

Bog ou Deus quando tudo acaba. Você volta pro lado de cá e aí fica meio que gemendo baixinho, com a rot toda buábuá. Agora, isso é muito bacana, mas também é muito covarde. Você não foi posto neste mundo só para entrar em contato com Deus. Esse tipo de coisa pode sugar toda a força e a virtude de um tchelovek.

– Então, o que é que vai ser, hein?

O estéreo estava ligado e dava a impressão de que a goloz do cantor ia de um lado para o outro do bar, voando até o teto e depois descendo rapidamente mais uma vez e ricocheteando de uma parede para outra. Era Berti Laski rascando uma velharia velha demais chamada "Você Estufa a Minha Tinta". Uma das três ptitsas no balcão, a da peruca verde, ficava estufando e encolhendo a barriga ao ritmo daquilo que chamavam de música. Eu já estava sentindo as facas do bom e velho moloko começarem a espetar, e agora estava prontinho para um pouco de vinte-contra-um. Aí eu lati: – Fora fora fora fora! – que nem um cachorro, e dei um tapa horrorshow no oko ou ouvido do vek sentado ao meu lado e que estava longe, longe, borbulhando, mas ele nem sentiu e continuou com seu "equipamento telefônico e quando o farfáculo fica péinpéinpéinpéin".

Mais tarde, quando ele saísse do outro mundo e voltasse pra cá, ia sentir isso direitinho.

– Fora pra onde? – perguntou Georgie.

– Ora, vamos dar uma caminhada – eu disse – e videar o que aparece, Ó, meus irmãozinhos.

Então saímos para dentro da grande notchi de inverno, descemos o Marghanita Boulevard e viramos na Boothby Avenue, e foi lá que encontramos aquilo que muito procurávamos, uma brincadeira malenk para começar bem a noite. Era um vekio starre estilo professor aloprado, de óculos e rot aberta no ar frio da notchi. Levava livros embaixo do braço e um guarda-chuva todo esculhambado, e estava vindo da Biblio Pública, que pouquíssimos plebeus usavam naquele tempo. Não se viam mesmo muitos dos velhos burgueses na rua depois que a noite caía, com a falta de policiais e nós bons e jovens maltchikiviks por aí, e esse tchelovek tipo prof era o único andando em toda a rua. Então nós fomos guliando até perto dele, bem-educados, e eu disse: – Perdoai-me, irmão.

Ele fez uma cara um malenk pugli quando videou nós quatro assim, chegando tão de mansinho, educados e sorrindo, mas disse: – Sim? O que foi? – em uma goloz muito alta tipo professor, como se estivesse tentando nos mostrar que não estava pugli. Eu disse:

– Estou vendo que tens livros debaixo do braço, irmão. É de fato um raro prazer, hoje em dia, encontrar alguém que ainda leia, irmão.

– Ah – ele disse, tremendo todo. – É mesmo? Sei, sei. – E não parava de olhar de um para o outro de nós quatro, vendo que agora estava tipo assim no meio de um quadrado mui sorridente e educado.

– Sim – disse eu. – Interessar-me-ia enormemente, irmão, se gentilmente me permitisses ver que livros são esses que tens debaixo de teu braço. Nada me agrada mais neste mundo do que um livro bom e decente, irmão.

– Decente – ele disse. – Decente, é? – E então Pete skivatou aqueles três livros dele e os passou para os outros super skorre. Como eram três, cada um de nós ficou com um livro para videar, menos o Tosko. O que eu tinha se chamava *Cristalografia Elementar*, então eu o abri e disse: – Excelente, é mesmo de primeira – e fiquei ali virando as páginas. Então eu disse com uma goloz muito chocada: – Mas o que é isto aqui? Que slovo suja é esta, fico ruborizado só de olhar para ela. Você me decepciona, irmão, de verdade.

– Mas – ele tentou –, mas, mas...

– Nossa – disse Georgie. – Isto aqui é o que eu chamo de indecência. Tem uma slovo começando com f e outra com c.

O livro que estava com ele se chamava *O Milagre do Floco de Neve*.

– Nossa – disse o coitado do velho Tosko, smotando por cima do ombro de Pete e passando do limite, como sempre fazia –, aqui diz o que ele fez com ela, e tem até figura e tudo. Ora, ora – ele disse –, você não passa de um velho safado de cabeça suja.

– Que feio para um velho de sua idade, irmão – eu disse, e comecei a rasgar o livro que estava comigo, e os outros fizeram o mesmo com os deles; Tosko e Pete fizeram um cabo de guerra com *O Sistema Romboédrico*. O velhote tipo prof começou a krikar: – Mas eles não são meus, são propriedade do município. Isso é pura maldade e vandalismo – ou slovos assim. E ele meio que tentou tirar os livros de nós à força, o que foi patético. – Você merece uma lição, irmão – eu disse.

– Ah, merece. – Aquele livro sobre cristais que estava comigo possuía uma capa muito dura e difícil de rasgarazgar em pedacinhos, porque era mesmo starre, tinha sido feito num tempo em que as coisas eram feitas tipo assim para durar, mas acabei conseguindo arrancar as páginas e jogá-las em punhados, como flocos de neve, ainda que grandes, por cima daquele vekio que não parava de krikar, e então os outros fizeram a mesma coisa com os deles, e o bom e velho Tosko só ficava dançando como o palhaço que era. – Pronto – disse Pete. – Está aí o que você merece, seu leitor safado de indecência e porcaria.

– Seu vekio safado – eu disse, e então começamos a filar com ele. Pete segurou as rukas dele, Georgie abriu sua rot e Tosko arrancou seus zubis falsos, os de cima e os de baixo. Jogou-os na calçada e então eu apliquei neles o bom e velho tratamento esmaga-botas, embora fossem difíceis de quebrar, porque eram feitos daquele novo material horrorshow de plástico. O vekio começou a fazer uma espécie de shons abafados – uuf uaf uof – então Georgie soltou os gubers dele e simplesmente deixou que ele levasse uma na rot sem dentes com seu punho cheio de anéis. Isso fez o vekio gemer muito na hora, e foi aí que brotou o sangue, meus irmãos, muito lindo. Então tudo o que nós fizemos foi puxar suas platis externas pra baixo, deixando ele só de colete e ceroulas (muito starre; Tosko se matava de tanto smekar) e depois o Pete o chutou lindamente na pança, e nós o deixamos ir. Ele saiu meio que cambaleante, porque não tinha sido um toltchok tão forte assim, dizendo – ai, ai, ai – sem saber onde estava nem quem era. Nós rimos dele e então riflamos seus bolsos, Tosko dançando ao redor com o guarda-chuva esculhambado enquanto isso, mas não tinha muita coisa neles. Havia umas cartas starres, algumas delas datando até 1960 com "minha querida, minha querida" e essa tchepuka toda, um chaveiro e uma caneta velha que vazava. O bom e velho Tosko parou com a dança do guarda-chuva, e é claro que tinha que começar a ler uma das cartas em voz alta, tipo assim para mostrar à rua deserta que sabia ler. – Minha querida – ele recitou em uma goloz assim bem alta –, eu pensarei em você enquanto você estiver fora e espero que se lembre de se agasalhar bem quando sair à noite. – Então soltou um smek muito shonoro – huá huá huá – fingindo que estava limpando seu yama com a carta. – Tudo bem – eu disse. – Deixai-o ir, Ó, meus irmãos. – Nas calças do vekio só havia um malenk de cortador (ou seja, dinheiro), não tinha mais do que três golis, então jogamos suas moedinhas muquiranas no olho da rua, porque era desprezível em relação à quantidade de tia pecúnia que já tínhamos conosco. Então quebramos o guarda-chuva dele e o demos aos ventos que sopravam, meus irmãos, e aí deixamos o vekio tipo prof de lado. Não havíamos feito muita coisa, eu sei, mas era meio que o começo da noite e eu não tenho que ficar pedindo descul-paculpas a ninguém por isso. As facas do leite-com agora estavam espetando bonitinho e horrorshow.

A próxima coisa a fazer era a sameadura, que era um jeito de descarregar um pouco do nosso cortador para termos mais um incentivo para krastar uma loja, além do que era um jeito de comprar um álibi adiantado. Então entramos no Duque de Nova York na Amis Avenue e, claro, havia três ou quatro babushkas velhas pitando suas pretinhas com espuma por conta do AE (Auxílio do Estado). Agora nós éramos maltchiks muito bonzinhos, sorrindo um boa-noite a todos, embora as velhas lamparinas enrugadas tivessem começado a tremer na base, segurando os copos com as rukas velhas tremendo e fazendo a espuma derramar na mesa. – Deixa a gente em paz, garoto – disse uma delas que tinha um rosto que parecia um mapa de mil anos de idade. – Somos só umas pobres velhas. – Mas nós simplesmente fizemos assim com os zubis, flash flash flash, nos sentamos, tocamos a sineta e esperamos o rapaz aparecer. Quando ele veio, todo nervoso e esfregando as rukas no avental gordurado, pedimos quatro veteranos: veterano é rum misturado com cherry brandy, que estava na moda, sendo que tinha quem gostasse de uma rodelinha de lima, a variação canadense. Então eu disse ao garoto:

– Dê a estas pobres e velhas babushkas que estão ali alguma alimentação. Escoceses em copo grande para todas e algo para levar para viagem. – E derramei meu bolso cheio de denji em cima da mesa toda, e os três fizeram o mesmo, Ó, meus irmãos. Então copos duplos de ouro-de-fogo foram trazidos para as lamparinas velhas apavoradas, e elas não sabiam o que dizer. Uma delas disse: – Obrigada, rapazes –, mas dava pra ver que elas achavam que vinha alguma sacanagem por aí. De qualquer maneira, cada qual ganhou uma garrafa de Yank General, ou seja, conhaque, para levar, e eu dei dinheiro suficiente para que cada uma delas recebesse uma dúzia de pretinha com espuma na manhã seguinte, e as shinas velhas fedidas deixaram seus endereços no balcão. Então, com o cortador que restou nós compramos, meus irmãos, todas as tortas de carne, pretzels, salgadinhos de queijo, crisps e chocobars daquele mesto, e tudo isso também era para as velhotas. Então dissemos: – Voltamos num minueto –, e as velhas ptitsas ainda estavam dizendo – obrigada, rapazes –, e Deus abençoe vocês, garotos –, e estávamos saindo sem um centavo de cortador nos nossos karmans.

– Isso faz a gente se sentir dobi mesmo, não faz? – disse Pete. Dava para videar o pobre do velho Tosko, tão tosco que não estava poneando nada daquilo, mas que não falava nem uma palavra por medo de ser chamado de glupi e menino prodígio retardado. Bem, agora nós estávamos virando a esquina na direção da Attlee Avenue, e tinha uma loja de doces e cânceres ainda aberta. A gente não sacaneava com eles já fazia quase três meses e o bairro inteiro andava muito quieto como um todo, então os miliquinhas ou patrulheiros rozas armados não andavam muito por ali, ficando mais ao norte do rio naquele tempo. Colocamos nossas mascaretas. Coisa nova, horrorshow mesmo, um trabalho muito bem-feito; eram os rostos de personalidades históricas (eles diziam para você o nome quando você comprava). Eu tinha Disraeli, Pete tinha Elvis Presley, Georgie tinha Henrique VIII e o coitado do bom e velho Tosko tinha um vek poeta chamado P. B. Shelley; eram um disfarce de verdade, com cabelo e tudo, e eram feitas de uma veshka plástica muito especial que dava para enrolar e esconder na bota quando você acabasse de usar. Então nós três entramos. Pete ficou montando chasso do lado de fora, não que houvesse algo para nos preocupar lá fora. Assim que entramos na loja fomos direto pra cima do dono, o Slouse, um vek gordo que nem geleia que videou na hora o que estava acontecendo e foi direto para dentro onde ficava o telefone e talvez sua pushka bem azeitada, carregada com seis cartuchos miseráveis. O Tosko deu a volta naquele balcão skorre feito um passarinho, derrubando pacotes de tubinhos e quebrando um grande display que mostrava uma garota com os zubis reluzindo para os clientes e seus grudis quase saltando pra fora pra anunciar uma marca nova de cânceres. Aí só deu pra videar uma espécie de bola grande rolando para dentro da loja atrás da cortina, e essa bola era o Tosko e o Slouse meio que travados numa luta mortal. Depois deu pra sluchar eles arfando, ofegando e chutando atrás da cortina, veshkas caindo, palavrões e vidro fazendo crac crac crac. Mama Slouse, a esposa, ficou assim meio que paralisada atrás do balcão. Dava para ver que ela iria krikar socorro a qualquer momento, então eu dei a volta naquele balcão muito skorre e segurei ela, que tinha um peso muito horrorshow, toda nukando a perfume e com grudis grandes balançando. Eu havia colocado minha ruka em cima da rot dela para impedir que ela gritasse morte e destruição aos quatro ventos do céu, mas essa cadela me deu uma mordida horrível e aí quem krikou fui eu, e então ela se abriu lindamente com um grito bacana para os miliquinhas. Bom, então ela teve que ser adequadamente toltchokada com um dos pesos da balança, e depois levou uma bela de uma pancada com um pé de cabra que eles tinham ali para abrir caixotes, e isso fez o vermelho jorrar como um velho amigo voltando. Então coloquei ela no chão, rasguei as platis dela só de brincadeira e dei um chutinho com a bota para que ela parasse de gemer. E, videando ela ali deitada com os grudis aparecendo, fiquei pensando se devia ou não devia, mas isso era para mais tarde. Então limpamos o caixa, fizemos uma bela pilhagem horrorshow naquela notchi, pegamos algumas caixas dos melhores cânceres cada um, e saímos, meus irmãos.

– Mas como aquele filho da puta era enorme – o Tosko não parava de falar. Eu não estava gostando da cara do Tosko; ele parecia sujo e desarrumado, como um vek que havia se metido em alguma briga, o que é claro que ele havia feito, mas você jamais deve dar na cara que acabou de fazer isso. O plastrom dele parecia que havia sido pisado, sua mascareta tinha sido arrancada e ele estava com o litso sujo de poeira, então o levamos para um beco e demos uma ajeitada malenk, molhando nossos tashtuks em cuspe para chispar a poeira fora. As coisas que fazíamos pelo nosso bom e velho Tosko. Voltamos ao Duque de Nova York super skorre e percebi pelo meu relógio que não havíamos ficado fora mais do que dez minutos. As velhas babushkas ainda estavam ali nas pretinhas com espuma e nos Escoceses que tínhamos comprado para elas, e dissemos: – Olá, garotas, o que vai ser? – Elas começaram o velho – Muito gentil, rapazes, Deus abençoe vocês, garotos – e assim nós tocamos a kolokol e desta vez veio um garçom diferente. Pedimos cervejas misturadas com rum, porque estávamos com as gargantas secas, meus irmãos, e o que quer que as velhas ptitsas quisessem. Então eu falei para as babushkas velhas: – A gente não saiu daqui, saiu? A gente ficou aqui o tempo todo, não foi? – Todas elas entenderam skorre e disseram:

– Isso mesmo, rapazes. Não saíram da nossa vista, não mesmo. Deus abençoe vocês, rapazes – bebendo.

Não que isso importasse tanto assim, na verdade. Cerca de meia hora se passou antes que os miliquinhas dessem algum sinal de vida, e quando isso aconteceu apenas dois rozas muito novinhos entraram, muito rosados debaixo de seus enormes shlemis de cobre. Um deles disse:

– Vocês aí, sabem de alguma coisa sobre o que aconteceu esta noite na loja Slouse?

– Nós? – perguntei, inocente. – Por quê, o que aconteceu?

– Roubo e agressão. Duas hospitalizações. Onde vocês estavam no começo da noite?

– Não estou gostando desse tom maldoso – eu disse. – Não gosto dessas insinuações maldosas. Tudo isso prenuncia uma natureza muito suspeitosa, meus irmãozinhos.

– Eles estiveram aqui a noite toda, rapazes – as velhotas começaram a krikar. – Deus os abençoe, nunca vimos rapazes tão gentis e generosos. Estiveram aqui o tempo todo, estiveram mesmo. A gente não viu eles darem um passo, não mesmo.

– Só estamos perguntando – disse o outro jovem miliquinha. – Temos nosso trabalho para fazer como todo mundo. – Mas mesmo assim nos deram aquele olhar mau de aviso antes de saírem. Quando estavam saindo, nós tocamos para eles um pouquinho de música labial: prrrrrrrr. Mas eu não conseguia deixar de me sentir um pouquinho decepcionado com as coisas do jeito que eram naquela época. Nada contra o que lutar de verdade. Tudo era fácil como tirar doce de criança. Mas a noite ainda era mesmo uma criança.

2

Quando saímos do Duque de Nova York, videamos pela janela comprida e iluminada do bar principal um velho e borbulhante pianitza ou bêbado, uivando as canções indecentes de seus pais e um blurp blurp no meio como se uma orquestra velha de merda estivesse tocando nas suas tripas podres e fedidas. Se tem uma veshka que eu não tolero é essa. Nunca consegui suportar ver um mudji todo sujo, rolando, arrotando e bêbado, seja lá qual for a sua idade, mas principalmente quando é realmente starre como aquele ali era. Ele estava meio que achatado na parede, e suas platis eram uma desgraça, todas vincadas, amassadas e cobertas de lama, kal, sujeira e essas coisas. Então nós pegamos ele e o cobrimos com uns belos de uns toltchoks horrorshow, mas ele ainda continuou cantando. A canção era assim:

E eu voltarei para minha querida, minha querida
Quando você, minha querida, tiver partido.

Mas quando o Tosko socou ele algumas vezes naquela sua rot suja de bêbado, ele parou de cantar e começou a krikar: – Isso, me matem, seus covardes miseráveis, eu não quero viver mesmo, não num mundo fedido como este. – Então eu falei pro Tosko parar um pouco, porque às vezes me interessava sluchar o que alguns desses decreps starres tinham para dizer sobre a vida e o mundo. Eu perguntei:

– Ah, é? E o que há de fedido nele?

Ele gritou: – É um mundo fedido porque ele deixa os jovens baterem nos velhos como vocês fizeram, e não existe mais lei nem ordem. – Ele estava krikando alto e acenando com as rukas e fazendo um verdadeiro horrorshow com as slovos, só o blurp blurp bizarro saindo de suas kishkas, como se alguma coisa estivesse orbitando ali dentro, ou como se fosse um mudji muito mal-educado interrompendo algo com um shom, e o vekio ficou meio que ameaçando com os punhos, gritando: – Este mundo não é mais para nenhum velho, e isso quer dizer que não tenho o menor medo de vocês, moleques, porque estou bêbado demais para sentir dor se vocês me baterem, e se me matarem ficarei feliz em morrer. – Nós smekamos e depois sorrimos, mas não dissemos nada, e então ele disse: – Mas que tipo de mundo é esse? Homens na Lua e homens girando ao redor da Terra como mariposas numa lâmpada, e ninguém presta mais atenção às leis e à ordem terrenas. Então podem fazer o pior que puderem, seus arruaceiros miseráveis covardes. – Então ele nos deu um pouco de música labial: – Prrrrrrr – exatamente como havíamos feito com aqueles jovens miliquinhas, e recomeçou a cantar:

> Ah, querida querida terra, por ti eu lutei
> E trouxe paz e vitória para ti...

Então nós arrebentamos ele bonitinho, sorrindo com nossos litsos de orelha a orelha, mas ele não parava de cantar. Então nós o derrubamos e ele se estabacou no chão e botou pra fora um barril de vômito de cerveja. Isso foi tão nojento que a gente meteu a bota nele, um de cada vez, e depois não foi nem música nem vômito que saiu da sua rot velha e imunda, foi sangue. Então tomamos nosso rumo.

Foi virando a esquina da Usina de Força Municipal que cruzamos com Billyboy e seus cinco druguis. Agora, naqueles dias, meus irmãos, os grupos eram, em sua maioria, de quatro ou cinco, sendo assim tipo autogrupos, porque quatro era um número que dava certinho num auto, sendo, portanto, seis o limite máximo para o tamanho das gangues. Às vezes, gangues se juntavam para formar exércitos malenks para uma grande noite de guerra, mas na maioria das vezes era melhor circular em número reduzido. Billyboy era uma coisa que me fazia querer vomitar só de videar sua litso gorda sorridente, e ele sempre tinha esse von de óleo bem velho que foi usado para fritar muitas e muitas vezes, até mesmo quando estava vestido com suas melhores platis, como agora. Eles nos videaram como nós os videamos, e então ficou um clima assim de um vigiando o outro mui silenciosamente. Aquilo ia ser real, aquilo ia ser adequado, ia ser a noja, a uji, a britva, e não só punhos e botas. Billyboy e seus druguis pararam o que estavam fazendo, que era simplesmente se preparar para executar alguma coisa numa devotchkinha chorona que estava ali com eles, não devia ter mais de dez anos. Ela krikava, mas com as calças ainda no lugar, o Billyboy segurando ela por um ruka e o seu Imediato, Leo, segurando o outro. Eles provavelmente haviam acabado de fazer a parte do ato que era falar umas slovos de sacanagem antes de iniciar um malenk de ultraviolência. Quando eles nos videaram chegando, soltaram a ptitsazinha buábuá, porque de onde ela veio tinha muito mais, e ela correu com as perninhas finas e brancas deixando rastros no escuro, ainda fazendo "aiaiai". Eu disse, sorrindo mui largamente e drugui: – Ora, ora, se não é o gordo fedido do Billyboy billybode em pessoa. Como estás tu, barril de banha barata e fedida? Venha levar uma nos yarblis, se é que você tem algum yarbli, seu pudim de banha eunuco. – E então começamos.

Éramos quatro de nós contra seis deles, como eu já havia indicado, mas o coitado do Tosko, com toda a sua tosqueira, valia por três dos outros em loucura pura e briga desleal. O Tosko tinha uma uji ou corrente horrorshow enrolada na cintura, duas voltas, que ele desenrolou e começou a girar lindamente na altura dos olhos ou glazis. Pete e Georgie tinham umas nojas bem afiadas, mas da minha parte eu tinha uma britva starre horrorshow degoladora que, naquela época, eu sabia reluzir e girar como um artista. Então estávamos dratando na escuridão, e a velha Luna que tinha homens em sua superfície acabava de aparecer, as estrelas como facas ansiosas para entrar na drata. Com a minha britva consegui fazer um corte bem na frente das platis de um dos druguis do Billyboy, corte mui preciso, sem sequer tocar no ploti debaixo da roupa. Então, no meio da drata, esse drugui do Billyboy de repente se viu todo aberto feito uma vagem de ervilha, com a barriga aparecendo e os coitadinhos dos yarblinhos de fora, e aí ele ficou muito mas muito razdraz, acenando, gritando e perdendo a guarda e deixando o velho Tosko com sua corrente serpenteando uiiiiisssssssshhh-hh, e aí o velho Tosko correntou ele bem nos glazis, e aquele drugui do Billyboy saiu cambaleando e uivando o coração pra fora. Estávamos indo muito horrorshow, e num instantinho tínhamos posto o Imediato do Billyboy no chão, cegado pela corrente do velho Tosko e rastejando como um bicho, mas, com uma bela botinada na gúliver, ele apagou gou gou.

De nós quatro, Tosko, como sempre, saiu com o pior aspecto, ou seja, estava com o litso todo ensanguentado e as calças sujas e amarrotadas, mas nós ainda estávamos tranquilos e inteiros. Agora eu queria era o gorducho e fedorento do Billyboy, e lá estava eu dançando com minha britva como se fosse um barbeiro a bordo de um navio em um mar muito agitado, tentando chegar até ele com alguns belos golpes em seu litso sujo e oleoso. Billyboy tinha uma noja comprida, daquelas que você abre com um giro do pulso, mas ele era um malenk mais lento e pesado em seus movimentos para vreditar alguém realmente mal. E, meus irmãos, foi para mim uma verdadeira satisfação valsar – esquerda dois três, direita dois três – e escavar bochechinha esquerda e bochechinha direita, ficando como se duas cortinas de sangue parecessem jorrar ao mesmo tempo, uma em cada lado da tromba suja, gorda e oleosa sob a luz das estrelas de inverno.

O sangue descia como cortinas vermelhas, mas dava pra videar que o Billyboy não estava sentindo nada, e ele partiu pra cima de mim como um urso gordo e sujo, tentando me espetar com sua noja.

Então nós sluchamos as sirenes e percebemos que os miliquinhas estavam chegando com pushkas despontando prontinhas das janelas dos autos de polícia. Sem dúvida aquela devotchka chorona havia contado a eles, porque havia uma caixa para chamar os rozas que não ficava muito longe da Usina de Força do Muni. – Pegar-vos-ei em breve, não temei – eu gritei – bodinho fedorento. Vou arrancar seus yarblis lindamente. – Então eles se mandaram, devagar, ofegantes, para norte na direção do rio, exceto o Imediato Leo, que roncava no chão, e nós fomos para o lado oposto. Logo virando a próxima esquina havia um beco, escuro e vazio e aberto em ambas as pontas, e ali repousamos, ofegando rápido, depois mais devagar, até respirarmos assim tipo normal. Era como descansar entre os pés de duas montanhas maravilhosas e muito enormes, sendo estas os flatblocos, e nas janelas de todos os flats dava pra videar uma luz azul dançando. Era a tevê. Naquela noite estava rolando o que chamavam de transmissão mundial, o que significava que o mesmo programa estava sendo videado por todo mundo que quisesse no mundo inteiro, e esses eram, em sua maioria, plebeus de meia-idade e classe média. Um grande, famoso e imbecil tchelovek comediante ou cantor negro ia se apresentar, e estava tudo sendo ricocheteado pelos satélites de tevê especiais no espaço, meus irmãos. Nós esperamos ofegando, e podíamos sluchar os miliquinhas sirenantes indo para o leste, por isso sabíamos que agora estava tudo bem. Mas o coitado do Tosko ficava olhando para as estrelas, os planetas e a Luna com a rot escancarada como um garoto que nunca tinha videado essas coisas antes, e disse:

– O que será que existe nelas? Como deve ser lá em cima naquelas coisas?

Dei-lhe um cutucão com força, dizendo: – Ora, glupi miserável que és. Não pensai nelas. Haverá vida cá para baixo, é o mais provável, com uns sendo esfaqueados e outros a esfaquear. E agora, com a notchi ainda molodoi, sigamos nós o nosso caminho, Ó, meus irmãos. – Os outros smekaram, mas o coitado do Tosko olhou sério para mim, e depois novamente para as estrelas e para a Luna. Então seguimos nosso caminho beco abaixo, com a transmissão mundial azulando de cada lado. Nós precisávamos agora era de um auto, então viramos à esquerda ao sair do beco, sabendo de cara que estávamos em Priestly Place assim que videamos a grande estátua de bronze de um poeta starre com um lábio superior tipo assim de macaco e um cachimbo enfiado numa rot velha caída. Indo para o norte, chegamos ao velho e sujo Filmódromo, descascando e caindo aos pedaços porque ninguém ia mais lá, a não ser maltchiks como eu e meus druguis, e mesmo assim só para um grito, um rasgaraz ou um pouquinho de entra-sai-entra-sai no escuro. Dava pra videar pelo cartaz na frente do Filmódromo, iluminado por uns dois refletores sujos de cocô de mosca, que era o filme de caubói de sempre, com os arcanjos do lado do xerife americano metendo bala nos ladrões de gado das legiões de combatentes do inferno, o tipo de veshka besta que a Filmestatal produzia naqueles dias. Os autos estacionados perto do cine-cínico não eram assim tão horrorshow, a maioria eram umas veshkas starres de merda, mas havia um Durango 95 novinho que eu achava que dava pro gasto. Georgie tinha uma daquelas policlaves, como chamavam, no seu chaveiro, então, num instante, estávamos a bordo – Tosko e Pete atrás, dando nobres baforadas em seus cânceres – e eu liguei a ignição, dei a partida, e ele grunhiu horrorshow mesmo, um grunhido com uma sensação vibrátil gostosa e quentinha passando por suas categutes. Então pisei fundo com o noga, e demos a ré lindamente, e ninguém nos videou saindo fora.

Filamos ao redor do que chamavam de periferia por um tempinho, assustando vekios e shinas que atravessavam as ruas e fazendo ziguezague atrás de gatos e coisas do tipo. Então pegamos a estrada para oeste. Não havia muito tráfego, então continuei pisando com o velho noga até quase encostar no chão, e o Durango 95 comeu a estrada como se ela fosse feita de espaguete. Num instante eram tudo árvores de inverno e escuridão, meus irmãos, com uma paisagem escura, e dali a pouco eu atropelei alguma coisa grande com uma rot resfolegante cheia de dentes nos faróis, e então ela gritou e espremeu embaixo e o velho Tosko lá atrás quase arrebentou a gúliver de tanto rir – hou hou hou – com isso. Então vimos um jovem maltchik com sua estica, lubilubilando debaixo duma árvore, então nós paramos e sacaneamos eles, então atacamos os dois com um par de toltchoks sem muita empolgação, fazendo eles chorarem, e fomos em frente. Agora nós estávamos a fim era da velha visita-surpresa. Isso era uma coisa excitante de verdade, boa para smeks e ultraviolências. Acabamos chegando a um tipo de um vilarejo, e logo do lado de fora desse vilarejo havia um tipinho assim de chalé meio isolado com um jardinzinho. A Luna estava alta no céu agora, e dava pra videar com clareza esse chalé enquanto eu chegava e pisava no freio, os outros três dando risadinhas feito bizumnis, e dava pra videar o nome no portão daquele chalé – LAR –, um nomezinho meio glupi. Eu saí do auto, ordenando a meus druguis que parassem com as risadinhas e ficassem sérios, abri o portão malenk e caminhei até a porta da frente. Bati com doçura e delicadeza e ninguém veio, então bati um pouco mais e dessa vez consegui sluchar alguém se aproximando, depois uma tranca sendo aberta e em seguida a porta centimetrando aberta, e aí eu videei um único glaz olhando para mim e a porta estava com uma corrente. – Sim? Quem é? – Era uma goloz de estica, uma devotchka novinha pelo som, e então respondi com um falar mui refinado, a goloz de um verdadeiro cavalheiro:

– Pardon, madam, lamento muitíssimo perturbá-la, mas meu amigo e eu saímos para uma caminhada, e meu amigo pôs-se mal subitamente com um ataque muito perturbador, e está lá fora na estrada caído e gemendo. A senhora faria a gentileza de me deixar usar seu telefone para telefonar para uma ambulância?

– Não temos telefone – disse a devotchka. – Desculpe, mas não temos. O senhor terá de ir a outro lugar. – Do lado de dentro desse chalé malenk eu podia sluchar o clac clac clac claqui clac clac clac caclac de um vek datilografando, e então a datilografia parou e a goloz desse tchelovek chamou: – O que é, querida?

– Bem – eu disse –, a senhora em sua bondade poderia por favor lhe dar um copo de água? É como um desmaio, sabe. Parece que ele desmaiou em uma espécie de ataque de desmaio.

A devotchka meio que hesitou e depois disse: – Espere. – Então ela saiu, e meus três druguis tinham saído quietinhos do auto e se esgueirado muito horrorshow. Colocaram suas mascaretas, e então eu coloquei a minha, e aí foi apenas uma questão de eu enfiar a velha ruka e soltar a corrente, depois de ter amaciado aquela devotchka com minha goloz de cavalheiro, de modo que ela não havia fechado a porta como deveria ter feito, sendo nós estranhos na noite. Nós quatro então entramos com tudo, o velho Tosko tocando terror como de costume, pulando pra cima e pra baixo e cantando slovos indecentes, e era um chalé malenk bonitinho, isso eu tenho que admitir. Todos entramos smekando no aposento que tinha uma luz acesa, e aquela devotchka estava meio que encolhida, uma bela duma estica novinha com grudis horrorshow mesmo, e junto com ela estava um tchelovek que era o mudji dela, também novinho, com otchkis com aro de tartaruga, e sobre uma mesa havia uma máquina de escrever e muito papel espalhado por toda parte, mas havia uma pilhazinha de papel que parecia ser aquilo que ele já tinha datilografado, então ali estava outro homem de livros de tipo inteligente como aquele que havíamos filado algumas horas antes, mas este aqui era um escritor, e não um leitor. De qualquer maneira, ele disse:

– O que é isso? Quem são vocês? Como ousam entrar em minha casa sem permissão? – E o tempo todo sua goloz tremia e suas rukas também. Então eu disse:

– Nada tema. Se medo tiverdes em vosso coração, Ó, irmão, reza para bani-lo de pronto. – Então Georgie e Pete saíram para procurar a cozinha, enquanto o velho Tosko esperava as ordens, de pé ao meu lado com a rot escancarada. – O que é isto aqui, hein? – perguntei, pegando a pilha de datilografia de cima da mesa, e o mudji com aro de tartaruga disse, balbuciando:

– É justamente o que eu quero saber. O que *é* isto? O que vocês querem? Saiam imediatamente antes que eu os ponha para fora. – Então o coitado do bom e velho Tosko, mascarado como o P. B. Shelley, smekou bem alto, rugindo feito um animal.

– É um livro – disse eu. – É um livro o que você está escrevendo. – Fiz aquela velha goloz, bem grossa. – Sempre tive a maior admiração por aqueles que sabem escrever livros. – Então olhei a folha de cima, e lá estava o nome – LARANJA MECÂNICA – e eu disse: – Mas que título glupi. Onde já se ouviu falar numa laranja mecânica? – Então eu li um malenk alto fazendo um tipo de goloz alta de pastor: "...A tentativa de impor ao homem, uma criatura evoluída e capaz de atitudes doces, que escorra suculento pelos lábios barbados de Deus no fim, afirmo que a tentativa de impor leis e condições que são apropriadas a uma criação mecânica, contra isto eu levanto minha caneta-espada..." – O Tosko fez a velha música labial quando ouviu isso, e não pude deixar de smekar. Então comecei a rasgar as folhas e a espalhar os pedacinhos pelo chão, e esse escritor mudji ficou meio que bizumni e partiu pra cima de mim com os zubis cerrados e amarelos e as unhas feito garras prontas para me pegar. Foi aí que o bom e velho Tosko pegou a deixa e sorriu, fazendo er er er e ha ha ha para a boca balbuciante daquele vek, crac crac, primeiro o punho esquerdo depois o direito, para que nosso querido e velho drugui, o tinto – vinho tinto de mesa e igual em todos os lugares, como se tivesse sido fabricado pela mesma empresa – começasse a derramar e a manchar o belo tapete limpo e os pedacinhos do livro que eu ainda estava rasgando, rasgaraz rasgaraz. Durante todo esse tempo, aquela devotchka, sua adorada e fiel esposa, ficou ali simplesmente paralisada ao lado da lareira, e então começou a krikar, no mesmo ritmo da música emitida pelos socos do velho Tosko. Então Georgie e Pete vieram da cozinha, ambos mastigando, mas com as mascaretas na cara, dava para fazer isso com elas sem problema, Georgie com uma coxa fria de alguma coisa em uma ruka e na outra meio pedaço de klebi com bastante maslo em cima, e Pete com uma garrafa de cerveja espumando pela gúliver e uma rukada horrorshow de bolos de ameixa.

Eles começaram a fazer hahaha, videando o bom e velho Tosko dançando ao redor e socando o vek escritor até o vek escritor começar a platchar como se o trabalho de toda uma vida estivesse arruinado, fazendo buábuá com uma rot ensanguentada muito quadrada, mas era um hahahaha abafado pela comida e você podia ver pedacinhos do que eles estavam comendo. Eu não gostava disso, porque era muito porco, por isso eu disse:

– Larguem esse mastiguete. Não dei permissão. Agarrem esse vek aqui para que ele possa videar tudo e não sair de perto. – Então eles colocaram a pishka gordurosa em cima da mesa, no meio daquela papelada toda que voava, e foram até o vek escritor cujos otchkis de aro de tartaruga estavam quebrados mas ainda pendurados, com o bom e velho Tosko ainda dançando ao redor e fazendo ornamentos balançarem no mantel sobre a lareira (então eu varri todos eles dali e eles não balançaram mais, irmãozinhos) enquanto ele filava com o autor de *Laranja Mecânica*, deixando o litso dele todo roxo e pingando como um tipo muito especial de fruta suculenta. – Ok, Tosko – disse eu. – Agora vamos para a outra veshka, e que Bog nos ajude. – Então ele agarrou com força a devotchka, que ainda estava krikikrikando num compasso quatro por quatro muito horrorshow, prendendo os rukas dela por trás, enquanto eu rasgava isso e aquilo, os outros fazendo hahaha ainda, e grudis muito horrorshow exibindo então seus glazis rosas, Ó, meus irmãos, enquanto eu me desvestia e me preparava para o mergulho. Ao mergulhar, sluchei gritos de agonia, e esse vek escritor sangrando que Georgie e Pete estavam segurando quase ficou bizumni de uivar com as slovos mais indecentes que eu já tinha escutado e outras que ele estava inventando na hora. Então, depois de mim, era justo que o bom e velho Tosko tivesse sua vez, o que ele fez de uma forma bestial, fungando e uivando com sua mascareta de P. B. Shelley sem estar nem aí, enquanto eu segurava ela. Então fizemos uma troca, Tosko e eu agarrando o vek escritor soluçante que já havia parado de se debater, apenas deixando escapar sem muita vontade aquele tipo de slovos como se ele estivesse fora da terra em um bar leite-com, e Pete e Georgie deram a deles. Então tudo ficou tipo assim meio quieto e nós ficamos cheios tipo assim de ódio, então quebramos o que havia para ser quebrado – máquina de escrever, lâmpada, cadeiras – e o Tosko, era típico do velho Tosko, apagou o fogo com sua água e já ia estercar no tapete, porque papel de sobra havia, mas eu disse não. – Fora fora fora fora – eu uivei. O vek escritor e sua jina não estavam realmente lá, ensanguentados, rasgados, fazendo barulhos. Mas sobreviveriam.

Então entramos no auto que esperava e deixei que Georgie assumisse o volante, porque eu estava me sentindo um malenk surrado, e voltamos para a cidade, atropelando coisas esquisitas que guinchavam no caminho.

3

Nós yekatamos de volta para a cidade, meus irmãos, mas logo do lado de fora, não muito longe do que chamavam de Canal Industrial, videamos que o ponteiro do combustível havia tipo assim despencado, como nossos próprios hahaha ponteiros também, e o auto estava tossindo kof kof kof kof. Mas não era para se preocupar muito, porque havia uma estação ferroviária piscando azul – acende apaga acende apaga – logo ali pertinho. A questão era se deixávamos o auto para ser sobiratado pelos rozas ou, como nós estávamos sentindo um clima de ódio e morte, se dávamos nele um belo dum toltchok nas águas starres para um belo dum plesk alto e pesado antes da morte da noite. Foi por este último que nos decidimos, então saímos e, freios soltos, todos os quatro toltchokamos ele até a margem da água suja que parecia melaço misturado com dejetos de buraco humano, então mais um bom toltchok horrorshow e lá se foi ele. Tivemos que recuar correndo por medo da sujeira espirrar nas nossas platis, mas splesshh e glupglup ele se foi, maravilhosamente, para baixo. – Adeus, bom e velho drugui – gritou Georgie, e Tosko soltou uma grande risada palhaçal hou hou hou hou. Então fomos até a estação para pegar o sem-parada até o Centro, que era como se chamava o meio da cidade. Pagamos nossas passagens bonitinhos e educados e aguardamos cavalheirescamente e em silêncio na plataforma, o bom e velho Tosko filando com as máquinas de venda, os karmans cheios de moedas malenks, e pronto, se preciso fosse, para distribuir chocobars para os pobres e famintos, embora não houvesse ninguém assim por perto, e então o velho café expresso chegou devagar, com dificuldade, e nós subimos a bordo. O trem parecia quase vazio. Para matar o tempo de três minutos da viagem, nós filamos com o que eles chamavam de estofamento, fazendo uma rasgação horrorshow legal das tripas das cadeiras, e o bom e velho Tosko correntando a okna até o vidro quebrar e reluzir no ar frio de inverno, mas nós todos estávamos sentindo aquele grande cansaço aço aço, porque fora uma noite de um certo dispêndio de energia, meus irmãos; apenas Tosko, como o animal palhaçal que era, estava todo cheio das alegrias, mas com um aspecto muito imundo e voneando muito a suor, o que era uma coisa que eu realmente tinha contra o bom e velho Tosko.

Saímos no Centro e caminhamos devagar de volta ao Lactobar Korova, todos fazendo um pouquinho de uuuaahhh e exibindo para a lua e as estrelas e a luz dos lampiões nossas obturações dos dentes de trás, porque ainda éramos apenas maltchiks em fase de crescimento e tínhamos escola de dia, e quando entramos no Korova achamos que ele estava mais cheio do que quando havíamos saído. Mas o tchelovek que havia estado ali borbulhando, fora da terra, em branquinho e sintemesc ou o que fosse, ainda estava na mesma, dizendo "Ouriços de moldemorto no eioei bril templatônico temporal". Era provável que já fosse sua terceira ou quarta dose da noite, porque ele tinha aquele olhar pálido inumano, como se tivesse se tornado uma *coisa*, e como se seu litso fosse realmente um pedaço de giz esculpido. Falando sério, se ele queria passar tanto tempo fora da terra, deveria ter ido para um dos cubinhos privados nos fundos e não ter ficado no grande mesto, porque aqui alguns dos maltchiks iriam filar com ele um malenk, embora não demasiado porque havia poderosos machucaboys escondidos no velho Korova que podiam impedir qualquer tumulto. De qualquer maneira, o Tosko se espremeu do lado desse vek e, com sua grande ialpi de palhaço que mostrava sua uva pendurada, ele esfaqueou o pé do vek com seu próprio saboga grande e sujo. Mas o vek, meus irmãos, nadouviu, estando agora acima do corpo.

Eram nadsats basicamente leitando, cheirando e filando por ali (nadsats era como a gente chamava os adolescentes), mas havia alguns dos mais starres, veks e shinas (mas não os burgueses, eles nunca) rindo e govoretando no bar. Você podia dizer pelas cabelagens e pelas platis soltas deles (a maioria usava suéteres grandes de fio) que eles tinham estado em ensaios nos estúdios de tevê virando a esquina. As devotchkas do grupo tinham uns litsos muito vívidos e umas rots enormes, muito vermelhas, exibindo muitos dentes, smekando para todos os lados e não dando a mínima para esse mundo perverso. E então o disco no estéreo saltou fora da vitrola (era Johnny Jivago, um koshka russo, cantando "Dia Sim, Dia Não") e meio que no intervalo, aquele silêncio curto antes da próxima música, uma dessas devotchkas – muito bonita, com uma enorme rot sorridente e na casa dos trinta e tantos, eu diria – subitamente irrompeu num cantar, apenas um compasso e meio, e era como se ela estivesse dando um exemplo de algo sobre o qual eles estavam govoretando ali. E por um momento, Ó, meus irmãos, foi como se um grande pássaro tivesse voado para dentro do lactobar, e eu senti todos os pelos malenks no meu ploti se arrepiando todinhos e os arrepios subindo como lagartos lentos malenks e depois descendo novamente. Porque eu sabia o que ela cantava. Era de uma ópera de Friedrich Gitterfenster chamada *Das Bettzeug*, e era o trecho em que ela está morrendo com a garganta cortada, e os slovos eram "Melhor assim talvez". De qualquer maneira, estremeci.

Mas o bom e velho Tosko, assim que sluchou essa dose de canção, como um pitaco de carne vermelha quente jogado no seu prato, soltou uma de suas vulgaridades, que neste caso foi uma trombeta labial seguida de um uivo de cão seguido de dois dedos enfiando duas vezes no ar seguidos de uma tosse palhaçal. Eu me senti todo com febre e como que me afogando em sangue vermelho quente, ao sluchar e videar a vulgaridade do Tosko, e eu disse: – Imbecil. Imbecil sujo, babão e sem modos. – Então me inclinei na direção de

Georgie, que estava entre mim e o nojento Tosko, e soquei o Tosko skorre na rot. O Tosko fez uma cara muito espantada, a rot aberta, limpando o króvi do guber com a ruka e alternando olhares espantados para o króvi que escorria e para mim. – Por que é que foi que você fez isso? – ele perguntou do seu jeito ignorante. Poucas pessoas videaram o que eu havia feito, e aqueles que videaram não deram a mínima. O estéreo estava ligado novamente e tocando uma veshka de guitarra eletrônica muito enjoativa. Eu disse:

– Por você ser um imbecil sem modos e sem uma duk de ideia de como se comportar publicamente, Ó, meu irmão.

O Tosko me lançou um olhar de mau, tipo faroeste, dizendo: – Não gostei de você ter tido que fazer o que fez então. E eu não sou mais seu irmão e nem ia querer ser. – Tirou um grande tashtuk melecado do bolso e começou a limpar intrigado o fluxo vermelho, e olhava para aquilo franzindo a testa como se achasse que sangue era para outros veks, e não para ele. Era como se estivesse cantando sangue para compensar sua vulgaridade quando aquela devotchka estava cantando música. Mas aquela devotchka estava smekando hahahaha agora com seus druguis no bar, sua rot vermelha trabalhando e seus zubis brilhando, sem ter notado a vulgaridade obscena do Tosko. O Tosko havia feito mal era para mim. Eu disse:

– Se você não gostou e não queria que eu fizesse isso, então sabe o que fazer, irmãozinho. – E Georgie disse, de um jeito agressivo que me fez olhar:

– Está certo. Não vamos começar.

– Isso é com o Tosko – disse eu. – O Tosko não pode passar toda a sua jizna agindo como criancinha. – E olhei fuzilando para Georgie. Tosko disse, o króvi vermelho já diminuindo o fluxo:

– Que direito natural ele tem de achar que pode dar ordens e me dar um toltchok sempre que quiser? Yarblis é o que eu digo para ele, e eu correntava os glazis dele na hora.

– Cuidado com isso – disse eu, o mais baixinho que pude com o estéreo ricocheteando pelas paredes e pelo teto, e aquele vek fora da terra atrás do Tosko falando mais alto agora seu "Fagulha mais perto, ultrideal", e eu disse: – Cuidado com isso, Ó, Tosko, se quiserdes continuar na vida que desejas.

– Yarblis – disse Tosko, fungando – grandes bolshis yarblokos pra você. O que você fez ali não tinha direito de fazer. Vou enfrentar você com corrente, noja ou britva à hora que quiser; não tendo você motivo pra me dar toltchoks, é razoável que eu não aceite isso.

– Uma raspada de noja à hora que quiser – resfoleguei de volta. Pete disse:

– Ah, o que é que há? Não vocês dois, maltchiks. Não somos druguis? Não é certo que druguis devam assim se comportar. Vejam ali alguns maltchiks de boca mole smekando da gente, meio que zombando. Não devemos nos menosprezar.

– O Tosko – disse eu – tem que saber qual é o seu lugar. Ok?

– Espera um pouco – disse Georgie. – Que história é essa de lugar? É a primeira vez que ouço falar de camaradas aprendendo qual é o seu lugar.

Pete disse: – Verdade seja dita, Alex, você não deveria ter dado ao bom e velho Tosko aquele toltchok sem motivo. Vou dizer isso só dessa vez e nunca mais. Digo isso com todo o respeito, mas se fosse comigo que tivesse feito isso, você ia ter que responder. Nada mais digo – e afundou o litso no seu copo de leite.

Eu podia me sentir ficando todo razdraz por dentro, mas tentei disfarçar, ficando calmo: – É necessário que exista um líder. Disciplina tem de haver. Ok? – Nenhum deles skazatou uma palavra ou sequer fez assim com a cabeça. Por dentro fui ficando mais razdraz, mas calmo por fora. – Eu – disse – porque estou há muito tempo no comando. Somos todos druguis, mas alguém precisa estar no comando. Ok? Ok? – Todos meio que fizeram que sim com a cabeça, assim meio desconfiados. O Tosko estava usushando o restinho do seu króvi. Foi Tosko quem falou então:

– Ok ok. Piriripororó. Um pouco cansado, talvez, todo mundo esteja. Melhor não dizer mais nada. – Fiquei surpreso e só um malenk pugli de sluchar o Tosko govoretando aquilo. Tosko disse: – Caminho da cama é o caminho certo agora, então melhor pegarmos o caminho da roça. Ok? – Fiquei muito surpreso. Os outros dois concordaram, dizendo ok ok ok. Eu disse:

– Você entendeu aquele toltchok na rot, Tosko. Foi a música. Eu fico todo bizumni quando algum vek interfere com uma ptitsa cantando, como foi o caso. Como foi ali.

– Melhor tomarmos o caminho da roça e spatchkar um pouco – disse o Tosko. – Uma longa noite para maltchiks em fase de crescimento. Ok? – Ok ok, fizeram os outros dois. Eu disse:

– Acho melhor todos irmos para casa agora. O Tosko deu uma sugestão realmente horrorshow. Se não nos encontrarmos durante o dia, Ó, meus irmãos, então... mesmo lugar e mesma hora amanhã?

– Ah, sim – disse Georgie. – Acho que isso pode ser providenciado.

– Talvez – disse Tosko – eu chegue um malenk tarde. Mas mesmo lugar e quase mesma hora amanhã sim. – Ele ainda estava limpando seu guber, embora mais nenhum króvi estivesse escorrendo.

– E – disse ele – tomara que não haja mais nenhuma dessas ptitsas cantantes aqui. – Então soltou aquela velha risada abafada que só o velho Tosko soltava, um huahuahua grande e palhaçal. Parecia que ele era tosco demais mesmo para se ofender com tudo isso.

Então lá fomos nós cada um para seu caminho, eu arrotando a Coca gelada que havia pitado. Eu tinha minha britva degoladora na mão caso algum dos druguis do Billyboy estivesse por perto ali no flatbloco esperando, ou qualquer uma das outras bandas, grupas ou shaikas que, de tempos em tempos, entravam em guerra umas com as outras. Eu morava com meu papa e minha mama nos flats do Flatbloco Municipal 18A, entre Kingsley Avenue e Wilsonsway. Fui até a grande porta principal sem problemas, embora eu tivesse passado por um jovem maltchik esparramado, krikando e gemendo na sarjeta, todo cortado bonitinho, e vi na luz do lampião também filetes de sangue aqui e ali como se fossem assinaturas, meus irmãos, das filadas da noite. E vi também logo ao lado do 18A um par de nijnis de devotchkas, sem dúvida rudemente arrancadas no calor do momento, Ó, meus irmãos. E entrei. No corredor havia a boa e velha pintura municipal nas paredes: veks e ptitsas muito bem desenvolvidos, austeros na dignidade do trabalho, na bancada de trabalho e na máquina sem nenhuma plati sobre seus bem desenvolvidos plotis. Mas é claro que alguns dos maltchiks que viviam no 18A tinham, como era de se esperar, embelezado e decorado a dita grande pintura com lápis e esferográficas, adicionando cabelos, cilindros duros e slovos obscenas em balões saindo das digníssimas rots daqueles veks e shinas nagois (ou seja, nus). Fui até o elevador, mas não havia necessidade de apertar o nopka elétrico para ver se estava funcionando ou não, porque ele havia sido toltchokado horrorshow naquela noite, as portas de metal todas amassadas, um feito de rara força realmente, então eu tive que subir a pé os dez andares. Xinguei e ofeguei subindo, ficando cansado não somente no cérebro mas também no ploti. Eu queria música muito mesmo naquela noite; aquela devotchka cantora no Korova talvez tivesse me instigado. Eu queria tipo assim um grande banquete de música antes de carimbar meu passaporte, meus irmãos, na fronteira do sono, e levantarem a shesta listrada para me deixar passar.

Abri a porta do 10-8 com minha própria pequena klutch, e lá dentro nossos aposentos malenks estavam todos silenciosos, o pê e a eme já na sonolândia, e a mama havia colocado na mesa um malenk jantar: uns dois lomtiks de carnesponja enlatada com uma fakia de klebi e manteiga, e um copo do bom moloko gelado. Hou hou hou, o bom e velho moloko, sem facas, sintemesc nem drencrom dentro. O quão perverso, meus irmãos, o leite inocente sempre iria parecer para mim agora. No entanto, bebi e comi grunhindo, porque estava com mais fome do que eu achava no começo, e peguei torta de fruta da despensa e arranquei pedaços dela para estofar minha rot gulosa. Então limpei e chupei os dentes, limpando a velha rot com minha yazik ou língua, e fui para meu quartinho ou antro, tirando as platis. Ali estavam minha cama e meu estéreo, orgulho da minha jizna, e meus discos em seu armário, e bandeiras e flâmulas na parede, sendo estas últimas as lembranças de minha vida na escola correcional desde que eu tinha onze anos, Ó, meus irmãos, cada qual brilhando e com um brasão de nome ou número: SUL 4: DIVISÃO AZUL METRO CORSKOL; GAROTOS DO ALFA.

Os pequenos alto-falantes do meu estéreo estavam todos dispostos ao redor do quarto, no teto, nas paredes, no chão, então, deitado na minha cama sluchando a música, eu estava como que preso numa rede, nas malhas da orquestra. Agora, o que eu queria primeiro naquela noite era aquele novo concerto para violino do American Geoffrey Plautus, tocado por Odysseus Choerilos com a Filarmônica de Macon (Geórgia), então tirei-o de onde estava cuidadosamente arquivado, liguei e esperei.

Então, irmãos, aconteceu. Ah, êxtase! Êxtase e paraíso. Fiquei deitado inteiramente nagoi virado para o teto, minha gúliver sobre as rukas no travesseiro, rot aberta em êxtase, sluchando o suco de sons adoráveis. Ah, era lindo, a beleza encarnada. Os trombones esmagavam vermelho-dourados sob minha cama, e atrás da minha gúliver os trumpetes prataqueimavam triplicemente, e perto da porta os tímpanos rolavam pelas minhas tripas e saíam de novo esmagados como trovões feitos de doces. Ah, era a maravilha das maravilhas. E, então, um pássaro feito do mais raro heavenmetal, ou tipo assim vinho prateado fluindo numa espaçonave – a gravidade agora não fazia o menor sentido – veio o solo de violino acima de todas as outras cordas, e essas cordas eram como uma gaiola de seda ao redor da minha cama. Então a flauta e o oboé perfuraram, como vermes de platina, o caramelo espesso, espesso, de ouro e prata. Eu estava em completo êxtase, meus irmãos. Pê e eme no quarto deles logo ao lado haviam aprendido agora a não bater na parede com reclamações do que eles chamavam de barulho. Eu lhes havia ensinado isso. Agora eles tomavam pílulas para dormir. Talvez, sabendo da alegria que eu tinha em minha música noturna, eles já as tivessem tomado. Enquanto eu sluchava, meus glazis bem fechados para encerrar dentro de mim o êxtase que era melhor do que qualquer Bog ou Deus de sintemesc, conheci essas adoráveis imagens.

Havia veks e ptitsas, jovens e starres, deitados no chão gritando por misericórdia, e eu smekava com a boca toda aberta e esmagava seus litsos com minha bota. E havia devotchkas rasgadas e krikando contra paredes e eu mergulhando como um shlaga dentro delas, e realmente quando a música, que consistia em apenas um movimento, subiu até o ápice de sua torre mais elevada, então, deitado ali na minha cama com os glazis fechados e as rukas atrás da cabeça, surtei, senti e gritei aaaaaaaah com muito êxtase. E assim a linda música flutuou até seu encerramento reluzente.

Depois disso eu ouvi o adorável Mozart, o Júpiter, e havia novas imagens de diferentes litsos para serem esmagados e esparramados, e foi depois disso que achei que ouviria só mais um disco antes de cruzar a fronteira, e eu queria alguma coisa starre e forte e muito firme, por isso foi J. S. Bach, o Concerto de Brandemburgo só para cordas médias e graves. E, sluchando com um êxtase diferente do anterior, videei novamente aquele nome no papel que eu havia rasgarazgado naquela noite – parecia ter sido há tanto tempo aquilo – naquele chalé chamado LAR. O nome falava de uma laranja mecânica. Ouvindo o J. S. Bach, comecei a ponear melhor o que aquilo significava agora, e pensei, sluchando e me esvaindo na beleza marrom do starre mestre alemão, que eu gostaria de ter toltchokado eles com mais força e os rasgado em pedacinhos para depois atirá-los no seu próprio chão.

Na manhã seguinte, acordei às ó-oito-ó-
-ó-horas, meus irmãos, e como ainda me
sentia surrado, esmurrado, esgotado e
travado, e meus glazis estavam colados
horrorshow mesmo com cola-do-sono,
decidi que não iria à escola. Pensei em ficar um malenk mais na cama, uma hora
ou duas, digamos, e então me vestir bem
bonito, talvez até mesmo fazer splish
splash na banheira, e então preparar uma

xícara de tchai bem forte e horrorshow e uma torrada pra mim e slu-char o rádio ou ler a gazeta, tudo odinoki. E depois, no pós-almoço, se eu ainda quisesse, itiar até a velha escolacola e ver o que estava varetando naquele grande trono do aprendizado glupi inútil, Ó, meus irmãos. Ouvi meu papapa resmungando, tropeçando e depois itian-do até as tinturarias onde robotava, e em seguida minha mãe me chamou com uma goloz muito respeitável como ela costumava fazer agora que eu estava crescendo grande e forte:

– Já são oito horas, filho. Não vai querer se atrasar de novo. – En-tão gritei de volta: – Estou com um pouco de dor de gúliver. Deixai-nos em paz e vou tentar dormir pra passar e depois vou ficar bem para isso mais tarde. – Sluchei-a dar uma espécie de suspiro e ela disse:

– Então vou colocar seu café no fogão, filho. Preciso ir em-bora. – O que era verdade, porque havia aquela lei que todo mundo que não fosse criança ou não tivesse filhos ou não estivesse doente tinha que sair para robotar. Minha mama trabalhava em um dos Su-permerstatais, como eles os chamavam, preenchendo as prateleiras com latas de sopa e feijão e aquela coisa toda. Então eu sluchei o tilintar de um prato tipo assim no fogão a gás e depois ela colocando os sapatos e depois tirando o casaco de trás da porta e depois sus-pirando de novo, então ela disse: – Estou indo agora, filho. – Mas eu me deixei voltar à sonolândia e cochilei horrorshow mesmo, e eu tive um sniti estranho e muito real, sonhando por alguma razão com meu drugui Georgie. Nesse sniti ele estava muito mais velho, muito esperto e severo, e estava govoretando sobre disciplina e obediên-cia e como todos os maltchiks sob seu controle tinham que pular miudinho e bater a velha continência como se estivessem no exér-cito, e eu estava na fileira como o resto dizendo sim senhor e não senhor, e então eu videei claramente que o Georgie tinha estrelas nos pletchos e era assim tipo um general. E então ele trouxe o bom e velho Tosko com um chicote, e o Tosko estava muito mais starre e grisalho e tinha uns zubis faltando como se podia ver quando ele soltava um smek, me videando, e então meu drugui Georgie disse, apontando para mim assim: – Esse homem tem sujeira e kal nas platis todas – e era verdade. Então eu krikei: – Não me batam, por favor, irmãos – e comecei a correr. E eu estava correndo assim, em círculos, e o Tosko atrás de mim, smekando até cair a gúliver, estalando o velho chicote, e cada vez que eu recebia um toltchok verdadeiramente horrorshow com esse chicote parecia que tinha uma campainha elétrica muito alta trimtrimtrim, e essa campainha era uma espécie de dor também.

Então acordei skorre mesmo, meu coração fazendo tump tump tump, e claro que tinha realmente uma campainha tocando trrrriiimmm, e era a campainha da nossa porta da frente. Eu disse que não tinha ninguém em casa, mas aquele trrriimm continuou, e então ouvi uma goloz gritando pela porta: – Vamos lá, saia, eu sei que você está na cama. – Reconheci de cara a goloz. Era a goloz de P. R. Deltoid (um naz muito glupi, aquele cara), que chamavam de meu Conselheiro Pós-Correcional, um vek com excesso de trabalho e centenas de sujeitos na sua contabilidade. Eu gritei ok ok ok, com uma goloz tipo assim de dor, e saí da cama e me trajei, Ó, meus irmãos, com um camisolão muito bonito tipo assim de seda, com desenhos de grandes cidades em cima dele todo. Então meti meus nogas em tuflis muito confortáveis, penteei minha basta cabeleira e estava prontinho para P. R. Deltoid. Quando abri, ele entrou cambaleando, com cara de lambido, um shlapa velho e amassado na gúliver, a capa de chuva imunda.

– Ah, Alex, meu garoto – ele disse para mim. – Encontrei sua mãe. Ela disse alguma coisa sobre uma dor em algum lugar. Por isso não está na escola, sim?

– Uma dor um tanto intolerável na cabeça, irmão, senhor – eu disse com minha goloz de cavalheiro. – Acho que deve passar à tarde.

– Ou certamente à noite, sim? – disse P. R. Deltoid. – A noite é o grande momento, não é, Alex, meu garoto? Sente – ele disse. – Sente, sente – como se aquela fosse a domi dele e o convidado fosse eu. E ele se sentou naquela cadeira de balanço starre do meu pai e começou a balançar, como se isso fosse tudo o que ele veio ali fazer. Eu perguntei:

– Uma xícara do velho tchai, senhor? Chá, quero dizer.

– Não tenho tempo – disse ele. E ficou balançando, dando-me o velho brilho do olhar sob sobrancelhas franzidas, como se tivesse todo o tempo do mundo. – Não tenho tempo, sim? – ele disse, glupi. Então coloquei a chaleira no fogo. Aí eu disse:

– A que devo o extremo prazer? Há algo de errado, senhor?

– Errado? – perguntou ele, muito skorre e desconfiado, meio que curvado, olhando para mim mas ainda balançando. Então ele avistou um anúncio na gazeta que estava sobre a mesa: uma linda ptitsa sorridente com os grudis balançando para anunciar, meus irmãos, as Glórias das Praias Iugoslavas. Então, depois de tipo assim comê-la com os olhos, ele perguntou: – Por que você deveria pensar que há algo de errado? Você tem feito coisas que não deveria?

– É só modo de dizer – disse eu. – Senhor.

– Bem – disse P. R. Deltoid –, é só modo de dizer o que eu te digo agora. Tome cuidado, jovem Alex, porque da próxima vez, como você sabe muito bem, não vai mais ser a escola correcional. Da próxima, vai ser o xilindró, e todo o meu trabalho estará arruinado. Se você não tem consideração pelo seu horrível eu, pelo menos poderia ter um pouco por mim, que suou a camisa por você. Uma grande mancha escura, isso eu lhe digo entre nós, para cada um que não recuperamos, uma confissão de fracasso para cada um de vocês que acaba no xadrez.

– Eu não tenho feito nada que não devesse, senhor – disse eu. – Os miliquinhas não têm nada contra mim, irmão, quero dizer, senhor.

– Corte esse papo espertinho sobre miliquinhas – disse P. R. Deltoid muito cansado, mas ainda balançando. – Só porque a polícia não pegou você ultimamente não quer dizer, como você bem sabe, que não tenha feito alguma malandragem. Houve uma briga ontem à noite, não houve? Uma confusão com nojas, correntes de bicicleta e coisas assim. Um dos amigos de um certo gorducho foi levado de ambulância bem tarde, perto da Usina de Força, e hospitalizado, cortado de forma horrível, foi mesmo. Seu nome foi citado. A notícia chegou até mim pelos canais de costume. Certos amigos seus também foram mencionados. Parece ter havido uma boa quantidade de malvadezas sortidas noite passada. Ah, ninguém pode provar nada sobre ninguém, como sempre. Mas estou avisando você, jovem Alex, estou sendo um bom amigo como sempre fui, o único homem nesta comunidade doente e maltratada que quer salvar você de si mesmo.

– Eu aprecio muito tudo isso, senhor – eu disse. – Com muita sinceridade.

– Ah, sim, aprecia, não é? – ele meio que debochou. – Fique esperto, é isso. Sabemos mais do que você pensa, jovem Alex. – Então ele disse, com uma goloz de grande sofrimento, mas ainda balançando: – O que é que dá em vocês todos? Nós estudamos o problema e já estamos estudando há quase um século, sim, mas os estudos não estão nos levando muito longe. Você tem uma bela casa aqui, bons pais que te amam, você não tem um cérebro lá tão ruim. É algum diabo que entra dentro de você?

– Dentro de mim não entra nada não senhor – disse eu. – Tenho estado fora das rukas dos miliquinhas já faz muito tempo.

– É justamente isso que me preocupa – suspirou P. R. Deltoid. – Um tempo um pouco longo demais para ser saudável. Pelos meus cálculos, você está quase lá agora. É por isso que estou avisando você, jovem Alex, para manter sua probóscide jovem e bonita fora da sujeira, sim? Estou sendo claro?

– Como um lago sem lama, senhor – disse eu. – Claro como um céu cerúleo do mais profundo verão. Pode confiar em mim, senhor. – E lhe dei um belo sorriso zubi.

Mas quando ele ukadetou e eu estava preparando um bule muito forte de tchai, sorri para mim mesmo por causa dessa coisa que o P. R. Deltoid e seus druguis estavam preocupados. Está certo, eu me comporto mal, com krastagens, toltchoks e escavações com a britva e o velho entra-sai-entra-sai, e se eu for lovetado, bom, que merda, hein?, Ó, meus irmãozinhos, e não se pode governar um país com cada tchelovek se comportando como eu me comporto à noite. Então, se eu for lovetado e ficar três meses num mesto e outros seis em outro, e então, como o P. R. Deltoid tão gentilmente me avisa, da próxima vez, apesar da grande suavidade de meus verões, irmãos, é o grande zoológico fora deste mundo, aí eu digo: – Justo, mas é uma pena, meus senhores, pois simplesmente não posso suportar ficar trancado. Minha empreitada deverá ser, no futuro que estende para mim seus braços de neve e flores antes que a noja me tome ou que o sangue manche seu refrão final em metal retorcido e vidro quebrado na estrada, para não ser lovetado novamente. – O que é muito justo de se dizer. Mas, irmãos, esse negócio de ficar roendo as unhas dos dedos do pé sobre qual é a *causa* da maldade é que me torna um maltchik risonho. Eles não procuram saber qual a causa da *bondade*, então por que ir à outra loja? Se os plebeus são bons é porque eles gostam, e eu jamais iria interferir com seus prazeres, e o mesmo vale para a outra loja. E eu frequento a outra loja. E mais: maldade vem de dentro, do eu, de mim ou de você totalmente odinokis, e esse eu é criado pelo velho Bog ou Deus, e é seu grande orgulho e radóstia. Mas o não eu não pode ter o mau, quer dizer, eles lá do governo e os juízes e as escolas não conseguem permitir o mau porque não conseguem permitir o eu. E não é a nossa história moderna, meus irmãos, a história de bravos eus malenks combatendo essas grandes máquinas? Estou falando sério sobre isso com vocês, irmãos. Mas eu faço o que faço porque gosto de fazer.

Então agora, esta sorridente manhã de inverno. Bebi este tchai muito forte com moloko e uma colher atrás da outra atrás da outra de açúcar, porque tenho o bico doce, e arrastei para fora do fogão o café da manhã que minha pobre e velha mama havia cozinhado para mim. Era um ovo frito, isso e nada mais, mas fiz torrada e comi ovo com torrada e com geleia, batendo tudo enquanto lia a gazeta. A gazeta falava o de costume sobre ultraviolência, assalto a bancos, greves e jogadores de futebol deixando todo mundo paralítico de medo com ameaças de não jogarem no próximo sábado se não recebessem salários maiores, maltchikviks safados. Também havia mais viagens espaciais, telas de tevê estéreo maiores e ofertas de caixas grátis de sabão em pó em troca dos rótulos nas latas de sopa, uma oferta surpreendente por apenas uma semana, o que me fez smekar.

E havia um artigo bolshi grande sobre Juventude Moderna (isso significa eu, então fiz a velha mesura, sorrindo feito um bizumni) escrito por algum tchelovek careca intelectual. Eu li com cuidado, meus irmãos, chupando o velho tchai, xícara atrás de tass atrás de chasha, mastigando meus lomtiks de torrada preta mergulhada em geleialeca e ovovo. Esse vek culto dizia aquelas veshkas de sempre, sobre a falta de disciplina dos pais, como ele chamava, e a escassez de professores realmente horrorshow que arrancassem a malandragem maldita de seus traseiros inocentes à base de chicotadas e os fizessem ficar buabuá pedindo misericórdia. Tudo isso era glupi e me fazia smekar, mas era bacana prosseguir sabendo que alguém estava escrevendo as notícias o tempo todo, Ó, meus irmãos. Todo dia havia alguma coisa sobre a Juventude Moderna, mas a melhor veshka que eles já publicaram na velha gazeta foi a de um pop-starre com uma coleira de cachorro que dizia que em sua opinião, e ele estava govoretando como um homem de Bog, ERA O DEMÔNIO QUE ESTAVA À SOLTA e estava tipo assim ferroando as jovens carnes inocentes, e era o mundo dos adultos que podia assumir a responsabilidade por isso com suas guerras, bombas e besteiras. Então estava tudo bem. Então ele sabia do que estava falando, pois era um homem de Deus. Então a culpa não era nossa, não era dos jovens e inocentes maltchiks. Ok ok ok.

Depois do meu inocente estômago cheio fazer erk erk umas duas razes, comecei a escolher platis no armário e liguei o rádio. Havia música tocando, um quarteto de cordas malenk muito bom, meus irmãos, de Claudius Birdman, esse eu conhecia bem. Mas tive de smekar, pensando no que eu havia videado um dia num daqueles artigos sobre a Juventude Moderna, sobre como a Juventude

Moderna estaria bem melhor se Uma Vívida Apreciação das Artes pudesse ser tipo assim incentivada. A Grande Música, ele dizia, e a Grande Poesia acalmariam a Juventude Moderna e tornariam a Juventude Moderna mais Civilizada. Civilizada, meus yarblis sifilíticos. A música sempre me deixava afiado, Ó, meus irmãos, e me fazia sentir como o velho Bog em pessoa, pronto para provocar raios e trovões e fazer com que veks e ptitsas rastejem em meu poder, buahahaha! E quanto tchestei um pouquinho meu litso e minhas rukas e acabei de me vestir (as minhas platis do dia eram tipo de estudante: as velhas pantalonas azuis com suéter com a letra A de Alex), achei que pelo menos era hora de itiar até a discbutique (cortador também, pois meus bolsos estavam cheios de tia pecúnia) para ver aquele disco há muito prometido e há muito encomendado da Número Nove de Beethoven (a Sinfonia do Coral, ou seja), gravado em Masterstroke pela Esh Sham Sinfonia sob a regência de L. Muhaiwir. Então lá fui eu, irmãos.

O dia era muito diferente da noite. A noite pertencia a mim e a meus druguis e a todo o resto dos nadsats, e os burgueses starres espreitavam dentro de suas casas, bebendo das transmissões mundiais glupis, mas o dia era dos starres, e sempre parecia haver mais rozas ou miliquinhas durante o dia também. Eu peguei o autobus na esquina e fui até o Centro, e de lá caminhei de volta até Taylor Place, e lá estava a discbutique à qual eu costumava dar o ar da minha graça, Ó, meus irmãos. Ela tinha o nome glupi de MELODIA, mas era um mesto horrorshow de verdade e na maioria das vezes skorre pra conseguir as gravações mais recentes. Entrei, e os únicos outros clientes eram duas jovens ptitsas chupando picolés (e isso, vejam bem, era no meio do inverno) e elas estavam meio que procurando algo entre os novos pop-discos – Johnny Burnaway, Stash Kroh, The Mixers, Lie Quiet Awhile With Ed and Id Molotov e aquela kal total. Essas duas ptitsas não deviam ter mais de dez anos, e elas também, assim como eu, parecia, evidentemente, haviam decidido tirar a manhã de folga da velha escolacola. Dava para ver que elas já se viam como sendo devotchkas crescidas, fazendo aquele velho balanço nos quadris quando viram seu Fiel Narrador, irmãos, e grudis com enchimento e os gubers todos pincelados de vermelho. Fui até o balcão, dando um sorriso zubi educado para o bom e velho Andy atrás (sempre muito educado, sempre de grande presteza, um vek realmente horrorshow, embora careca e muito, muito magro). Ele disse:

– Ah, acho que sei o que quereis. Boas novas, boas novas. Chegou. – E marcando tempo com as rukas igual a um maestro, ele foi buscar. As duas ptitsas novinhas começaram a dar risadinhas, como costumam fazer nessa idade, e eu lhes lancei um glazi frio. Andy voltou skorre mesmo, sacudindo a grande capa branca lustrosa da Nona, que tinha estampada, irmãos, o litso franzido como um relâmpago de Ludwig van em pessoa. – Pronto – disse Andy. – Vamos fazer uma audição de teste? – Mas eu queria voltar para meu estéreo em casa para sluchar odinoki, faminto como o diabo. Catei o denji para pagar e uma das ptitsazinhas disse:

– Quem tu pegou, brati? Que grandão, que único? – Aquelas jovens devotchkas tinham sua própria maneira de tipo assim govoretar. – Os Heaven Seventeen? Luke Sterne? Googly Gogol? – E ambas deram risadinhas, balançando, muito moderninhas. Então uma ideia me bateu, e quase me fez cair com a angústia e o êxtase, Ó, meus irmãos, e fiquei sem conseguir respirar por quase dez segundos. Recuperei-me, exibi meus recém-limpos zubis e disse:

– O que vocês têm em casa, irmãzinhas, para tocar seus disquinhos? – Porque dava pra videar que os discos que elas estavam comprando eram aquelas veshkas pop de adolescente. – Aposto que vocês não têm muita coisa além dessas vitrolinhas portáteis tipo enceradeira. – E elas meio que fizeram beicinho quando eu disse isso. – Venham com o titio – disse eu – e ouçam a coisa certa. Ouçam trombetas angelicais e trombones diabólicos. Estão convidadas. – E eu meio que fiz assim uma mesura. Elas deram risinhos novamente e uma delas falou:

– Ai, mas estamos com tanta fome. Ai, mas bem que a gente podia comer. – A outra disse: – Ya, ela pode dizer isso, não pode? – Então disse eu:

– Venham comer com o titio. Digam o lugar.

Então elas se videaram como verdadeiras sofistis, o que era tipo assim patético, e começaram a falar em golozes de grandes damas sobre o Ritz e o Bristol e Il Ristorante Granturco. Mas eu cortei isso com – Sigam o titio –, e levei-as até o Pasta Parlour logo ali na esquina e deixei que enchessem suas litsos inocentes com espaguete e bombas de creme e bananas-split e calda de choc quente, até quase ficar enjoado de ver, irmãos, almoçando frugalmente uma fatia de presunto frio com uma porção de chili. Aquelas duas jovens ptitsas eram muito parecidas, embora não fossem irmãs. Tinham as mesmas ideias ou a falta delas, e a mesma cor de cabelos: um tom tipo assim tingido de amarelo-palha. Bem, hoje elas iriam crescer de verdade. Hoje eu faria um dia e tanto. Nada de escola depois do almoço, mas certamente haveria educação, Alex como professor. Seus nomes, disseram elas, eram Marty e Sonietta, bizumnis o bastante e no auge de sua moda infantil, portanto eu disse:

LARANJA MECÂNICA

– Ok, ok, Marty e Sonietta. Hora do grande show. Venham. – Quando estávamos do lado de fora, no frio da rua, elas acharam que não iriam de autobus, ah, não, mas sim de táxi, então lhes fiz essa gentileza, embora com um sorrisinterno realmente horrorshow, e chamei um táxi no ponto perto do Centro. O motorista, um vek starre com suíças e platis muito manchadas, disse:

– Nada de rasgação, hein? Nada de brincadeira com os assentos. Acabei de mandar estofar de novo. – Apaziguei seus medos glupis e lá fomos nós para o Flatbloco Municipal 18A, as duas audaciosas ptitsazinhas dando risadinhas e sussurrando. Então, para resumir, chegamos, Ó, meus irmãos, e eu as conduzi até o 10-8, e elas ofegaram e smekaram durante o caminho de subida, e então ficaram com sede, disseram, de modo que eu destranquei o baú do tesouro no meu quarto e dei para cada uma daquelas jovens devotchkas de dez anos um Escocês horrorshow de verdade, embora bem cheio com soda esfuziante e pinicante. Elas se sentaram na minha cama (ainda arrumada) e balançaram as pernas, smekando e pitando seus copos, enquanto seu patético disco malenk girava no meu estéreo. Aquilo era como pitar uma bebida doce de criança, em tacinhas douradas mui bonitas e adoráveis e caras. Mas elas ficaram oh oh oh e diziam "Muito barroco" e "Altíssimo" e outras slovos estranhas que eram o auge da moda naquele grupo jovem. Enquanto eu girava aquela kal para elas, as incentivava a beberem mais, e elas não estavam reclamando nada, Ó, meus irmãos. Então, quando seus discos pop patéticos já haviam sido tocados duas vezes cada (eram dois: "Nariz de Mel", cantado por Ike Yard, e "Noite após Dia após Noite", gemido por dois terríveis eunucos sem yarblis cujos nomes esqueço agora), elas estavam chegando perto da histeria das jovens ptitsas, pulando na minha cama e eu no quarto com elas.

O que foi feito realmente ali naquela tarde não há necessidade de descrever, irmãos, como todos podem facilmente adivinhar. Aquelas duas ficaram sem platis e smekando, no ponto para bater num instantinho, e elas acharam que era a maior diversão videar o velho titio Alex ali em pé todo nagoi e de cabo de panela duro, esguichando a hipodérmica como um médico experiente, e então injetando a velha dose de secreção de gato selvagem no ruka. Então puxei a adorável Nona do álbum, de modo que agora Ludwig van também estava nagoi, e coloquei a agulha sibilando até o último movimento, que era todo êxtase. Lá estava então, as cordas do contrabaixo govoretando distantes debaixo da minha cama para o resto da orquestra, e em seguida a goloz humana masculina entrando e lhes dizendo a todos para que sejam alegres, e depois a melodia extática adorável sobre a Alegria sendo uma centelha divina, e aí eu senti os velhos tigres pularem sobre mim e então eu pulei sobre aquelas duas jovens ptitsas. Desta vez elas não acharam nada engraçado e pararam de krikar com grande animação, e tiveram de se submeter aos estranhos e pervertidos desejos de Alexandre, o Enorme que, com a Nona e o baque da seringa, ficaram chudesnis e zamechatis e muito exigentes, Ó, meus irmãos. Mas as duas estavam muito, muito bêbadas e não sentiram lá muita coisa.

Quando o último movimento havia girado pela segunda vez com todas as batidas e krikadas sobre Alegria Alegria Alegria Alegria, então as duas ptitsas não estavam mais agindo feito grandes damas sofistis. Estavam como que acordando para o que estava sendo feito às suas pessoas malenks e dizendo que queriam ir pra casa e que eu era um animal selvagem. Elas pareciam que haviam acabado de estar em alguma grande bitva, como de fato haviam estado mesmo, e estavam todas cheias de escoriações e fazendo beicinhos. Bem, se elas não iam à escola, tinham que ser educadas de algum jeito. E educadas elas foram. Estavam ali krikando e dizendo aiaiai enquanto vestiam as platis, e meio que me soqui-soqui-socaram com os punhozinhos adolescentes enquanto eu estava ali deitado sujo e nagoi e bem surrado e esmurrado na cama. A tal de Sonietta krikava: – Animal nojento e odioso. Horror doentio. – Então deixei que elas pegassem suas coisas e saíssem, o que fizeram mesmo, falando sobre como os rozas deviam me pegar e aquela kal total. Então elas desceram as escadas e eu caí de sono, ainda com o velho Alegria Alegria Alegria Alegria em sua tempestade e fúria.

PARTE UM

5

Mas o que aconteceu foi que acordei tarde (quase sete e meia pelo meu relógio) e, como veríamos depois, isso não foi uma coisa tão inteligente assim. Você pode videar que tudo nesse mundo perverso conta. Você pode até ponear que uma coisa sempre leva a outra. Ok ok ok. Meu estéreo não estava mais tocando Alegria e Senti-vos Abraçadas, Multidões, então algum vek havia desligado ele, e esse seria ou pê ou eme, ambos os quais estavam agora fáceis de sluchar na sala de estar e, pelo cliqueclique dos pratos e o chupchup da pitação de chá, na sua refeição cansada depois de robotarem durante o dia, na fábrica um, na loja o outro. Os pobres velhos. Os patéticos starres. Coloquei meu camisolão e olhei para fora, no disfarce de filho único adorado, para dizer:

– Oioioi. Muito melhor agora depois do descanso do dia. Pronto para um trabalho noturno agora para merecer aquele trocadinho. – Porque era isso o que eles diziam que acreditavam que eu fazia naquela época. – Nham, nham, nhama, mama. Tem um pouco pra mim? – Era uma torta congelada que ela havia descongelado e depois aquecido e não parecia lá muito apetitosa, mas eu tinha que dizer o que disse. Papai olhou para mim com um olhar suspeito não-tão-satisfeito mas nada disse, sabendo que não ousaria, e mama me deu uma smekada um pouquinho cansada, a ti meu único filho e fruto do meu ventre, desse tipo assim. Eu dancei até o banheiro e tchestei horrorshow mesmo todo o corpo, me sentindo sujo e grudento, depois voltei pro meu antro para vestir as platis da noite. Então, reluzente, penteado, dentes escovados e lindo, sentei-me para comer meu lomtik de torta. Papapa disse:

– Não que eu queira me meter, filho, mas onde exatamente você vai trabalhar à noite?

– Ah – mastiguei –, quase sempre coisas estranhas, tipo ajudante. Aqui e ali, por aí. – Lancei-lhe um glazi bem grosso, como se dissesse vá cuidar da sua vida que eu cuido da minha. – Nunca peço dinheiro, peço? Nem dinheiro para roupas nem para prazeres. Tudo certo, então para que perguntar?

Meu pai gostava de ficar de nhemnhemnhém. – Desculpe, filho – disse ele. – Mas é que às vezes eu fico preocupado. Às vezes tenho sonhos. Você pode rir se quiser, mas os sonhos dizem muitas coisas. Ontem à noite eu tive um sonho com você e não gostei nem um pouco.

– É? – Agora ele tinha me deixado interessovatado, sonhando assim comigo. Tive a sensação de que eu também tinha tido um sonho, mas não conseguia me lembrar direito do quê. – É mesmo? – perguntei, parando de mastigar minha torta gosmenta.

– Foi bem real – disse meu pai. – Eu vi você deitado na rua e você tinha acabado de levar uma surra de outros garotos. Esses garotos eram os garotos com quem você costumava sair antes de ser enviado para aquela última Escola Correcional.

– É? – Com isso eu dei um sorrisinterno, porque o papapa acreditava que eu havia mesmo me recuperado ou acreditava que acreditava. E aí eu me lembrei do meu próprio sonho, que era um sonho com aquela manhã, com Georgie dando suas ordens de general e o velho Tosko smekando sem dentes e lascando o chicote. Mas os sonhos acontecem sempre ao contrário, me disseram um dia. – Nunca te preocupes com vosso único filho e herdeiro, Ó, meu pai – eu disse. – Não temais. Em verdade, ele pode cuidar de si.

– E – disse meu pai – você estava assim meio indefeso, ensanguentado, e não conseguia revidar. – Isso era realmente o oposto, então dei outro sorriso malenk por dentro e depois tirei todo o denji dos meus karmans e tilintei tudo em cima da toalha de mesa suja de molho. E disse:

– Aqui, pai, não é muita coisa. Foi o que ganhei ontem à noite. Mas talvez o suficiente para uma boa pitada de Escocês na maciota para você e para a mama.

– Obrigado, filho – disse ele. – Mas não estamos saindo muito agora. Não nos atrevemos a sair demais, do jeito que as ruas estão. Jovens arruaceiros, essas coisas. Mesmo assim, obrigado. Vou trazer para ela uma garrafa de alguma coisa amanhã. – E enfiou aquela tia pecúnia mal faturada nos karmans da calça, porque mamãe estava tchestando a louça na cozinha. E eu saí cercado de sorrisos amorosos.

Quando cheguei ao pé das escadas do flatbloco, fiquei um tanto surpreso. Mais do que isso até. Abri a minha rot como as velhas gárgulas faziam. Eles haviam vindo me encontrar. Estavam esperando ao lado da pintura de parede municipal toda rabiscada mostrando a dignidade nagoi do trabalho, veks e shinas pelados e austeros nas rodas da indústria, como eu disse, com toda essa sujeira riscada a lápis das rots deles por maltchiks safados. O Tosko tinha um grande pedaço de pau tipo assim com tinta de graxa preta e traçava slovos indecentes muito grandes em cima da nossa pintura municipal, fazendo os velhos ruídos que Tosko fazia "uhuhuhu" enquanto pintava. Mas se virou quando Georgie e Pete me deram o "ora, olá", mostrando seus zubis druguis reluzentes, e trombeteou:

– Ele está aqui, ele chegou, hurra! – e fez uma dancinha desajeitada com piruetas.

– Ficamos preocupados – disse Georgie. – Lá estávamos esperando e pitando o velho moloko com faca dentro, e você não apareceu. Então o Pete aqui pensou que você poderia ter se ofendido por uma veshka ou outra, então viemos logo ao seu tugúrio. Foi isso, não foi, Pete?

– Foi isso sim – disse Pete.

– Minhas desculpaculpas – eu disse com cautela. – Tive um pouco de dor de gúliver, então precisei dormir. Não fui acordado quando dei ordens para me acordarem. Mesmo assim, aqui estamos nós, prontos para o que a velha notchi tem a oferecer, sim? – Eu parecia ter apanhado esse 'sim?' do P. R. Deltoid, meu Conselheiro Pós-Correcional. Muito estranho.

– Lamento quanto à dor – disse Georgie, com aspecto muito preocupado. – Deve estar usando muito a gúliver. Dando ordens e disciplinando e coisas assim, talvez. Tem certeza de que a dor passou? Tem certeza de que não vai ficar melhor voltando para a cama? – E todos deram uns sorrisinhos malenks.

– Esperem – eu disse. – Vamos deixar as coisas brilhando e reluzindo de claras. Este sarcasmo, se é que posso assim chama-lo, não lhes cai bem, Ó, meus amiguinhos. Talvez vocês tenham tido uma pequena govoretada pelas minhas costas, fazendo suas piadinhas e coisas do gênero. Como eu sou seu drugui e líder, certamente tenho o direito de saber o que está acontecendo, não é? Agora então, Tosko, o que prenuncia este grande sorriso equino? – Porque o Tosko estava com a rot aberta em uma espécie de smek bizumni sem som. Georgie entrou muito skorre com:

– Tudo bem, chega de pegar no pé do Tosko, irmão. Isto é parte do novo acordo.

– Novo acordo? – perguntei. – Que história é essa de novo acordo? Houve muito falar por trás das minhas costas adormecidas, disso não há dúvida. Deixem-me sluchar mais. – E meio que cruzei os rukas e me recostei confortável no corrimão quebrado para ouvir, ainda estando mais alto do que eles, druguis, como eles chamavam a si mesmos, no terceiro degrau.

– Sem ofensa, Alex – disse Pete –, mas queríamos que as coisas fossem assim mais democráticas. Não você dizendo o que fazer e o que não fazer o tempo todo. Mas sem ofensa.

Georgie disse: – Ofensa não há, nem aqui nem acolá. É uma questão de quem tem as ideias. Que ideias ele teve? – E manteve seus glazis muito ousados voltados inteiramente para mim. – São todas essas coisinhas, veshkas malenks como as da noite passada. Estamos crescendo, irmãos.

– Mais – disse eu, sem me mexer. – Deixem-me sluchar mais.

– Bem – disse Georgie. – Se você quer mesmo, aqui vai então. Nós itiamos por aí, krastando lojas e coisas assim, saindo cada um com uma rukada patética de cortador. E o Will Inglês no mesto-café Musculoso diz que pode receptar qualquer coisa que qualquer maltchik quiser tentar krastar. As coisas brilhantes, o gelo – ele disse, ainda com aqueles glazis frios sobre mim. – O dinheiro grande grande grande está à disposição, é o que diz o Will Inglês.

– Então – eu disse, muito confortável por fora, mas por dentro me razdrando todo. – Desde quando vocês estão de conluio com o Will Inglês?

– De vez em quando – disse Georgie – saio por aí odinoki. Como no último Sabá, por exemplo. Posso ter minha própria jizna, não posso, drugui?

Eu estava pouco me lixando para tudo isso, irmãos. – E o que você vai fazer – eu disse – com o grande grande grande denji ou dinheiro, como você tanto alardeia? Já não tendes todas as veshkas que desejas? Se precisa de um auto, é só colher das árvores. Se precisa de tia pecúnia, você a toma. Sim? Por que essa súbita shilarnia para ser um porco capitalista?

– Ah – disse Georgie –, às vezes você pensa e govoreta feito uma criancinha. – O Tosko fez huhuhu quando ouviu essa. – Esta noite – disse Georgie – vamos krastar coisa de homem.

Então meu sonho havia dito a verdade. O general Georgie dizendo o que devíamos e o que não devíamos fazer, o Tosko com o chicote, agindo feito um buldogue sorridente e sem cérebro. Mas joguei com cuidado, com grande cuidado, o maior cuidado, dizendo, sorrindo: – Ótimo. Horrorshow mesmo. A iniciativa vem para aqueles que esperam. Já ensinei muito a você, pequeno drugui. Agora me diga o que você tem em mente, garoto Georgie.

– Ah – disse Georgie, astuto e sagaz em seu sorriso –, primeiro o velho moloko-com, o que você acha? Alguma coisa para nos deixar afiados, mas especialmente você, que acabou de chegar.

– Você govoretou as palavras da minha boca – sorri. – Eu ia justamente sugerir o bom e velho Korova. Bom bom bom. Liderei o caminho, pequeno Georgie. – E fiz meio que uma mesura profunda, sorrindo feito um bizumni mas pensando o tempo todo. Mas quando chegamos na rua, videei que pensar é para glupis e que os umnis usam a inspiração e o que Bog manda. Por ora o que vinha em minha ajuda era a adorável música. Havia um auto itiando por ali com o rádio ligado, e eu podia justamente sluchar um compasso ou dois de Ludwig van (era o Concerto para Violino, último movimento), e videei na hora o que fazer. Eu disse, assim numa goloz profunda: – Ok, Georgie, agora – e uishei minha britva corta-garganta. Georgie disse: – Hein? – mas foi skorre o bastante com sua noja, a lâmina saindo slish do cabo, e ficamos cara a cara um com o outro. O bom e velho Tosko disse: – Ah, não, isso não é certo – e já ia desenrolar a corrente da sua talya quando o Pete falou, colocando a ruka firme no velho Tosko: – Deixa os dois. Está certo, sim. – Então Georgie e Seu Humilde Criado aqui fizeram o velho passo do gato, procurando aberturas, conhecendo o estilo um do outro um pouco horrorshow demais na

PARTE UM

verdade, o Georgie de vez em quando dribla-dribla-driblando com sua noja reluzente, mas sem conseguir encostar em mim. E, durante todo esse tempo, plebeus passavam e videavam tudo isso, mas ficavam na deles, talvez porque fosse uma coisa comum de se ver na rua. Mas então eu contei odin dva tri e fui ak ak ak com a britva, não no litso nem nos glazis, mas na ruka de Georgie que segurava a noja, e, meus irmãos, ele a deixou cair. Deixou. Soltou a noja com um tlink tlink na calçada dura de inverno. Eu havia acabado de fazer cosquinhas nos dedos dele com a minha britva, e lá estava ele olhando para a babação malenk de króvi que vermelhava na luz do lampião. – Agora – eu disse, e era eu quem estava começando, porque o Pete dera ao bom e velho Tosko o soviete para não desenrolar a uji da cintura e o Tosko havia obedecido –, agora, Tosko, vamos tu e eu decidir isso agora, pois não? – O Tosko fez aaaaaargh feito um animal bizumni bem bolshi, e serpenteou a corrente da cintura skorre mesmo e horrorshow, não tinha como não se admirar. Agora, o estilo correto para mim aqui era me manter baixo como na dança do sapo para proteger o litso e os glazis, e isso eu fiz, irmãos, de modo que o pobre velho Tosko ficou um malenk surpreso, estando acostumado ao velho chkot chkot direto na cara. Agora, vou dizer que ele me uishou horrorshow nas costas e doeu feito bizumni, mas essa dor me disse para cair dentro skorre de uma vez e acabar com o bom e velho Tosko. Então eu suishei com a britva na sua noga esquerda muito apertada e cortei cinco centímetros de roupa e tirei uma gota malenk de króvi pra deixar o Tosko bizumni mesmo. Então, enquanto ele fazia auuu auuu auuu feito um cachorrinho, tentei o mesmo estilo que em Georgie, bancando tudo em um movimento – pra cima, cruzado, corta – e senti a britva entrar fundo o bastante na carne do pulso do velho Tosko e ele soltou a uji coleante ganindo que nem criancinha. Então ele tentou beber todo o sangue do pulso e uivar ao mesmo tempo, e havia muito króvi pra beber e ele fez assim blurb blurb blurb, o vermelho jorrando lindo como uma fonte, mas não por muito tempo. Eu disse:

– Certo, meus druguis, agora nos entendemos. Ok, Pete?

– Eu nunca disse nada – disse Pete. – Nunca govoretei uma slovo sequer. Olha, o velho Tosko está morrendo de tanto sangrar.

– Nunca – eu disse. – Só se pode morrer uma vez. O Tosko morreu antes de nascer. Esse króvi vermelho vermelho vai parar já. – Porque também eu não havia cortado os cabos principais, por assim dizer. E eu mesmo tirei um tashtuk limpo do meu karman para enrolar ao redor do ruka do velho Tosko moribundo, que uivava e gemia, e o króvi parou como eu disse que pararia, Ó, meus irmãos. Então agora eles sabiam quem era senhor e líder, as ovelhas, pensei eu.

Não levou muito tempo para aquietar esses dois soldados feridos na placidez do Duque de Nova York, com grandes brandies (comprados com o próprio cortador deles, porque o meu eu tinha dado todo ao meu pai) e uma limpeza com tashtuks molhados na jarra d'água. As velhas ptitsas com as quais havíamos sido tão horrorshow noite passada estavam lá de novo, dizendo: – Obrigada, rapazes – e – Deus abençoe vocês, garotos – sem conseguir parar, embora não tivéssemos repetido a velha sameadura com elas. Mas Pete falou: – O que vai ser, garotas? – e comprou pretinhas com espuma para elas, porque parecia ter uma bela quantidade de tia pecúnia nos seus karmans, e foi aí que elas ficaram mais faladoras do que nunca com seus – Deus abençoe e preserve vocês todos, rapazes – e – A gente nunca ia entregar vocês, garotos – e – Os melhores garotos que já conhecemos, é isso o que vocês são.– Por fim, perguntei a Georgie:

– Agora estamos de volta ao de sempre, sim? Do jeitinho que era antes e tudo esquecido, ok?

– Ok ok ok – disse Georgie. Mas o bom e velho Tosko parecia um pouco zonzo e chegou até mesmo a dizer: – Eu poderia ter pegado aquele filho da puta, sabe, com minha uji, mas um vek se meteu no meio – como se ele tivesse dratado não comigo, mas com outro maltchik. Eu disse:

– Ora, garoto Georgie, o que é que você tinha em mente?

– Ah – disse o Georgie – Esta noite, não. Não esta notchi, por favor.

– Você é um tchelovek grande e forte – eu disse. – Assim como todos nós aqui. Não somos criancinhas, somos, garoto Georgie? O que, então, tinhas tu em tua mente?

– Eu podia ter correntado os glazis dele horrorshow de verdade – disse o Tosko, e as babushkas velhas ainda estavam com seus “Obrigada, rapazes”.

– Era aquela casa, sabe – disse Georgie. – Aquela com os dois lampiões do lado de fora. Aquela com o nome glupi.

– Que nome glupi?

– Mansão ou Mansa, ou uma coisa glupi assim. Onde aquela ptitsa muito starre vive com seus gatos e todas aquelas veshkas muito starres de valor.

– Tipo?

– Ouro e prata e tipo assim joias. Quem contou foi o Will Inglês.

– Estou videando – disse eu. – Já estou videando tudinho horrorshow. – Eu sabia o que ele queria dizer. A Cidade Velha, logo além do Flatbloco Victoria. Bem, o verdadeiro líder horrorshow sempre sabe quando demonstrar generosidade aos seus subordinados. – Muito bem, Georgie – eu disse. – Um bom pensamento, e um a ser seguido. Vamos itiar para lá imediatamente. – E, quando estávamos saindo, as babushkas velhas disseram: – Não vamos dizer nada, rapazes. Estivemos aqui o tempo todo junto com vocês, garotos. – Então eu disse: – Boas garotas. Voltamos pra comprar mais em dez minutos. – E então levei meus três druguis direto para a minha danação.

6

Logo depois do Duque de Nova York, na direção leste, havia escritórios e também havia a biblio surrada starre e depois o bolshi flatbloco chamado Flatbloco Victoria por causa de alguma vitória qualquer em alguma coisa, e depois você chegava às casas meio starres da cidade que era chamada Cidade Velha. Você tinha ali algumas das domis antigas que eram mesmo horrorshow, meus irmãos, com plebeus starres vivendo nelas, magros e velhos gritando ordens como coronéis com bengalas e ptitsas velhas com gatos que eram viúvas e damas starres surdas que, meus irmãos, não haviam sentido o toque de tchelovek algum em todas as suas puríssimas jiznas. E aqui, juro, havia veshkas starres que dariam uma bela porção de cortador no mercado turístico: como quadros e joias e outros tipos de kal starre pré-plástico daquele tipo. Então nós chegamos quietos e bonitinhos numa domi chamada Mansa, e do lado de fora havia globos de luz em postes de ferro, como se guardassem a porta da frente de cada lado, e havia uma luz meio fraca em um dos aposentos no térreo, e nós fomos até um trecho de rua escuro para ver pela janela o que estava itiando ali. Aquela janela tinha barras de ferro na frente, como se a casa fosse uma prisão, mas nós podíamos videar bonitinho e com nitidez o que estava itiando.

O que estava itiando ali era que essa ptitsa velha, muito grisalha no voloz e com um litso muito enrugadinho, estava servindo o bom e velho moloko de uma garrafa de leite em vários pires, e depois colocando esses pires no chão, onde dava para ver muitos kots miando e koshkas se retorcendo. E dava pra gente videar uma ou duas skotinas grandes e gordas pulando em cima da mesa com as rots abertas fazendo arf arf arf. E dava pra videar aquela babushka velha falando com elas, govoretando como numa linguagem esporrenta com seus gatinhos. No aposento era possível videar um bocado de quadros velhos nas paredes e relógios starres muito elaborados, e também uns vasos e ornamentos que pareciam starres e dorogois. Georgie sussurrou: – Tem um denji horrorshow de verdade pra se conseguir por isso tudo, irmãos. O Will Inglês está muito ansioso. – Pete perguntou: – Como a gente entra? – Agora era a minha vez, e skorre, antes que Georgie começasse a nos dizer como. – A primeira veshka – sussurrei – é tentar o caminho normal, pela frente. Eu irei muito educado e direi que um dos meus druguis teve um ataque assim esquisito e desmaiou na rua. O Georgie pode ficar pronto para aparecer, quando ela abrir, assim. Então peço água ou para telefonar pro doutor. Então entramos fácil. – George disse:

– Ela pode não abrir. – Eu disse:

– Vamos tentar, sim? – E ele meio que deu de pletchos, fazendo uma rot de sapo. Então eu disse para Pete e para o bom e velho Tosko: – Vocês dois druguis em cada lado da porta. Ok? – Eles fizeram que sim no escuro, ok ok ok. – Então – eu disse para o Georgie, e fui direto para a porta da frente. Havia uma campainha para tocar e eu toquei, e fez trrrrrrrrim trrrrrrrrim no hall de entrada. Seguiu-se então uma sensação de alguém sluchando, como se a ptitsa e seus koshkas estivessem com as orelhas ainda lá no trrrrrrrrim trrrrrrrrim, imaginando o que seria. Então eu apertei a velha zvonoka com um malenk mais de urgência. Então me curvei diante daquele buraco por onde se colocam as cartas e gritei por ali com uma goloz assim refinada: – Socorro, madame, por favor. Meu amigo acabou de sentir uma coisa estranha na rua. Deixe-me ligar para um médico, por favor. – Então consegui videar uma luz sendo acesa no hall, e depois ouvi os nogas da babushka velha fazendo flip flop em chinelos flip-flop até chegar perto da porta da frente, e aí eu tive a impressão, não sei por quê, de que ela carregava uma gata enorme debaixo de cada braço. Então ela gritou numa goloz surpreendentemente grave:

– Vá embora. Vá embora ou eu atiro. – Georgie ouviu isso e quis rir. Eu disse, com tipo assim sofrimento e urgência na minha goloz de cavalheiro:

LARANJA MECÂNICA

– Por favor, madame, ajude. Meu amigo está muito mal.

– Vá embora – ela gritou. – Eu conheço os truques sujos de vocês, me fazendo abrir a porta e depois comprar coisas que não quero. Vá embora, já disse. – Mas que inocência bonita! – Vá embora – ela repetiu – ou vou soltar os gatos em cima de você. – Ela era um malenk bizumni, dava para se ver, passando a jizna toda odinoki. Então levantei a cabeça e videei que havia uma janela de guilhotina acima da porta da frente e que seria muito mais skorre simplesmente subir nos pletchos um do outro e entrar assim. Senão ia ser essa discussão a notchi toda. Então eu disse:

– Muito bem, madame. Se a senhora não quer ajudar, devo levar meu amigo sofredor a outro lugar. – E pisquei para meus druguis, para que ficassem quietos; só eu gritava: – Calma, amigo velho, certamente você irá encontrar algum bom samaritano em outra parte. Esta velha senhora talvez não tenha culpa por desconfiar, com tantos canalhas e errantes da noite por aí. Não mesmo. – Então esperamos novamente no escuro e sussurrei: – Certo, voltando pra porta. Eu subo nos pletchos do Tosko. Abro a janela e entro, druguis. Então calo a boca da ptitsa velha e abro a porta para todos. Sem problema. – Pois ali eu estava como que mostrando quem era o líder, quem era o tchelovek que tinha as ideias todas. – Escutem – eu disse. – Aquela porta tem por cima um belo dum trabalho horrorshow de cantaria, bom para apoiar os nogas. – Eles videaram aquilo tudo, talvez admirando, achei, e disseram e fizeram com a cabeça ok ok ok na escuridão.

Então de volta, na ponta dos pés, até a porta. O Tosko era nosso maltchik forte, e Pete e Georgie me levantaram sobre os pletchos másculos e bolshis do Tosko. Durante todo esse tempo, Ó, graças às transmissões mundiais na tevê glupi e, mais, o medo noturno da

112

plebe por intermédio da falta de policiamento, morta jazia a rua. Lá em cima, dos pletchos do Tosko, eu videei que aquele umbral sobre a porta aguentaria lindamente o peso de minhas botas. Joelhei-me, irmãos, e lá estava eu. A janela, conforme eu havia esperado, estava fechada, mas aforei minha britva e quebrei o vidro da janela espertamente com seu cabo de osso. Durante todo esse tempo, lá embaixo, meus druguis respiravam com dificuldade. Então coloquei minha ruka através da rachadura e fiz a metade inferior da janela subir rápida como mercúrio, bonitinha. E eu estava, assim como quem entra numa banheira, dentro. E lá embaixo estava o meu rebanho, suas rots abertas olhando para cima, Ó, irmãos.

Eu estava num silêncio aflitivo, no meio de camas e armários e banquetas bolshis e pesadas e pilhas de caixas e livros. Mas encaminhei-me masculamente até a porta do quarto em que estava, vendo como que uma réstia de luz debaixo dela. A porta fez nheééééé e então eu entrei num corredor empoeirado com outras portas. Quanto desperdício, irmãos, todos esses quartos mas somente uma estica starre e seus gatinhos, mas talvez os kots e koshkas tivessem assim quartos separados, vivendo de leite e cabeças de peixe como rainhas e príncipes reais. Eu podia ouvir a goloz abafada da ptitsa velha lá embaixo dizendo: – Sim, sim, sim, é isso mesmo – mas ela devia estar govoretando com aqueles bichos miantes fazendo miiaaau para pedir mais moloko. Então vi as escadas que desciam até o hall e pensei cá comigo que eu mostraria aos meus druguis bobos e inúteis que eu valia os três juntos e mais um pouco. Eu faria tudo odinoki. Eu performaria a velha ultraviolência na ptitsa starre e nos bichanos dela se preciso fosse, e depois pegaria grandes rukadas do que parecia mesmo umas coisas muito poleznis e iria valsando até a porta da frente e a abriria fazendo chover ouro e prata sobre meus druguis esperando. Eles precisavam aprender tudo sobre liderança.

Então pra baixo eu itiei, admirando na escada quadros graznis dos velhos tempos: devotchkas de cabelos compridos e colarinhos altos; o campo com árvores e cavalos; o vek barbudo santo todo nagoi pendurado numa cruz. Havia um von realmente mofado de gatos e peixe naquela domi, diferente dos flatblocos. E então eu desci e pude videar a luz na porta da frente onde ela estava servindo moloko para os kots e koshkas. Mais: eu podia videar aquelas grandes skotinas inchadas indo prum lado e pro outro com suas caudas abanando e meio que se esfregando no chão da porta. Sobre um grande baú de madeira no hall escuro eu podia videar uma bela e malenk estátua que brilhava na luz do aposento, então krastei-a para mim mesmo, pois era tipo assim uma jovem e magra devotchka em pé sobre um noga com os rukas estendidos, e eu pude ver que ela era feita de prata. Então eu fiz assim quando entrei na sala iluminada, dizendo: – Olá, olá, olá! Por fim nos encontramos. Nossa breve govoreta pelo buraco das cartas não foi, poderíamos dizer, satisfatória, sim? Admitamos que não, decerto que não, sua estica velha starre fedida. – E eu fiquei meio que piscando a luz daquela sala com a ptitsa velha dentro. Ela estava cheia de kots e koshkas todos se arrastando de um lado para o outro no tapete, com bolinhas de pelo flutuando no ar inferior, e essas skotinas gordas eram de todas as formas e cores diferentes, preto, branco, malhado, listrado, axadrezado e também de todas as idades, de forma que havia filhotinhos filando por ali uns com os outros e havia gatas bem crescidas e algumas babonas bem starres e muito mal-humoradas. A dona deles, essa ptitsa velha, olhou para mim feroz feito um homem e disse:

– Como foi que você entrou? Saia de perto, seu patifezinho ordinário, ou serei obrigada a bater em você.

Quando ela disse isso, eu smekei horrorshow, videando que ela tinha na ruka cheia de veias uma bengala de madeira muito esculhambada que ergueu para mim de forma ameaçadora. Então, abrindo bem meus zubis reluzentes, itiei um pouquinho para perto dela, indo sem pressa, e no caminho eu vi em cima de um armário uma linda veshka, a veshka malenk mais adorável que qualquer maltchik fã de música como eu poderia jamais esperar videar com seus próprios dois glazis, pois eram a gúliver e os pletchos de Ludwig van em pessoa, o que chamam de busto, uma veshka assim de pedra com longos cabelos e glazis cegos e o grande plastrom. Corri para ele na hora, dizendo: – Ora, que coisa bonita, e agora todinha minha. – Mas, itiando em sua direção com os glazis inteiramente voltados para ela e minhas rukas gananciosas estendidas, não vi os pratos de leite no chão e meio que perdi o equilíbrio. – Opa – eu disse, tentando me equilibrar, mas a ptitsa velha tinha chegado por trás de mim mui sorrateira e com grande skorridade para sua idade e desceu a ripa na minha gúliver com sua bengalinha. Então quando eu vi, estava de quatro, apoiado nas rukas e nos joelhos, tentando me levantar e dizendo: – Feia, feia, feia. – E aí ela veio e crac crac de novo, dizendo: – Seu animalzinho nojento, gentalha, entrando nas casas de pessoas *de verdade*. – Eu não estava gostando daquele igra dela de ficar descendo a ripa em mim, então agarrei uma ponta da bengala dela quando tornou a descer e então ela perdeu o equilíbrio e estava tentando se firmar em uma mesa, mas aí a toalha da mesa escorregou com um bule e uma garrafa de leite caindo de bêbados e derramando branco splash em todas as direções, e então ela estava no chão gemendo e dizendo: – Maldição, garoto, você vai pagar por isso. – Agora todos os gatos estavam ficando spuguis, correndo e pulando num pânico felino, e uns culpavam os outros, dando toltchoks de gato com a velha noga e fazendo fsssssss, grrrrrrr, kraaaaaaak. Levantei-me na hora, e lá estava aquela forela starre vingativa toda sacudida e grunhindo enquanto tentava se levantar do chão, então eu lhe dei um belo dum chute malenk no litso, e ela não gostou disso, porque gritou – Uaaa-aa – e dava para videar o litso cheio de veias e manchas ficando roxo onde eu havia depositado o velho noga.

Quando recuei do chute, devo ter pisado na cauda de um daqueles bichanos krikentos, dratentos, porque sluchei um miiiiiiiee-eeeuuuuuuuu gromki e descobri que pelo, dentes e garras haviam se enfiado ao redor da minha perna, e lá estava eu xingando e tentando sacudi-la para fora segurando aquela estátua malenk em uma das rukas e tentando subir em cima daquela velha ptitsa no chão para alcançar o adorável Ludwig van franzindo a testa de pedra. E então pisei noutro pires cheio até a borda de moloko cremoso e quase me estabaquei novamente; essa veshka toda seria muito engraçada se você pudesse imaginá-la sluchatando com outra pessoa, e não com o Vosso Humilde Narrador. E então a ptitsa starre no chão estendeu a mão por sobre os gatos uivantes dratentos e agarrou o meu noga, ainda fazendo "Uaaa" para mim, e, como meu equilíbrio ainda não havia voltado por completo, foi aí que eu desabei feio mesmo, em cima do moloko derramado e dos koshkas arranhantes, e a velha forela começou a me socar no litso; nós dois ali no chão, e ela krikando: – Peguem ele, batam nele, arranhem ele, ataquem esse vermezinho venenoso – falando apenas para seus gatos, e então, como se obedecessem à ptitsa velha starre, uns dois koshkas vieram até mim e começaram a me arranhar feito bizumnis. Então quem ficou bizumni fui eu, irmãos, e ataquei-os, mas a babushka disse: – Verme, não machuque meus gatinhos – e arranhou o meu litso. Aí eu krikei: – Sua sumka velha e suja – e levantei a estátua de prata malenk e desci um belo dum toltchok na sua gúliver e calei a boca dela horrorshow bonitinho.

Então, quando me levantei do chão no meio de todos aqueles kots e koshkas que krikavam, o que foi que eu sluchei senão o shom da velha sirene do auto de polícia a distância, e skorre me veio em mente que a velha forela dos gatos estava no telefone com os miliquinhas quando achei que ela devia estar govoretando com os mios e maos, porque tinha ficado desconfiada skorre na hora quando eu toquei a zvonoka velha fingindo pedir socorro. Então agora, sluchando aquele shom terrível do camburoza, disparei em direção à porta da frente e robotei bastante para abrir todas as trancas, correntes e fechaduras e outras veshkas protetoras. Então consegui abrir a porta, e quem estava na soleira não era outro senão o Tosko, e mal consegui videar os outros dois dos meus ditos druguis dando o fora. – Vamos – krikei para o Tosko. – Os rozas estão chegando. – E o Tosko disse: – Você fica para encontrar com eles, huhuhu – e aí eu videei que ele tinha posto a uji pra fora, e na hora ele a levantou e ela serpenteou zuiiiim e ele me correntou bonito, artisticamente, bem menos glazis, mas os fechei a tempo. Então eu comecei a uivar tentando videar com aquela dor imensa e uivante, e o Tosko falou: – Não gostei do que você fez, velho drugui. Não foi certo bater em mim do jeito que você fez, moleque. – E então pude sluchar suas botas bolshis pesadas se afastando, e ele fazendo huhuhu na escuridão, e só haviam se passado sete segundos depois que sluchei a van dos miliquinhas parar com um grande e nojento uivo de sirene diminuindo, como um animal bizumni farejando. Eu também estava uivando e com a boca aberta e bati minha gúliver pou pau na parede do hall, meus glazis bem fechados e o suco escorrendo deles, muito agonizante. Então lá estava eu, tateando na entrada quando os miliquinhas chegaram. Não consegui videá-los, claro, mas pude sluchar e, cacete, quase cheirar o von dos filhos da puta, e em pouco tempo pude sentir os filhos da puta quando eles chegaram com o pé alto, me deram o velho golpe do braço torcido e me levaram pra fora. Também consegui sluchar um miliquinha falando como que do aposento de onde eu havia saído com todos os kots e koshkas nele: – Ela tomou uma pancada feia, mas está respirando – e miados altos o tempo todo sem parar.

– Mas que prazer – ouvi outra goloz de miliquinha dizer enquanto eu era toltchokado com violência e skorre para dentro do auto. – O pequeno Alex todo para nós. – Eu fui logo krikando:

– Estou cego, que Bog exploda e sangre todos vocês, seus filhos da puta graznis.

– Olhe a linguagem – uma goloz meio que smekou, e tomei um toltchok com as costas de uma ruka com anéis bem no meio da rot. Eu disse:

– Bog assassine vocês, seus bratchnis vonis fedorentos. Cadê os outros? Cadê meus druguis traidores fedidos? Um dos meus malditos bratis graznis me correntou nos glazis. Peguem eles antes que eles fujam. A ideia foi toda deles, irmãos. Eles me forçaram. Sou inocente, que Bog chacine vocês. – A esta altura eles estavam todos dando uma boa smekada de mim bem alto, com muita grosseria, e eles me toltchokaram para a traseira do auto, mas não parei de falar dos meus ditos druguis, e foi aí que eu videei que não ia ser nada

bom, pois todos estariam agora de volta ao conforto do Duque de Nova York forçando pretinhas com espumas e Escoceses duplos pelas gorlos não protestantes daquelas ptitsas starres fedidas e elas dizendo: – Obrigada, rapazes. Deus abençoe vocês, garotos. Vocês estiveram aqui o tempo todo, rapazes. Não saíram das nossas vistas, não saíram não.

Esse tempo todo nós sirenamos até a casa-roza, eu sendo esmagado entre dois miliquinhas e recebendo uns golpes e um toltchok malenk daqueles valentões smekantes. Então descobri que podia abrir as pálpebras um malenk e videar por entre todas as lágrimas uma espécie de cidade no vapor passar, todas as luzes meio que se fundindo umas nas outras. Agora eu conseguia videar por entre glazis feridos aqueles dois miliquinhas smekantes na traseira comigo e o motorista de pescoço fino e o filho da puta de pescoço grosso ao lado dele, este govoretando meio sarki pra mim, dizendo: – Ora, Alex, meu garoto, estamos todos querendo uma noite agradável juntos, não estamos? – E eu disse:

– Como é que você sabe meu nome, seu valentão voni fedido? Que Bog o exploda até o inferno, seu grazni bratchni sodomita. – Então todos smekaram com isso e um dos miliquinhas fedidos que estava ali atrás comigo meio que torceu minha oko. O não motorista de pescoço grosso disse:

– Todo mundo conhece o pequeno Alex e seus druguis. Nosso Alex ficou bem famoso.

– Foram os outros – eu krikei. – Georgie, Tosko e Pete. Os filhos da puta não eram meus druguis.

– Bem – disse o pescoço-grosso –, você tem a noite toda para contar a história das ousadas aventuras desses jovens cavalheiros e de como eles perverteram o pobre e inocente Alex. – Então ouvi o shom de outra sirene da polícia passando pelo nosso auto, mas indo na direção oposta.

– Isso é praqueles filhos da puta? – perguntei. – Eles vão ser apanhados por vocês, seus filhos da puta?

– Isso – disse o pescoço-grosso – é uma ambulância. Sem dúvida para a velha senhora que foi sua vítima, seu calhorda safado, escroto.

– Foi tudo culpa deles – eu krikei, piscando meus glazis feridos. – Os filhos da puta vão pitar lá no Duque de Nova York. Peguem eles, porra, seus vonis sodomitas. – E mais smeks e outro toltchok malenk, Ó, meus irmãos, em minha pobre rot ferida. E então chegamos na casa-roza fedida e eles me ajudaram a sair do auto com chutes e empurrões e me toltchokaram escada acima e eu sabia que não ia ter jogo limpo com aqueles bratchnis graznis fedorentos, Bog os exploda.

7

Eles me arrastaram para dentro daquele kantora todo caiado e mui brilhantemente iluminado, e ele tinha um von forte que era uma mistura tipo assim de vômito, privada, cerveja e desinfetante, tudo vindo ao mesmo tempo dos xilindrós ali perto. Dava para ouvir alguns dos plenis em suas celas xingando e cantando, e tive a impressão de ter sluchado um deles cantando assim:

"E eu voltarei para minha querida, minha querida
Quando você, minha querida, tiver partido."

Mas também havia as golozes de miliquinhas dizendo a eles que calassem a boca, e você podia até sluchar o zvuk de alguém tomando toltchok horrorshow mesmo e fazendo aaaaaaaaaiiiiiiiiiii, e era como a goloz de uma ptitsa starre bêbada, não de um homem. Comigo naquele kantora estavam quatro miliquinhas, todos pitando bons goles de tchai; havia um grande bule em cima da mesa e eles bebiam e arrotavam sobre suas canecas bolshis imundas. Não me ofereceram nem um pouco. Tudo o que me deram, meus irmãos, foi um espelhinho starre de merda para olhar, e de fato eu não era mais seu jovem e bonito Narrador, mas uma visão realmente strak, a rot inchada e meus glazis todos vermelhos e meu nariz também um pouco surrado. Eles todos smekaram horrorshow mesmo quando videaram meu desgosto, e um deles disse: – O jovem pesadelo do amor. – E então entrou um miliquinha top com estrelas nos pletchos para mostrar que ele estava bem lá no alto, me videou e disse: – Hm. – Então eles começaram. Eu disse:

– Não vou dizer uma única slovo sem meu advogado. Conheço a lei, seus bratchnis. – É claro que eles smekaram bonito e gromki, e o miliquinha top estelar disse:

– Ok, rapazes, vamos começar mostrando a ele que também conhecemos a lei, mas que conhecer a lei não é tudo. – Ele tinha uma goloz assim de cavalheiro e falava de um jeito meio cansado, e acenou com a cabeça e um sorriso meio drugui para um filho da puta muito grande e gordo. Esse filho da puta muito grande tirou sua túnica e dava para videar que ele tinha uma pança muito gorda e starre; então ele veio até onde eu estava não muito skorre e eu pude sentir o von do tchai com leite que ele estava pitando quando ele abriu a rot numa careta muito grande e cansada. Não estava lá muito bem barbeado para um roza, e dava pra ver plaquinhas de suor seco em sua camisa debaixo dos braços, e também dava pra sentir o von de cera de ouvido quando ele se aproximou bem. Então ele fechou a ruka vermelha fedida e me deu um soco bem na barriga, o que era injusto, e todos os outros miliquinhas se mataram de tanto smekar, exceto o top, que continuava com aquele sorrisinho meio cansado. Precisei me recostar na parede caiada e minhas platis ficaram todas sujas, tentando recuperar o bom e velho fôlego e sentindo grande agonia, e aí eu senti vontade de vomitar a torta gosmenta que tinha comido antes do início da noite. Mas não conseguia suportar esse tipo de veshka, vomitando por todo o chão, então segurei a onda. Então vi que aquele machucaboy gordinho estava se virando para seus druguis miliquinhas para dar uma smekada horrorshow de verdade com o que tinha feito, então levantei meu noga direito e, antes que pudessem krikar para ele tomar cuidado, dei-lhe um chute bem dado na canela. E ele krikou cheio de ódio, pulando numa perna.

Mas depois disso cada um deles teve a sua vez, me jogando de um lado pro outro como se eu fosse uma merda duma bola, Ó, meus irmãos, e me socando nos yarblis, na rot e na barriga e desferindo chutes, até que finalmente eu tive que vomitar no chão e, como um vek bizumni de verdade, cheguei até a dizer: – Desculpe, irmãos, isso não foi certo. Desculpem, desculpem, desculpem. – Mas eles me deram pedaços starres de gazeta e me fizeram limpar tudo, e depois me fizeram jogar serragem por cima. E depois disseram, quase como queridos velhos druguis, para eu me sentar porque todos iríamos govoretar direitinho e com calma. E então entrou o P. R. Deltoid para dar uma videada, porque seu escritório ficava no mesmo prédio, com uma cara muito cansada e grazni, para dizer: – Então aconteceu, Alex, meu rapaz, sim? Justo como eu achava que aconteceria. Que chato, que chato, que chato, sim? – Então ele se voltou para os miliquinhas para dizer: – Boa noite, inspetor. Boa noite, sargento. Boa noite, boa noite a todos. Bem, este é o fim da linha para mim, sim? Chato, chato. Este rapaz parece mal, hein? Olhem só para o estado dele.

– Violência gera violência – disse o miliquinha top com uma goloz tipo assim muito sacrossanta. – Ele resistiu aos oficiais que estavam executando sua prisão dentro da lei.

– Fim da linha, sim? – P. R. Deltoid tornou a dizer. Olhou para mim com glazis muito frios como se eu tivesse me tornado uma coisa e não fosse mais um maldito tchelovek surrado e muito cansado. – Acho que amanhã vou ter que ir ao tribunal.

– Não fui eu, irmão, senhor – disse eu, um malenk choroso. – Falai por mim, senhor, pois não sou tão mau. Fui levado pela malícia dos outros, senhor.

– Canta feito um passarinho – o roza top disse debochando.

– Canta que é uma beleza, esse aí.

– Eu falarei – disse o frio P. R. Deltoid. – Estarei lá amanhã, não se preocupe.

– Se quiser lhe dar uma de jeito nos costados, senhor – disse o miliquinha top –, por nós tudo bem. Nós seguramos ele. Ele deve ser mais uma grande decepção para o senhor.

Então P. R. Deltoid fez uma coisa que eu jamais achei que algum homem como ele, cuja função deveria ser a de nos transformar de maus em maltchiks horrorshow de verdade faria, especialmente com todos aqueles rozas por perto. Ele chegou um pouco mais perto e cuspiu. Ele cuspiu. Ele cuspiu direto no meu litso e depois enxugou a rot molhada de cuspe com meu tashtuk ensanguentado, dizendo: – Obrigado, senhor, muito obrigado, senhor, foi muito gentil do senhor, obrigado. – E P. R. Deltoid saiu sem dizer mais uma slovo.

Então os miliquinhas começaram a fazer uma longa declaração para eu assinar, e pensei cá comigo: ao Diabo com vocês todos, se todos vocês filhos da puta estão do lado do Bem, então estou mui contente em fazer parte da outra loja. – Tudo bem – eu disse a eles – seus bratchnis graznis que vocês são, seus vonis sodomitas. Peguem, peguem tudo. Não vou rastejar mais no meu bruko não, seus agentes merzkis. De onde vocês querem tirar isso, seus animais vonis? Da minha última correcional? Horrorshow, horrorshow, então lá vai. – E aí eu passei tudo para eles, e um miliquinha estenógrafo, um tchelovek tipo muito calado e apavorado, não era um roza de verdade, cobria uma página atrás da outra atrás da outra... Eu lhes dei a ultraviolência, a krastagem, as dratas, o bom e velho entra-sai-entra-sai, aquilo tudo, até a veshka daquela noite com a ptitsa starre bugati com os kots e koshkas miantes. E me certifiquei de que meus ditos druguis estivessem na história também, mergulhados até o shia. Quando acabei a coisa toda, o miliquinha estenógrafo parecia um pouco mal, coitado do vek. O roza top disse para ele, em uma goloz tipo:

– Ok, filho, pode sair e tomar uma boa xícara de tchai, e depois datilografe toda essa sujeira e podridão com um pregador de roupa no nariz, três cópias. Aí elas podem ser trazidas para nosso jovem amiguinho aqui assinar. E você – ele disse para mim – pode agora ir conhecer sua suíte nupcial com água corrente e todas as conveniências. Tudo certo – nessa goloz cansada para dois dos rozas mais durões –, podem levá-lo.

Então eu fui levado a chutes, socos e empurrões até as celas e colocado lá dentro junto com mais uns dez ou doze plenis, muitos dos quais bêbados. Entre eles havia uns veks tipo animais, ujasnis mesmo, um com o nariz todo quebrado e a rot aberta como um grande buraco negro, um que estava deitado no chão roncando muito e tinha uma coisa gosmenta escorrendo pela rot, e outro que havia feito kal nas pantalonas. Também havia dois meio bichonas que gostaram de mim, e uma delas pulou nas minhas costas, e eu tive uma drata muito feia mesmo com ela e o von dela, tipo metadona com perfume barato, me deu vontade de vomitar de novo, só que minha barriga agora estava vazia, Ó, meus irmãos. Então a outra bicha começou a jogar as rukas na minha direção, e depois as duas meio que drataram, ambas querendo um pedaço do meu ploti. O shom ficou muito alto, então uns dois miliquinhas apareceram e desceram os cassetetes nessas duas, e aí as duas sentaram e ficaram quietas, tipo assim olhando para o espaço vazio, e no litso de uma delas o bom e velho króvi fazia ping ping ping. Havia beliches nessa cela, mas estavam todos cheios. Subi até o primeiro de uma das fileiras de beliches, havia quatro em cada fileira, e tinha um vek bêbado starre roncando; o mais provável é que os miliquinhas o tivessem colocado ali em cima. De qualquer maneira, eu coloquei ele de volta para baixo novamente – não era assim tão pesado – e ele desabou em cima de um tchelovek gordo bêbado no chão, e os dois acordaram e começaram a krikar e se socar de forma patética. Então eu deitei naquela cama voni, meus irmãos, e, mui cansado, exausto e ferido, adormeci. Mas não foi mesmo um sono, foi como desmaiar e ir para um mundo melhor. E nesse outro mundo melhor, Ó, meus irmãos, eu estava em um grande campo cheio de árvores e flores, e havia tipo assim um bode com litso de homem tocando em uma espécie de flauta. E depois surgiu, como o sol, o próprio Ludwig van com litso trovejante e plastrom e voloz selvagem e ventoso, e então ouvi a Nona, último movimento, com as slovos todas um pouco misturadas como se elas soubessem que tinham que ser misturadas, pois afinal era um sonho:

> Quem diria, a mais bela pentelha divina,
> Filha do Elisium.
> Invadimos, ébrios de fogo,
> O teu santuário,
> Daremos toltchoks na tua rot
> E chutes no teu grazni voni bumbum.

Mas a melodia estava certa, assim como eu soube que estava sendo acordado dois ou dez minutos ou vinte horas ou dias ou anos mais tarde, pois haviam levado meu relógio. Havia um miliquinha como que a milhas e milhas de distância e ele estava me cutucando com uma longa vara com um espinho na ponta, dizendo:

– Acorde, filho. Acorde, belezinha. Acorde pra enfrentar a dura. – Eu disse:

– Por quê? Quem? Onde? Como? – E a melodia da Alegria da Nona estava desaparecendo dentro de mim, bonita e horrorshow. O miliquinha disse:

– Desça e descubra. Tem notícia boa pra você, meu filho. – Então eu desci correndo, muito dolorido e torto, ainda não muito acordado, e esse roza, que tinha um von forte de queijo e cebola, me empurrou para fora da cela roncadora fedorenta, e me levou por corredores, e o tempo todo a velha canção Alegria, a Mais Bela Centelha Divina esfuziava dentro de mim. Então chegamos a um kantora muito limpo com máquinas de escrever e flores sobre as mesas, e na mesa principal o miliquinha top estava sentado, com cara de muito sério e fixando um glazi muito, muito frio no meu litso adormecido. Eu disse:

– Ora, ora, ora. O que há, brati? O que você manda, neste lindo e maravilhoso meio da notchi? – Ele disse:

– Eu lhe dou dez segundos pra apagar esse sorrisinho estúpido do rosto. Depois quero que me escute bem.

– Bem, o quê? – eu disse, smekando. – Você não está satisfeito em me espancar quase até a morte e deixar que cuspissem em mim, me fazer confessar por crimes por horas sem fim e depois me empurrar para junto de bizumnis e plebeus vonis naquela cela grazni? Tens alguma nova tortura para mim, seu bratchni?

– Será sua própria tortura – ele disse, sério. – Espero, por Deus, que essa tortura enlouqueça você.

E então, antes que ele me dissesse, eu já sabia o que era. A ptitsa velha que tinha todos aqueles kots e koshkas havia ido desta para melhor num dos hospitais da cidade. Parece que eu a havia espancado forte demais. Ora, ora, isso era tudo. Pensei em todos aqueles kots e koshkas miando pedindo moloko mas sem ganhar nenhum, nunca mais, daquela forela starre que era a dona deles. Isso era tudo. Eu estava condenado. E só tinha quinze anos.

PARTE DOIS

1

– Então, o que é que vai ser, hein?
Agora eu recomeço, e aí é que entra a
parte triste e tipo assim trágica da história, meus irmãos e únicos amigos, na
Prestata (ou seja, Prisão Estatal) Número 84F. Vocês não iriam gostar muito
de sluchar a horrível razkaz do choque
que fez meu pai esmurrar com as rukas
machucadas e cheias de króvi o injusto Bog em Seu Paraíso, e minha mama

abrir a rot e fazer aaaiii aaaiii aaaiii em seu lamento materno por seu único filho e fruto de seu ventre, deixando todo mundo mal, muito horrorshow mesmo. Então lá estava o magistrado starre e muito mal-encarado no tribunal de primeira instância, govoretando umas slovos muito severas contra vosso Amigo e Humilde Narrador, depois de todos os gritos e calúnias graz_nis cuspidos por P. R. Deltoid e os rozas, que Bog os exploda. Então fui recambiado para a custódia nojenta entre plebeus vonis e prestupnicks. Aí houve o julgamento no tribunal superior com juízes e um júri, e umas slovos muito, muito severas de fato govoretadas de maneira assim solene, e então fui considerado Culpado, e minha mama fez buábuá quando disseram Quatorze Anos, Ó, meus irmãos. Então ali estava eu agora, dois anos depois de ter sido chutado e trancafiado na Prestata 84F, vestido no auge da moda carcerária, que era um traje de peça única de uma cor muito suja igual a kal, e o número costurado na parte bombada bem em cima do velho tictac e nas costas também, de modo que tanto fazia se vocês me vissem chegando ou indo embora. Eu era o 6655321, e não o seu velho drugui Alex, não, nunca mais.

– Então, o que é que vai ser, hein?

Não foi tipo assim edificante, não mesmo, estar naquele buraco grazni dos infernos, tipo assim um zoológico humano, por dois anos, sendo chutado e tomando toltchoks de carcereiros brigões e brutais e encontrando vonis finórios tipo bandidos, uns deles realmente pervertidos e prontos para babar em cima de um jovem e suculento maltchik como vosso contador de histórias. E eu ainda tinha que robotar numa oficina fazendo caixas de fósforos e dando voltas e mais voltas no pátio para tipo assim me exercitar, e no cair da noite às vezes um vek starre tipo prof dava uma palestra sobre besouros, a Via Láctea ou as Maravilhas Gloriosas do Floco de Neve, e nesta última eu tive que dar uma boa smekada, porque me lembrou daquela noite de toltchoks e Puro Vandalismo com aquele ded que vinha da biblio pública numa noite de inverno quando meus druguis ainda não eram traíras e eu era tipo assim livre e feliz. Sobre aqueles druguis, eu só havia sluchado uma coisa, e isso foi num dia em que meu pê e minha eme apareceram para me visitar e me disseram que Georgie tinha morrido. Sim, morrido, meus irmãos. Estava morto como um pedaço de kal de cachorro no meio da calçada. Georgie havia levado os outros dois para dentro da casa de um tchelovek muito bugati, e lá eles chutaram e deram toltchoks no dono até deixá-lo caído no chão, e aí Georgie começou a razgarasgar as almofadas e cortinas, e o bom e velho Tosko quebrara alguns ornamentos muito preciosos, como estátuas e coisas assim, e aquele tchelovek rico e surrado ficara bizumni de raiva e partira pra cima deles com uma barra de ferro muito pesada. Ele estava tão razdraz que isso lhe dera uma força tipo assim descomunal, e o Tosko e o Pete conseguiram escapar pela janela, mas Georgie tropeçou no tapete e levou aquela magnífica barra de ferro na gúliver, que quebrou-lhe a cabeça e espalhou-lhe os miolos, e esse foi o fim do traíra Georgie. O assassino starre havia escapado com Legítima Defesa, o que estava muito correto. Georgie fora morto, e isso, mesmo depois de mais de um ano que fui preso pelos miliquinhas, parecia muito justo e adequado, coisa assim do Destino.

– Então, o que é que vai ser, hein?

Eu estava na Capela, porque era manhã de domingo, e o chapelão da prisão estava govoretando a Palavra do Senhor. O meu trabalho era robotar com o estéreo starre, colocando música solene antes e depois e no meio também, quando os hinos eram cantados. Eu ficava na parte dos fundos da Capela (havia quatro ao todo na Prestata 84F), perto de onde os carcereiros ou chassos permaneciam em pé com seus rifles e seus maxilares brutais, azuis, bolshis e sujos, e dava pra videar todos os plenis sentados sluchando a Slovo do Senhor vestidos em suas horrorosas platis de prisão cor de kal, e um von de sujeira se desprendia deles, que não era tipo assim de não lavados, não grazis, mas como um fedor von especial que só os bandidos tinham, meus irmãos, um tipo de von poeirento, de gordura, impossível de limpar. E eu estava pensando comigo que talvez eu também tivesse aquele von, porque também tinha me tornado um bandido de verdade, embora ainda fosse muito jovem. Então era muito importante para mim, Ó, meus irmãos, sair daquele zoológico grazni fedido assim que pudesse. E, conforme vocês videarão se continuarem lendo, não levou muito tempo para isso acontecer.

– Então, o que é que vai ser, hein? – disse o chapelão da prisão pela terceira raz. – Será um entra e sai e entra e sai de instituições, como esta, embora mais entra do que sai para a maioria de vocês, ou vocês ouvirão a Palavra Divina e perceberão os castigos que aguardam o pecador impenitente no outro mundo, assim como neste? Um bando de idiotas, é o que a maioria de vocês é, vendendo seu direito de primogenitura por um prato de aveia fria. A emoção do roubo, da violência, a necessidade urgente da vida fácil. Vale a pena isso, quando temos a prova incontestável, sim, sim, sem controvérsias, de que o inferno existe? Eu sei muito bem, meus amigos, eu fui informado em visões de que existe um lugar, mais escuro do que qualquer prisão, mais quente do que qualquer chama de fogo humano, onde as almas de pecadores criminosos impenitentes como vocês – e não zombem de mim, malditos, não riam – como vocês, estou dizendo, gritam em agonia infinita e intolerável, os narizes sufocados com o cheiro da sujeira, as bocas cheias com esterco em chamas, a pele descascando e apodrecendo, uma bola de fogo rodopiando nas suas tripas que se contorcem. Sim, sim, sim, eu sei.

Nesse momento, irmãos, um pleni em algum lugar perto da última fileira soltou um shom de música labial – prrrrr – e aí os chassos brutais foram em cima do lance, correndo skorre mesmo até onde eles achavam que era a cena do shom, e bateram violentamente, desferindo toltchoks à esquerda e à direita. Então apanharam um pleni que tremia todo, coitado, muito magro, malenk e starre também, e o arrastaram para fora, mas o tempo todo ele ficou krikando: – Não fui eu, foi ele, foi ele –, mas isso não fez a menor difcrença. Ele tomou um toltchok legal e foi arrastado para fora da Capela krikando sem parar.

– Agora – disse o chapelão da prisão – ouçam a Palavra do Senhor. – Então ele pegou o livro grande e virou as páginas, toda hora molhando os dedos para fazer isso, lambendo eles shlurp shlurp. Ele era um escroto bolshi grande e atarracado com um litso muito vermelho, mas gostava muito de mim, porque eu era jovem e também estava agora muito interessado no livro grande. Fora arranjado, como parte de minha educação, que eu lesse o livro e até tivesse música no estéreo da capela enquanto estivesse lendo. Ó, meus irmãos. E isso era muito horrorshow. Eles me trancafiavam e me deixavam sluchar música sacra de J. S. Bach e G. F. Handel, e eu lia sobre aqueles yahuds dando toltchoks uns nos outros e depois pitando seu vinho hebreu e deitando na cama com suas esposas como se elas fossem criadas, muito horrorshow. Foi isso o que me segurou, meus irmãos. Eu não cheguei a kopatar muito bem a segunda metade do livro, que é mais govoretagem de pregação do que lutas e o bom e velho entra-sai. Mas um dia o chapelão me disse, me apertando com força com sua ruka bolshi e gorda: – Ah, 6655321, pense no sofrimento divino. Medite sobre isso, meu jovem. – E durante esse tempo todo ele estava com um von rico e másculo de Scotch, e lá se foi ele para seu pequeno kantora para pitar mais um pouquinho. Então eu li tudo sobre o flagelo e a coroa de espinhos e a veshka lá da cruz e aquela kal total, e videei melhor que havia alguma coisa ali. Enquanto o estéreo tocava trechos adoráveis de Bach, eu fechava os glazis e me videava ajudando e até chefiando os toltchoks e a pregação na cruz, vestido com uma toga no auge da moda romana. Então estar na Prestata 84F não era de todo ruim, e o próprio Diretor ficou muito feliz em saber que eu tinha assim ficado meio que religioso, e era justamente aí que minhas esperanças estavam depositadas.

Naquela manhã de domingo, o chapelão leu trechos do livro sobre tcheloveks que haviam sluchado a slovo e não deram a menor bola, aí construíram uma domi em cima da areia, e aí a chuva veio chuá e o velho bumbumbum rasgou o céu e foi o fim dessa domi. Mas eu achei que só um vek muito tosco construiria sua domi em cima da areia, e uma grande quantidade de druguis burrões mesmo e vizinhos mesquinhos um vek daqueles teria, por não dizerem a ele o quão tosco era por fazer aquele tipo de edificação. Então o chapelão krikou: – Certo, cambada. Vamos terminar com o Hino Número 435 do Hinário dos Prisioneiros. – Então fez-se crash, plop e uish uish uish enquanto os plenis pegavam, deixavam cair e viravam as páginas dos seus hinários gordurados malenks com as pontas dos dedos lambidas, e os carcereiros ferozes e malvados krikavam: – Calem a boca aí, seus imbecis. Estou de olho em você, 920537. – Claro que eu já estava com o disco pronto no estéreo, e então deixei a música simples para órgão somente vir tonitruando um grououououououuuouuu. Então os plenis começaram a cantar que foi um horror:

> Somos tão fracos, nascemos agora
> Mas o trabalho nos revigora.
> Nosso pão não é angelical,
> E nosso castigo é eternal.

Eles meio que uivavam e choravam essas slovos idiotas com o chapelão meio que chicoteando todos com "Mais alto, diabos, cantem mais alto", e os carcereiros krikando: – Espere só depois, 7749222 – e – O que é seu está guardado, miserável. – Então tudo se acabou e o chapelão disse: – Que a Santíssima Trindade os guarde sempre e os torne bons, amém –, e a patuleia começou a sair ao som de um belo trecho selecionado da Sinfonia Nº. 2 de Adrian Schweigselber, escolhido por Vosso Humilde Narrador, Ó, meus irmãos. Que cambada que eles eram, pensei eu ali em pé ao lado do estéreo starre da capela, videando todos eles arrastando os pés e fazendo mééééé e bééééé como animais e aqui-ó com os dedos para mim, porque parecia que eu estava recebendo um favorecimento especial. Quando o último havia se arrastado pra fora, seus rukas balançando que nem os de um macaco e o único carcereiro que havia sobrado lhe dando uns belos duns toltchoks na gúliver, e quando eu desliguei o estéreo, o chapelão chegou junto de mim, dando baforadas num câncer, ainda vestindo as platis starres de homem de Bog, todas branquinhas e cheias de frufrus que nem de uma devotchka. Ele disse:

LARANJA MECÂNICA

– Obrigado como sempre, pequeno 6655321. E que novidades você tem para me dar hoje? – O fato era, eu sabia, que esse chapelão estava atrás era de se tornar um grande tchelovek santo no mundo da Religião da Prisão, e ele queria um depoimento muito horrorshow do Diretor, de modo que ele ia de vez em quando govoretar na maciota com o Diretor sobre que tramas obscuras estavam fervilhando entre os plenis, e ele conseguia um monte dessa kal através de mim. Grande parte era inventada, mas um pouco era verdade, como por exemplo aquela vez em que a gente ficou sabendo na nossa cela através de batidas nos canos de água nok nok nokinoki-nokinoki, que o Harriman ia fugir. Ele ia dar um toltchok no carcereiro na hora de servirem a lavagem e sair com as platis dele. Aí ia acontecer um grande festival de jogar no chão a pishka horrível que a gente recebia no refeitório, e eu sabia disso e contei. Então o chapelão passou isso adiante e foi elogiado pelo Diretor por seu Espírito Público e Ouvido Apurado. Então dessa vez eu falei, e não era verdade:

– Bem, senhor, ouvi através dos canos que um carregamento de cocaína chegou por meios irregulares e que uma cela em algum lugar ao longo do Piso 5 será o centro de distribuição. – Eu inventei isso tudo enquanto falava, assim como havia inventado tantas daquelas histórias, mas o chapelão da prisão estava muito agradecido, dizendo: – Ótimo, ótimo, ótimo. Passarei isso para 'Ele' –, sendo que era assim que ele chamava o Diretor. Então eu disse:

– Senhor, eu fiz o melhor possível, não fiz? – Eu sempre usava minha mui educada goloz para govoretar com os que estavam por cima. – Eu tentei, senhor, não tentei?

– Acho – disse o chapelão – que no todo você tentou, 6655321. Você foi de grande ajuda e, considero eu, mostrou um desejo genuíno de reforma. Se continuar assim, você merecerá seu perdão sem problemas.

– Mas, senhor – disse eu –, e esse negócio novo de que andam falando por aí? E esse novo tratamento que tira você da prisão sem demora e garante que você nunca mais volte a entrar?

– Ah – ele disse, muito tipo assim desconfiado. – Onde foi que você ouviu isso? Quem andou lhe dizendo essas coisas?

– Essas coisas circulam, senhor – eu disse. – Dois carcereiros conversam, como geralmente acontece, e quem está perto não consegue evitar de ouvir o que eles dizem. E aí alguém pega um pedaço de jornal nas oficinas e o jornal diz tudo a respeito. Que tal o senhor me colocar nesse negócio, senhor, se posso me atrever a dar essa sugestão?

Dava para videá-lo pensando a respeito enquanto soltava baforadas do seu câncer, imaginando o quanto deveria me contar a respeito do que sabia sobre essa veshka que eu havia mencionado. Então ele disse: – Acho que você está se referindo à Técnica Ludovico. – Ele ainda estava muito desconfiado.

– Não sei qual é o nome, senhor – eu disse. – Só sei que tira você rapidinho e garante que você não volte a entrar.

– É isso mesmo – ele disse, as sobrancelhas como que lutando uma contra a outra enquanto ele olhava para mim. – É isso mesmo, 6655321. Claro que ela está apenas em estágio experimental neste momento. É muito simples, mas muito drástica.

– Mas está sendo usada aqui, não está, senhor? Aqueles prédios brancos novos perto da Parede Sul, senhor. Nós vimos esses prédios serem construídos, senhor, enquanto fazíamos nosso exercício.

– Ela ainda não foi usada – ele disse –, não nesta prisão, 6655321. 'Ele' tem dúvidas sérias a respeito. Devo confessar que compartilho dessas dúvidas. A questão é se uma técnica dessas pode realmente tornar um homem bom. A bondade vem de dentro, 6655321. Bondade é algo que se escolhe. Quando um homem não pode escolher, ele deixa de ser um homem. – Ele teria continuado com muito mais dessa kal, mas aí sluchamos o próximo bando de plenis marchando clank clank clank pelas escadas de ferro para seu quinhão de Religião. Ele disse: – Vamos ter uma conversinha sobre isso outra hora. Agora é melhor você começar o serviço voluntário. – Então fui até o estéreo starre e coloquei o Prelúdio do Coral da Cantata *Wachet Auf*, de J. S. Bach, e aqueles criminosos e plebeus vonis graznis miseráveis entraram feito um bando de macacos curvados, com os carcereiros ou chassos gritando com eles e dando chicotadas. E aí o chapelão da prisão perguntou a eles: – Então, o que é que vai ser, hein? – E foi aí que você entrou.

Tivemos quatro desses lomtiks de Religião na Prisão naquela manhã, mas o chapelão não me falou mais nada sobre essa Técnica Ludovico, fosse lá o que fosse, Ó, meus irmãos. Quando eu terminei de robotar com o estéreo, ele simplesmente govoretou algumas slovos de agradecimento e então eu fui privodetado de volta à cela no Piso 6, que era meu próprio lar voni e hiperlotado. O chasso não era lá um vek tão ruim, e ele não me deu nenhum toltchok nem me chutou quando abriu a porta, só disse assim: – Chegamos, garoto, de volta ao velho bueiro. – E lá estava eu com meus novos druguis, tipo assim, todos mui criminosos, mas, Bog seja louvado, não eram dados a perversões do corpo. Lá estava o Zofar no seu beliche, um vek muito magro e marrom que falava e falava e falava com sua goloz de câncer, de modo que ninguém estava nem aí em sluchar. O que ele estava dizendo agora como se fosse para ninguém era: – E naquele tempo você não conseguia segurar nem um pogui – (fosse lá isso o que fosse, irmãos) –, não se você tivesse que entregar dez milhões de arquibaldos, então o que foi que eu fiz, hein? Eu fui até o Turco e disse, de manhã eu vou ter um sprugui aí, tá sabendo, e o que é que ele podia fazer a respeito? – Era tudo uma gíria criminal e muito antiga que ele falava. Também havia o Parede, que só tinha um glazi, e estava arrancando pedaços das unhas do pé em homenagem ao domingo. E também havia o Judeuzão, um vek gordo e suado, muito do desonesto, que ficava deitado estirado no seu beliche feito morto. Além disso havia Jojohn e O Doutor. Jojohn era muito mau, atilado e magricelo, e havia se especializado em Estupro, e O Doutor havia fingido que era capaz de curar a sifi e a gono e o corri, mas só tinha injetado água, e havia matado duas devotchkas por conta disso em vez de, conforme havia prometido, fazer com que elas se livrassem de suas moléstias indesejadas. Era realmente um bando grazni e terrível, e eu não gostava de ficar ali com eles, Ó, meus irmãos, mais do que você está gostando agora, mas não será mais por muito tempo.

Agora o que eu quero que você saiba é que esta cela havia sido projetada para apenas três quando foi construída, mas éramos seis ali, todos espremidos, suados e apertados. E esse era o estado de todas as celas em todas as prisões naqueles dias, irmãos, e era uma desgraça grande e suja, porque não havia espaço suficiente para um tchelovek esticar os membros. E você mal vai acreditar no que vou dizer agora, que naquele domingo eles brosataram outro pleni lá dentro. Sim, nós tínhamos acabado de comer nossa terrível pishka de almôndegas e cozido voni e estávamos fumando um câncer em silêncio cada qual no seu beliche e foi ele quem começou a krikar reclamações antes mesmo que tivéssemos uma chance de videar o que é que estava pegando. Ele tentou tipo assim sacudir as barras, krikando: – Eu exijo meus direitos, porra, esta cela está lotada, é uma imposição idiota, é o que é. – Mas um dos chassos voltou para dizer que ele deveria aproveitar o que pudesse da situação e dividir um beliche com quem permitisse, caso contrário teria de ser o chão.

– E – disse o carcereiro – vai ficar pior ainda. Mundinho criminoso sujo que vocês estão tentando criar, sua cambada.

2

Bem, foi a entrada desse tchelovek novo que foi realmente o começo de minha saída da velha Prestata, e por ele ser um tipo de pleni safado e criador de caso, com uma mente muito suja e intenções sacanas, foi que o problema nachinou naquele mesmo dia. Ele também era muito cheio de si e começou a se gabar para nós todos ali, com um litso de desprezo e uma goloz alta e orgulhosa. Ele disse que era o único prestupnik horrorshow de verdade em todo aquele zoológico ali, e continuou dizendo que já tinha feito isso e mais aquilo, e matado dez rozas com um único golpe da sua ruka e aquela kal total. Mas ninguém ficou muito impressionado, Ó, meus irmãos. Então ele começou pra cima de mim, porque eu era o mais novo ali, tentando dizer que sendo o mais novo eu é que devia zasnutar no chão, e não ele. Mas todos os outros estavam do meu lado e krikaram: – Deixa ele em paz, seu bratchni grazni – e aí ele começou a velha ladainha sobre como ninguém amava ele. Então, naquela mesma notchi, eu acordei e encontrei esse pleni horrível deitado comigo no meu beliche, que ficava no fundo dos três pisos e também era muito estreito, e ele estava govoretando slovos tipo assim de amor e safadeza, e passa-passa-passando a mão. Aí eu fiquei muito bizumni e sentei-lhe a porrada, embora não desse pra videar tudo tão horrorshow, porque só havia aquela luz vermelha malenk do lado de fora no patamar. Mas eu sabia que era ele mesmo, o bastardo voni, e aí, quando a coisa ficou mesmo preta e as luzes foram acesas, eu pude videar aquele seu litso horrível todo cheio de króvi pingando de sua rot no local onde eu havia enfiado minha ruka em forma de garra.

O que sluchatou depois, claro, foi que meus companheiros de cela acordaram e começaram a entrar na festa, dando toltchoks com um pouco de violência na quase escuridão, e parece que o shom acordou o piso inteiro, porque dava para sluchar muita gente krikando e batendo as canecas de latão na parede, como se todos os plenis de todas as celas achassem que uma grande fuga ia começar, Ó, meus irmãos. Então aí as luzes se acenderam e os chassos entraram com suas camisas, calças e quepes, sacudindo cassetetes enormes. Dava para videar os litsos avermelhados uns dos outros e o sacudir de rukas fechadas em punhos, e muito se krikou e se xingou. Então fiz minha reclamação e todos os chassos disseram que provavelmente Vosso Humilde Narrador, irmãos, era quem havia começado aquilo tudo, pois eu não tinha uma marca sequer de arranhão em mim, mas aquele pleni horrível estava com a rot pingando króvi vermelho vermelho no local onde eu o havia atingido com minha ruka em forma de garra. Isso me fez ficar muito bizumni. Eu disse que não ia dormir outra noite naquela cela se as Autoridades Penitenciárias permitissem que prestupniks pervertidos e fedidos voni pulassem no meu ploti quando eu não estava em condições de me defender. – Espere até de manhã – eles disseram. – É um quarto particular com banheira e televisão que sua excelência exige? Bem, tudo isso será providenciado pela manhã. Mas por ora, druguizinho, coloca aí sua maldita gúliver no seu podushka de palha e não queremos mais saber de problemas. Ok ok ok? – Então lá se foram eles com advertências sérias para todos, e logo em seguida a luz se apagou, e aí eu disse que ia ficar sentado o resto da notchi, mas antes disse para aquele horrível prestupnik: – Vamos lá, deite no meu beliche se quiser. Não quero mais. Você já sujou e encheu de kal ele mesmo com seu ploti voni horrível. – Mas aí os outros entraram na discussão. O Judeuzão falou, com o suor ainda escorrendo decorrente do pouco de bitva que tínhamos tido no escuro:

– Isso nós não vamos aceitar não, irmão. Não entrega isso pra esse safado. – E o novato disse: – Fecha essa matraca, ídish – querendo com isso mandar o outro calar a boca, mas era um grande insulto. Então o Judeuzão se preparou pra lhe dar um toltchok. O Doutor disse:

– Vamos lá, cavalheiros, não queremos problemas, queremos? – em sua goloz de mui alta classe, mas aquele novo prestupnik estava realmente pedindo por aquilo. Dava pra videar que ele achava que era um vek muito grande bolshi e que era indigno para ele compartilhar uma cela com outros seis e ter que dormir no chão até que eu fiz esse gesto para ele. De seu modo debochado ele tentou espezinhar O Doutor, dizendo:

– Aaahh, você não quer mais problema não, não é mesmo, seu arquibundão? – Então Jojohn, mau, atilado e magricela, disse:

– Se não podemos dormir, vamos propiciar um pouco de educação aqui. Nosso novo amigo precisa aprender uma lição. – Embora ele tivesse se especializado em Estupro, tinha um jeito de govoretar muito bonito e preciso. Então o novo pleni desdenhou:

– Ai, ai, estou morrendo de medo. – Foi aí que o negócio começou de verdade, mas de um jeito estranhamente gentil, sem ninguém elevar muito a goloz. O novo pleni krikou um malenk no começo, mas então o Parede tapou sua boca enquanto o Judeuzão o segurou contra as barras para que ele pudesse ser videado na luz vermelha malenk do patamar, e ele só ficou fazendo aiaiai. Não era lá um tipo de vek muito forte; era muito frágil em suas tentativas de revidar os toltchoks, e suponho que compensou isso sendo shonoro na goloz e se vangloriando demais. De qualquer maneira, vendo o velho króvi escorrer vermelho na luz vermelha, senti a velha alegria se elevando em minhas kishkas e disse:

– Deixai-o comigo, vamos, deixai-me tê-lo agora, irmãos. – Então o Judeuzão falou:

– Isso, isso, garoto, muito justo. Pega ele então, Alex.

Então todos ficaram cercando enquanto eu cobria aquele prestupnik de porrada na quase escuridão. Soquei ele inteiro, dançando com minhas botas, ainda que sem cadarços, e aí o derrubei e ele caiu crash crash no chão. Dei-lhe um chute muito horrorshow na gúliver e ele fez aaaaii, então ele meio que resfolegou assim como quem está dormindo, e O Doutor disse:

– Muito bem, acho que a lição foi suficiente – forçando a vista para videar aquele vek caído e espancado no chão. – Vamos deixá-lo sonhando em ser um garoto melhor no futuro. – Então todos subimos de volta para nossos beliches, pois agora estávamos muito cansados. Eu sonhei, Ó, meus irmãos, que fazia parte de uma orquestra muito grande, centenas e centenas de músicos, e o maestro era uma mistura de Ludwig van e G. F. Handel, com um jeito assim de muito surdo e cego e cansado do mundo. Eu estava na seção dos instrumentos de sopro, mas o que eu estava tocando era um tipo assim de fagote branco-rosado feito de carne e que crescia do meu ploti, bem no meio da minha barriga, e quando eu soprava não conseguia deixar de smekar hahaha bem alto porque fazia cosquinhas, e aí Ludwig van G. F. ficou muito razdraz e bizumni. Aí ele veio direto pro meu litso e krikou alto no meu oko, e aí eu acordei suando. Claro, o shom alto era, na verdade, a campainha da prisão fazendo trrrim trrrim trrrim. Era manhã de inverno e meus glazis estavam todos kalis com cola do sono, e quando os abri eles doeram muito na luz elétrica que havia sido acesa por todo o zoológico. Então olhei para baixo e videei aquele novo prestupnik deitado no chão, muito ensanguentado, escoriado e apagado ado ado. Então me lembrei da noite passada e isso me fez smekar um pouquinho.

Mas quando desci do beliche e o cutuquei com o meu noga descalço, senti meio que um frio e uma rigidez, então fui até o beliche d'O Doutor e o sacudi, porque ele sempre custava muito pra acordar de manhã. Mas ele saiu muito skorre do seu beliche desta vez, e os outros também, exceto o Parede, que dormia feito um presunto. – Que infelicidade – disse O Doutor. – Um ataque do coração, é o que deve ter acontecido. – Então ele disse, olhando para todos nós: – Vocês não deviam ter partido para cima dele daquele jeito. Foi algo muito mal pensado. – Jojohn disse:

– O que é que há, doctor, o senhor também não ficou tão reservado assim na hora de lhe dar um pouquinho de punho. – Então o Judeuzão virou pra mim e disse:

– Alex, você foi muito impetuoso. Aquele último chute foi muito, mas muito ruim. – Comecei a ficar razdraz com isso e lasquei:

– Quem foi que começou, hein? Eu só me meti no final, não foi? – Apontei pra Jojohn e falei: – A ideia foi sua. – O Parede roncou um pouco mais alto, então eu disse: – Acorda esse bratchni voni. Foi ele que ficou tapando a boca dele enquanto o Judeuzão aqui segurou ele contra as barras. – O Doutor disse:

– Ninguém nega que bateu um pouco no homem, de leve para, digamos assim, lhe dar uma lição, mas está claro que você, meu caro rapaz, com a força e, digamos, impetuosidade da juventude, lhe deu o golpe de misericórdia. É uma grande pena.

– Traidores – eu disse. – Traidores e mentirosos – porque eu já podia videar que ia acontecer tudo como antes, quando meus ditos druguis haviam me deixado nas rukas brutais dos miliquinhas. Não havia mais confiança em lugar nenhum do mundo, Ó, meus irmãos, era o que eu pensava. E Jojohn foi e acordou o Parede, e o Parede estava pronto até demais para jurar que foi o Vosso Humilde Narrador que havia dado os toltchoks mais violentos e brutais. Quando os chassos chegaram, e depois o Chasso Chefe, e depois o próprio Diretor, todos esses meus druguis de cela ficaram todos muito shonoros com histórias do que eu havia feito para ubivatar aquele pervertido inútil cujo ploti coberto de sangue jazia feito um saco no chão.

Foi um dia muito estranho, Ó, meus irmãos. O ploti morto foi levado para fora, e aí todo mundo na prisão inteira teve de ficar trancafiado até segunda ordem, e ninguém ganhou pishka, nem mesmo uma caneca de tchai quente. Ficamos simplesmente sentados ali, e os carcereiros ou chassos meio que ficaram andando pra cima e pra baixo no nível, de vez em quando krikando – Calem a boca – ou – Feche esse buraco – sempre que sluchavam um sussurro sequer de qualquer uma das celas. Então, por volta de onze horas da manhã, começou a circular uma espécie de rigidez e excitação e meio que o von do medo se espalhou vindo de fora da cela, e então videamos o Diretor e o Chefe Chasso e uns tcheloveks com cara de serem muito bolshis e importantes, andando muito skorre, govoretando feito bizumnis. Parecia que estavam andando até o final do piso, e depois caminhando de volta, mais devagar desta vez, e dava pra sluchar o Diretor, um vek gordo, muito suado e bem cabeludo, dizendo slovos como – Mas, senhor... – e – Bem, o que pode ser feito, senhor? – e por aí vai. Então o bando todo parou na nossa cela e o Chefe Chasso a abriu. Dava pra videar quem era o vek importante logo de cara, muito alto e com glazis azuis e com platis muito horrorshow, o terno mais adorável, irmãos, que eu já havia videado em toda minha vida, absolutamente no auge da moda. Ele meio que olhou para nós, pobres plenis, como se fosse através de nós, dizendo, com uma goloz muito bonita e bem-educada: – O Governo não pode se preocupar mais com teorias penológicas datadas. Empilhe os criminosos juntos e veja o que acontece. Você obtém criminalidade concentrada, crime no meio do castigo. Daqui a pouco vamos precisar de todo o espaço penitenciário que temos para agressores políticos. – Eu não estava poneando nada daquilo, irmãos, mas também ele não estava govoretando comigo mesmo. Então ele disse: – Criminosos comuns como esta patuleia medíocre – (isso significava eu mesmo, irmãos, assim como os outros, que eram verdadeiros prestupniks e traiçoeiros ainda por cima) – podem ser tratados melhor de uma forma puramente curativa. Mate o reflexo criminoso, e pronto. Implementação total em um ano. O castigo nada significa para eles, como você pode constatar. Eles desfrutam de seu dito castigo. Começam a matar uns aos outros. – E virou seus severos glazis azuis para mim. Então eu disse, corajoso:

– Com todo o respeito, senhor, eu divirjo muito fortemente do que o senhor disse. Não sou um criminoso comum, senhor, e não sou medíocre. Os outros podem ser medíocres mas eu não sou. – O Chefe Chasso ficou todo roxo e krikou:

– Você feche esse buraco sujo. Não sabe com quem está falando?

– Tudo bem, tudo bem – disse o vek grande. Então ele se voltou para o Diretor e disse: – Pode usá-lo como cobaia. Ele é jovem, corajoso e cruel. Brodsky irá lidar com ele amanhã e você poderá sentar e observar Brodsky. Tudo vai dar certo, não se preocupe. Este jovem baderneiro cruel será completamente transformado, e ficará completamente irreconhecível.

E essas slovos severas, irmãos, foram o começo de minha liberdade.

3

Naquela mesma noite, eu fui arrastado gentil e carinhosamente por chassos brutais e toltchokantes para videar o Diretor em seu sacrossanto escritório. O Diretor olhou para mim com uma cara muito cansada e disse: – Acho que você não sabe quem era aquele hoje de manhã, sabe, 6655321? – E, sem esperar que eu dissesse não, ele disse: – Ninguém menos que o Ministro do Interior, o novo

Ministro do Interior, o que eles chamam de reformador. Bem, essas novas ideias ridículas finalmente chegaram e ordens são ordens, embora cá entre nós eu lhe diga que não aprovo. Não aprovo isso de jeito nenhum. Olho por olho, é o que eu digo. Se alguém bate em você, você revida, certo? Então por que o Estado, já severamente espancado por vocês, vândalos brutais, por que ele não revida? Mas a nova visão diz que não. A nova visão diz que transformemos o mau em bom. O que me parece tremendamente injusto. Hein? – Então eu disse, tentando ser respeitoso e concordar com tudo:

– Senhor. – E em seguida, o Chefe Chasso, que estava em pé todo vermelho e atarracado atrás da cadeira do Diretor, krikou:

– Cale esse buraco sujo, seu merda.

– Tudo bem, tudo bem – disse o Diretor cansado e meio desgastado. – Você, 6655321, será reformado. Amanhã você irá para esse tal de Brodsky. Pressupõe-se que você deverá deixar a Custódia do Estado em pouco mais de quinze dias. Em pouco mais de quinze dias você estará fora novamente, no grande mundo livre, e não será apenas um simples número. Suponho – e ele deu um risinho irônico – que essa perspectiva lhe agrade, não? – Eu não disse nada, e o Chefe Chasso krikou:

– Responda, seu porco imundo, quando o Diretor lhe fizer uma pergunta. – Então eu disse:

– Ah, sim, senhor. Muito obrigado, senhor. Fiz o melhor que pude aqui, fiz mesmo. Estou muito agradecido a todos os envolvidos.

– Não esteja – o Diretor meio que suspirou. – Isso não é uma recompensa. Isso está muito longe de ser uma recompensa. Agora, você tem que assinar este formulário. Aqui diz que você está disposto a comutar o restante de sua sentença desde que faça o que chamam aqui, que expressão ridícula, de Tratamento de Recuperação. Você assina?

– Mui certamente que assino – respondi –, senhor. E muitíssimo obrigado. – Então ele me deu uma caneta e assinei meu nome com uma caligrafia muito fluida. O Diretor disse:

– Certo. Acho que isso é tudo. – O Chefe Chasso disse:

– O Capelão da Prisão gostaria de dar uma palavrinha com ele, senhor. – Então fui marchado para fora, descendo o corredor até a Capela, levando toltchoks de um dos chassos nas costas e na gúliver o caminho todo, mas de maneira muito bocejada e entediada. E fui marchado pela Capela até o pequeno kantora do chapelão e então fizeram um gesto para eu entrar. O chapelão estava sentado à sua mesa, e eu senti um von bem forte e másculo de cânceres caros e Scotch. Ele disse:

– Ah, pequeno 6655321, sente-se. – E, para os chassos: – Esperem lá fora, ok? – E eles esperaram. Então ele se dirigiu a mim de forma muito honesta, dizendo: – Uma coisa que eu quero que você compreenda, garoto, é que isso não tem nada a ver comigo. Se fosse prudente, eu protestaria a respeito, mas não é prudente. Existe a questão da minha própria carreira, existe a questão da fraqueza da minha própria voz quando colocada contra o grito de certos elementos mais poderosos no Politi. Estou sendo claro? – Não estava, irmãos, mas fiz que sim. – Questões éticas muito difíceis estão envolvidas – ele prosseguiu. – Você deverá ser transformado em um bom garoto, 6655321. Nunca mais terá qualquer desejo de cometer atos de violência contra a Paz do Estado. Espero que você aceite tudo isso. Espero que sua mente esteja absolutamente clara a respeito disso. – Eu disse:

LARANJA MECÂNICA

– Ah, será bom ser bom, senhor. – Mas por dentro eu estava smekando muito horrorshow, irmãos. Ele disse:

– Pode não ser bom ser bom, pequeno 6655321. Ser bom pode ser horrível. E quando digo isso a você, percebo o quão auto-contraditório isso soa. Eu sei que perderei muitas noites de sono por causa disso. O que Deus quer? Será que Deus quer bondade ou a escolha da bondade? Será que um homem que escolhe o mal é talvez melhor do que um homem que teve o bem imposto a si? Questões difíceis e profundas, pequeno 6655321. Mas tudo o que quero dizer a você agora é isto: se em algum momento no futuro você olhar para esta época e se lembrar de mim, o mais desprezível e humilde de todos os servos de Deus, rogo a você, não pense mal de mim em seu coração, imaginando que estou de alguma manei-ra envolvido no que está para acontecer a você agora. E, falando em rogar, percebo com tristeza que não há muito por que rezar por você. Você está passando agora para uma região onde estará além do alcance do poder da oração. Uma coisa terrível, terrível de se pensar. E mesmo assim, sob um certo ponto de vista, ao esco-lher ser privado da capacidade de fazer uma escolha ética, você de certa forma escolheu o bem. Gostaria de crer nisso. Então, que Deus nos ajude a todos, 6655321. Assim eu gostaria de pensar. – E então ele começou a chorar. Mas eu não prestei muita atenção naquilo, irmãos, eu só estava smekando um pouquinho em silên-cio por dentro, porque dava pra videar que ele tinha pitado o velho whisky, e naquele momento ele pegou uma garrafa de um armário em sua mesa e começou a se servir de uma dose bolshi muito hor-rorshow em um copo bem gorduroso e grazni. Ele tomou tudo de um gole e depois disse: – Pode ser que tudo dê certo, quem sabe?

Deus age de maneiras misteriosas. – Então começou a cantar um hino com uma goloz muito alta e encorpada. Então a porta se abriu e os chassos vieram me dando toltchoks até a minha cela voni, mas o velho chapelão continuou cantando seu hino.

Bom, na manhã seguinte eu tive de dizer adeus à velha Prestata, e me senti um malenk triste, do mesmo jeito que a gente sempre se sente quando precisa deixar um lugar ao qual você meio que se acostumou. Mas não fui muito longe, Ó, meus irmãos. Fui socado e chutado até o novo prédio branco que ficava logo além do pátio onde costumávamos fazer nosso exercício. Era um prédio muito novo e tinha um cheiro frio tipo de cola que te deixava arrepiado. Fiquei em pé ali no hall vazio, bolshi e horrível, e senti novos vons, farejando com meu morda ou focinho muito sensível. Eram vons tipo assim de hospital, e o tchelovek para o qual os chassos me entregaram usava um jaleco branco, como se fosse um homem de hospital. Ele fez um sinal para mim, e um dos chassos brutais que haviam me levado até ali disse: – Cuidado com este aqui, senhor. Ele é um sujeito violento miserável e vai continuar sendo, apesar de ficar lendo a Bíblia e de toda a puxação de saco lá com o Capelão da Prisão. – Mas o tchelovek novo tinha uns glazis azuis muito horrorshow que meio que sorriam quando ele govoretava. Ele disse:

– Ah, não estamos esperando nenhum problema. Vamos ser amigos, não vamos? – E sorriu com seus glazis e a rot grande e bonita que estava cheia de zubis brancos brilhantes e eu meio que fui com a cara desse vek logo de saída. De qualquer maneira, ele me passou para um vek tipo assim de menor escalão vestido com um jaleco branco, e esse também era muito bacana, e fui levado até um quarto limpo e branco, muito bonito, com cortinas e um abajur de cabeceira, e só uma cama, tudo aquilo para Vosso Humilde Narrador. Então eu dei uma smekada interior muito horrorshow nessa hora, pensando que eu era realmente um maltchikvik de muita sorte. Me disseram para tirar minhas horríveis platis de prisão e me deram uns pijamas bonitos mesmo, Ó, meus irmãos, verdes, o auge da moda de cama. E me deram um camisolão bom e quentinho também e tuflis adoráveis para calçar meus nogas, e aí eu pensei: – Bom, Alex, meu garoto, ou pequeno 6655321, você se deu muito bem, sem dúvida. Você vai se divertir muito aqui.

Depois que me deram uma bela chasha de café muito horrorshow e umas gazetas velhas e revistas para olhar enquanto pitava, aquele primeiro vek de branco entrou, o que havia assim meio que feito um gesto para mim, e disse: – Ahá, você está aí – uma veshka meio boba de se dizer, mas não soou boba, porque aquele vek era muito legal. – Meu nome – disse ele – é Dr. Branom. Sou assistente do Dr. Brodsky. Com sua permissão, vou fazer em você o exame geral de praxe. – E tirou o velho esteto do karman direito. – Precisamos ter certeza de que você está em forma, não é? Sim, precisamos. – Então, enquanto eu ficava ali sem a camisa do pijama e ele fazia isso e aquilo, eu disse:

– O que exatamente o senhor vai fazer?

– Ah – disse o Dr. Branom, seu esteto frio descendo pelas minhas costas até o fim. – Na verdade, é uma coisa bem simples. Vamos apenas lhe mostrar alguns filmes.

– Filmes? – eu disse. Mal conseguia acreditar nos meus okos, irmãos, como vocês bem podem entender. – Quer dizer – disse eu – que vai ser tipo assim como ir ao cinema?

– Serão filmes especiais – disse esse Dr. Branom. – Filmes muito especiais. Sua primeira sessão será esta tarde. Sim – ele disse, levantando-se da posição curvada sobre mim – você parece ser um rapaz em ótima forma física. Um pouco subnutrido, talvez. Isso é culpa da comida da prisão. Ponha de volta sua camisa de pijama. Depois de cada refeição – ele disse, sentando-se na beirada da cama – vamos dar a você uma injeção no braço. Isso deverá ajudar. – Eu me senti realmente grato a esse ótimo Dr. Branom. Eu disse:

– Vitaminas, senhor, serão?

– Algo assim – ele disse, sorrindo muito horrorshow e amigável. – Apenas uma picadinha no braço após cada refeição. – Então ele saiu. Deitei-me na cama pensando que o paraíso de verdade era ali, e li algumas das revistas que eles tinham me dado – *Mundo do Esporte*, *Cine-cínico* (esta era uma revista de filmes) e *Gol*. Então deitei na cama, fechei os glazis e pensei que bom que era estar do lado de fora novamente, Alex com talvez um trabalhinho fácil pra fazer de dia, porque eu agora estava velho demais para a velha escolacola, e quem sabe reunir uma nova gangue para a notchi, e meu primeiro robotamento seria pegar os bons e velhos Tosko e Pete, se eles já não tivessem sido apanhados pelos miliquinhas. Dessa vez eu tomaria muito cuidado para não ser lovetado. Eles estavam me dando tipo assim outra chance, mesmo eu tendo cometido assassinato e coisa e tal, e não seria justo eu ser lovetado novamente depois de terem tido todo esse trabalho para me mostrar filmes que fariam de mim um maltchik muito bom mesmo. Eu smekei muito horrorshow com a inocência de todo mundo, e estava morrendo de tanto smekar quando trouxeram meu almoço numa bandeja. O vek que a trouxe era o mesmo que havia me levado até aquele quarto malenk quando entrei no mesto, e ele disse:

– É bom saber que alguém está feliz. – Era mesmo um pedaço muito apetitoso de pishka que haviam colocado na bandeja:

dois ou três lomtiks de rosbife quente com purê de kartofel e vegetais, e também tinha sorvete e uma bela duma chasha quente de tchai. E havia até mesmo um câncer para fumar e uma caixa de fósforos com um fósforo dentro. Então parecia que essa era a vida que eu havia pedido, Ó, meus irmãos. Então, mais ou menos meia hora depois, eu estava deitado meio sonolento na cama e uma enfermeira entrou, uma devotchkinha bem bonitinha com uns grudis muito horrorshow (eu não via isso há dois anos) e ela trazia uma bandeja e uma seringa hipodérmica. Eu disse:

– Ah, as velhas vitaminas, hein? – e eu piskipisquei para ela mas ela nem reparou. Tudo o que ela fez foi enfiar a agulha no meu braço esquerdo, e suíshhh, injetou as tais vitaminas. Então ela saiu novamente, fazendo clacclacclac com seus nogas com salto alto. Então o vek de jaleco branco que era tipo assim um enfermeiro entrou com uma cadeira de rodas. Eu fiquei meio que um malenk surpreso de videar isso. Eu disse:

– O que terá porventura havido, irmão? Por certo que posso caminhar, para onde quer que tenhamos de itiar. – Mas ele disse:

– É melhor eu colocar você aqui. – E de fato, Ó, irmãos, quando me levantei da cama, percebi que me sentia um malenk fraco. Era a subnutrição, como o Dr. Branom havia dito, toda aquela pishka horrível da prisão. Mas as vitaminas na injeção após as refeições dariam um jeito em mim. Sem dúvida, pensei comigo.

4

O lugar para onde ele me rodou, irmãos, não era igual a nenhum cine-cínico que eu já tivesse videado antes. Sem brincadeira, uma das paredes estava toda coberta por uma tela prateada, e na parede oposta havia furos quadrados para o projetor poder projetar, e havia alto-falantes estéreo enfiados por todo o mesto. Mas contra a parede direita havia uma bancada com tipo assim pequenos medidores, e no meio do chão, de frente para a tela, havia uma cadeira tipo assim de dentista com várias extensões de fio ligadas a ela, e eu precisei meio que me arrastar da cadeira de rodas até ela, o vek enfermeiro de jaleco branco me dando uma ajuda ou outra. Então reparei que, embaixo dos furos para projeção, havia uma espécie de vidro fosco e eu pensei ter videado sombras de pessoas se movendo atrás dele, e pensei ter sluchado alguém tossir kof kof kof. Mas, depois disso tudo, o que pude notar foi como eu me sentia fraco, e atribuí isso à mudança da pishka da prisão para aquela nova e rica pishka e as vitaminas que haviam sido injetadas em mim. – Certo – disse o vek que me levou ali na cadeira de rodas. – Agora vou deixar você. O show vai começar assim que o Dr. Brodsky chegar. Espero que goste. – Para dizer a verdade, irmãos, eu não estava sentindo muita vontade de videar nenhum show de filmes naquela tarde. Eu simplesmente não estava me sentindo bem. Eu teria gostado muito mais se tirasse uma boa spatchka na cama, bem quietinho e totalmente odinoki. Eu me sentia muito mole.

O que aconteceu então foi que um vek de jaleco branco prendeu minha cabeça numa espécie de descanso de cabeça, cantando para si mesmo o tempo todo uma cançãozinha pop voni de kal. – Para que serve isto? – perguntei. E o vek respondeu, interrompendo a canção por um instante, que era para manter minha gúliver parada e me fazer olhar para a tela. – Mas – eu disse – eu *quero* olhar para a tela. Fui trazido para cá para videar filmes e videá-los eu irei. – E então o outro vek de jaleco branco (no total eram três, sendo um deles uma devotchka meio que sentada na bancada de medidores e mexendo com controles) meio que smekou nessa hora. Ele disse:

– Nunca se sabe. Ah, nunca se sabe. Confie em nós, amigão. É melhor assim. – E então descobri que estavam prendendo minhas rukas nos braços da cadeira e meus nogas estavam como que presos num descanso de pés. Isso me pareceu um pouco bizumni, mas deixei que eles prosseguissem o que queriam fazer. Se era para eu ser um jovem maltchik livre novamente em quinze dias, eu aguentaria isso no meio-tempo, Ó, meus irmãos. Mas uma veshka de que não gostei foi quando puseram coisas tipo clipes na pele da minha testa, de modo que as pálpebras foram puxadas para cima, para cima, para cima até que eu não conseguisse fechar meus glazis por mais que tentasse. Tentei smekar e disse: – Deve ser um filme muito horrorshow se vocês querem tanto que eu o videie. – E um dos veks de jaleco branco disse, smekando:

– Horrorshow é a palavra certa, amigo. Um verdadeiro show de horrores. – E então senti como que um bonezinho enfiado na minha gúliver, e deu pra videar todos os fios correndo para fora dele, e eles enfiaram uma espécie de ventosa de sucção na minha barriga e uma no velho tictac, e pude também videar fios correndo para fora deles. Então ouvi o shom de uma porta se abrindo, e dava pra perceber que um tchelovek muito importante estava entrando pela maneira como os subalveks de jaleco branco ficaram todos duros. E aí videei esse Dr. Brodsky. Era um vek malenk, muito gordo, com cabelos encaracolados se encaracolando por toda a sua gúliver, e no seu nariz batatudo ele tinha otchkis muito grossos. Deu pra videar direitinho que ele usava um terno muito horrorshow, absolutamente no auge da moda, e tinha um von muito delicado e sutil de salas de cirurgia se desprendendo dele. Junto com ele estava o Dr. Branom, todo sorridente tipo assim como se isso fosse me dar confiança. – Tudo pronto? – perguntou o Dr. Brodsky numa goloz muito respirada. Então sluchei vozes, dizendo "tudo tudo tudo" tipo assim a distância, então ficando mais próximas, depois ouvi um shom baixinho tipo assim de zumbido como se coisas tivessem sido ligadas. E aí as luzes se apagaram e lá estava Vosso Humilde Narrador e Amigo sentado sozinho no escuro, totalmente odinoki e apavorado, incapaz de se mover ou de fechar os glazis ou de fazer qualquer coisa. E aí, Ó, meus irmãos, o show de filme começou com uma música muito gromki e dramática saindo dos alto-falantes, muito feroz e cheia de discórdia. E então, na tela, a imagem apareceu, mas não havia título nem créditos. O que surgiu foi uma rua, como se fosse qualquer rua de qualquer cidade, e era uma notchi muito escura e os lampiões estavam acesos. Era uma película de cine-cínico de qualidade muito boa, tipo assim profissional mesmo, e não havia nenhum desses borrões e arranhões que você tem, digamos, quando videia um desses filmes sujos na casa de alguém. O tempo todo a música trovejava, tipo assim muito sinistra. E aí dava pra videar um velho descendo a rua, muito starre, e aí pularam em cima do vek starre dois maltchiks vestidos no auge da moda atual (ainda calças finas, mas sem os plastrons de antes, eram gravatas mais convencionais mesmo), e aí começaram a filar com ele. Dava pra sluchar os gritos e gemidos dele, muito realistas, e dava até mesmo pra sentir a respiração pesada e ofegante dos dois maltchiks que aplicavam os toltchoks. Eles fizeram um pudim desse vek starre, fazendo crac crac crac nele com as rukas punhadas, rasgando suas platis e então acabando com ele ao meter a bota no seu ploti nagoi (que estava todo vermelho-króvi na lama grazni da sarjeta) e depois saindo correndo muito skorre. Então, em close, a gúliver do vek surrado, e o króvi fluindo vermelho e lindo. É gozado

como as cores do mundo real só parecem reais de verdade quando você as videia na tela.

Agora, o tempo todo que eu estava vendo isso, eu estava começando a ficar muito consciente de não estar me sentindo assim tão bem, e isso eu atribuí à subnutrição e ao meu estômago que ainda não estava totalmente pronto para a rica pishka e as vitaminas que eu estava recebendo ali. Mas tentei esquecer isso, concentrando-me no próximo filme, que foi exibido imediatamente em seguida, meus irmãos, sem qualquer interrupção. Desta vez o filme tipo assim pulou direto para uma jovem devotchka que estava levando o velho entra-sai-entra-sai primeiro por um maltchik e depois por outro e depois por outro e depois por outro, e ela krikando muito gromki através dos alto-falantes e uma música assim muito patética e trágica tocando ao mesmo tempo. Aquilo era real, muito real, embora se você pensasse melhor não poderia imaginar plebeus realmente concordando em deixar que fizessem isso tudo com eles num filme, e se esses filmes eram feitos pelo Bem ou pelo Estado, não era possível imaginar que eles recebessem permissão para fazer esses filmes sem tipo assim interferir com o que estava acontecendo. Então deve ter sido muito bem-feito o que eles chamam de montagem ou edição ou uma veshka dessas. Porque era muito real. E quando chegou o sexto ou sétimo maltchik babando e smekando e entrando fundo e a devotchka krikando na trilha sonora feito bizumni, então comecei a me sentir mal. Eu sentia dores no corpo todo e achei que ia vomitar e, ao mesmo tempo, não vomitar, e comecei a me sentir perturbado, Ó, meus irmãos, porque eu estava preso demais naquela cadeira. Quando esse trecho de filme acabou, pude sluchar a goloz desse Dr. Brodsky vinda do painel de controle, dizendo: – Reação cerca de doze ponto cinco? Promissor, promissor.

Então partimos direto para outro lomtik de filme, e dessa vez mostrava apenas um litso humano, um rosto humano muito pálido, bem parado e sofrendo muitas veshkas diferentes que eram feitas nele. Eu estava suando um malenk com a dor nas minhas tripas e uma sede terrível e minha gulíver fazendo tump tump tump, e me pareceu que se eu conseguisse não videar aquele trecho de filme eu talvez não ficasse tão mal. Mas eu não podia fechar os glazis, e, mesmo que eu tentasse mover os globos dos meus glazis, eu ainda não conseguiria sair da linha de fogo daquele filme. Então eu tinha que continuar videando o que estava sendo feito e ouvindo os krikos mais assustadores partindo daquele litso. Eu sabia que não podia ser realmente *real*, mas não fazia diferença. Eu tinha espasmos mas não conseguia vomitar, videando primeiro uma britva cortar um olho, depois fatiar uma bochecha, depois cortar cortar cortar tudo, enquanto króvi vermelho espirrava na lente da câmera. Então todos os dentes foram arrancados com um alicate, e os krikos e o sangue eram terríveis. Então sluchei a goloz muito satisfeita do Dr. Brodsky dizendo: – Excelente, excelente, excelente.

O lomtik seguinte de filme era de uma velha que tinha uma loja e que era chutada entre risos muito gromkis por um bando de maltchiks, e esses maltchiks quebraram a loja e depois puseram fogo nela. Dava pra videar aquela pobre ptitsa starre tentando se arrastar para fora das chamas, berrando e krikando, mas como aqueles maltchiks haviam quebrado sua perna aos chutes, ela não conseguia se mover. Então todas as chamas começaram a rugir ao redor dela, e dava pra videar seu litso agonizante como que fazendo um apelo por entre as chamas e em seguida desaparecendo nas chamas, e depois dava pra sluchar os gritos mais gromkis, agoniantes e agonizantes que já saíram de uma goloz humana. Então desta vez eu vi que ia vomitar, então krikei:

– Eu quero vomitar. Por favor, me deixa vomitar. Por favor, traz algo pra eu vomitar dentro. – Mas aquele Dr. Brodsky retrucou:

– Isso é só imaginação. Você não tem com o que se preocupar. O próximo filme já vem aí. – Isso tinha sido dito talvez como uma piada, pois ouvi meio que uma smekada vindo das trevas. E então fui forçado a videar um filme mui nojento sobre tortura japonesa. Era a Guerra de 1939-45, e havia soldados sendo pregados a árvores com fogueiras acesas embaixo deles e tendo seus yarblis cortados fora, e dava até pra videar a gúliver de um soldado sendo cortada por uma espada, e depois a cabeça rolando com a rot e os glazis ainda parecendo vivos, o ploti daquele soldado realmente correndo, krovi jorrando como uma fonte para fora de seu pescoço, e depois caindo, e durante todo esse tempo havia muitos risos bem altos dos japoneses. As dores que eu sentia agora na minha barriga e na cabeça e a sede eram horríveis, e todas elas pareciam sair da tela. Então krikei:

– Parem o filme! Por favor, por favor, parem! Não consigo suportar mais. – E então a goloz do Dr. Brodsky disse:

– Parar? *Parar*, você disse? Ora, nós mal começamos. – E ele e os outros smekaram muito.

5

Não desejo descrever, irmãos, as outras veshkas horríveis que fui forçado a videar naquela tarde. As mentes desse Dr. Brodsky e do Dr. Branom e dos outros de jaleco branco, e lembre-se de que também havia aquela devotchka futucando os controles e vendo os medidores, deviam ser mais cheias de kal e sujas do que a de qualquer prestupnik na Prestata. Porque eu não achava que fosse possível para qualquer vek sequer pensar em fazer filmes daquilo que fui forçado a videar, todo amarrado naquela cadeira e meus glazis arranjados para ficarem arregalados.

Tudo o que eu podia fazer era krikar muito gromki, desliguem isso, desliguem isso, e isso meio que sufocava em parte o ruído das dratas e filadas e também a música que acompanhava aquilo tudo. Você pode imaginar que foi tipo assim um tremendo alívio quando videei o último trecho de filme, e aquele Dr. Brodsky disse, com uma goloz muito sonolenta e entediada: – Acho que é o bastante para o Dia Um, não acha, Branom? – E lá estava eu, com as luzes acesas, minha gúliver latejando como um motor grande bolshi que causa dor, e minha rot toda seca e kali por dentro, e sentindo que eu podia tipo assim vomitar cada pedacinho de pishka que já havia comido em toda a minha vida, Ó, meus irmãos, desde o dia em que fui desmamado. – Tudo bem – disse esse Dr. Brodsky –, ele pode ser levado de volta à sua cama. – Então ele tipo assim me deu uma palmadinha no pletcho e disse: – Ótimo, ótimo. Um começo muito promissor – com um sorriso que atravessava todo o seu litso, então ele tipo assim saiu arrastando os pés, o Dr. Branom atrás, mas o Dr. Branom me deu um sorriso tipo assim muito drugui e piedoso como se não tivesse nada a ver com essa veshka toda, mas tivesse sido forçado a participar dela assim como eu.

De qualquer maneira, eles libertaram meu ploti da cadeira e soltaram a pele sobre meus glazis para que eu pudesse abri-los e fechá-los novamente, e eu os fechei, Ó, meus irmãos, com a dor e o latejar na minha gúliver, e depois fui carregado até a boa e velha cadeira de rodas e levado de volta ao meu quarto malenk, o subalvek que me rodou cantando alguma canção pop brega me fez rosnar: – Cala-te!

– mas ele apenas smekou e disse: – Não esquenta, amigão – e depois cantou mais alto. Então eu fui colocado na cama e ainda me sentia bolnói, mas não conseguia dormir, mas logo comecei a sentir que logo eu poderia começar a me sentir um malenk melhor, e então me trouxeram um belo tchai quente com bastante moloko e sakar e, pitando isso, percebi que aquele horrível pesadelo jazia no passado e já havia terminado. E então entrou o Dr. Branom, todo bacana e sorridente. Ele disse:

– Bem, pelos meus cálculos você deve estar começando a se sentir melhor agora. Sim?

– Senhor – disse eu, tipo assim desconfiado. Eu não estava kopatando bem aonde ele queria chegar govoretando sobre cálculos, porque ficar melhor depois de ter ficado bolnói é tipo assim problema seu e não tem nada a ver com cálculos. Ele se sentou, todo bacana e drugui, na beira da cama, e disse:

– O Dr. Brodsky está contente com você. Você teve uma reação muito positiva. Amanhã, claro, haverá duas sessões, de manhã e à tarde, e posso imaginar que você se sentirá um pouco mole ao final do dia. Mas precisamos ser duros com você, você precisa ser curado. – Eu disse:

– Quer dizer que eu vou ter que me sentar de novo...? Quer dizer que eu vou ter que olhar para...? Ah, não – disse eu. – Aquilo foi horrível.

– Claro que foi horrível – sorriu o Dr. Branom. – Violência é uma coisa muito horrível. É isso o que você está aprendendo agora. Seu corpo está aprendendo isso.

– Mas – disse eu – não estou entendendo. Não estou entendendo por que me senti mal daquele jeito. Eu nunca me senti mal antes. Eu costumava me sentir exatamente o oposto. Quero dizer, tanto fazendo quanto vendo, eu costumava me sentir muito horrorshow. Simplesmente não estou entendendo por que ou como ou o quê...

– A vida é uma coisa muito maravilhosa – disse o Dr. Branom em uma goloz muito santa. – Os processos da vida, a formação do organismo humano, quem pode compreender inteiramente esses milagres? O Dr. Brodsky, claro, é um homem notável. O que está acontecendo com você agora é o que deveria acontecer com qualquer organismo humano saudável que contempla as ações das forças do mal, o funcionamento do princípio de destruição. Estamos tornando você sadio; estamos tornando você uma pessoa saudável.

– Isso eu não engolirei – disse eu –, tampouco posso compreender. O que vocês fizeram foi me fazer sentir muito, muito mal.

– Está se sentindo mal agora? – ele perguntou, ainda com o velho sorriso drugui no litso. – Bebendo chá, repousando, batendo um papo tranquilo com um amigo... certamente você não está sentindo outra coisa que não bem-estar, está?

Eu meio que ouvi e procurei dor e mal-estar na minha gúliver e no meu ploti, tipo assim com cautela, mas era verdade, irmãos, eu me sentia muito horrorshow e até queria meu jantar. – Não estou entendendo – eu disse. – Você deve estar fazendo alguma coisa comigo para fazer eu me sentir mal. – E eu meio que franzi a testa, pensando.

– Você se sentiu mal esta tarde – disse ele – porque está ficando melhor. Quando somos saudáveis, reagimos à presença do que é odioso com medo e náusea. Você está ficando saudável, é só isso. E vai se sentir mais ainda a esta mesma hora amanhã. – Então ele deu palmadinhas na minha noga e saiu, e eu tentei encaixar as peças dessa veshka toda da melhor forma possível. O que me parecia era que os fios e as outras veshkas que estavam todas presas ao meu ploti talvez estivessem me fazendo sentir mal, e que na verdade era tudo um truque. Eu ainda estava pensando nisso tudo e me perguntando se deveria me recusar a ser preso naquela cadeira amanhã e iniciar uma drata bacana com todos eles, porque eu tinha meus direitos, quando outro tchelovek entrou para me ver. Era tipo assim um vek starre sorridente que disse que era o que chamava de Oficial de Condicional, e ele trazia um bocado de papelada consigo. Disse ele:

– Para onde você irá ao sair daqui? – Eu não havia realmente pensado nesse tipo de veshka, e só agora eu realmente começava a acordar para o fato de que muito em breve eu seria um belo de um maltchik livre, e então videei que isso só aconteceria se eu fizesse as coisas do jeito que todos queriam e não iniciasse nenhuma drata nem krikasse nem me recusasse etcétera etcétera. Eu disse:

– Ah, eu irei para casa. De volta para meu pê e minha eme.

– Seus...? – Ele não entendia nada de nadsat, então expliquei:

– Meus pais, no bom e velho flatbloco.

– Sei – ele disse. – E quando foi a última vez em que você recebeu a visita de seus pais?

– Um mês – eu disse. – Bem pouco tempo. Eles meio que suspenderam a visitação um pouco por causa de um prestupnick que conseguiu um pouco de pó explosivo contrabandeado por entre as grades por sua ptitsa. Um truquezinho de kal essa história de penalizar os inocentes, como que punindo-os também. Então já faz tipo assim quase um mês que eu recebi a última visita.

PARTE DOIS

– Sei – disse o vek. – E seus pais foram informados de sua transferência e soltura em breve? – Que zvuk adorável aquela slovo tinha: *soltura*. Eu disse:

– Não. – E continuei: – Isso será uma ótima surpresa para eles, não será? Eu simplesmente entrando pela porta e dizendo: – Aqui estou, voltei, um vek livre novamente. Sim, muito horrorshow.

– Certo – disse o vek Oficial de Condicional. – Vamos deixar como está por enquanto. Desde que você tenha onde viver. Agora, existe a questão de arrumar um emprego, certo? – E ele me mostrou uma longa lista de empregos que eu poderia ter, mas aí eu pensei, ora, haverá tempo de sobra para isso. Antes, um belo e malenk feriado. Eu poderia fazer um trabalho de krastagem assim que saísse e encher os karmans de tia pecúnia, mas teria que tomar muito cuidado e fazer o trabalho totalmente odinoki. Eu não confiava mais em ditos druguis. Então falei para aquele vek para deixar isso de lado um pouquinho que depois a gente govoretava sobre isso. Ele disse ok ok ok, e se levantou para ir embora. Ele me pareceu ser um vek de um tipo muito esquisito, porque de repente ele deu uma risadinha e disse o seguinte: – Você gostaria de me dar um soco na cara antes de eu ir embora? – Eu achei que não podia ter sluchado direito, então perguntei:

– Hein?

– Será que você – ele deu outra risadinha – gostaria de me dar um soco na cara antes de eu ir embora? – Eu franzi a testa, muito intrigado, e perguntei:

– Por quê?

– Ah – disse ele – só pra ver como você está indo. – E ele chegou seu litso muito perto, um sorriso gordo por toda a sua rot. Então levantei o punho para cima e fui lhe dar um soco naquele litso, mas ele se esquivou muito skorre, ainda sorrindo, e minha ruka socou o ar. Aquilo me intrigou muito, e franzi a testa quando ele saiu, quase morrendo de tanto smekar. E aí, meus irmãos, eu me senti enjoado novamente, exatamente como de tarde, apenas por uns dois minuetos. Então passou skorre, e quando trouxeram meu jantar, eu descobri que estava com um grande apetite e pronto para devorar o frango frito. Mas foi engraçado aquele tchelovek starre pedir um toltchok no litso. E foi engraçado eu me sentir mal assim.

O que foi ainda mais engraçado foi quando fui dormir naquela noite, Ó, meus irmãos. Tive um pesadelo, e, como seria de se esperar, foi um daqueles trechos de filme que eu havia videado à tarde. Um sonho ou pesadelo é realmente apenas como um filme dentro da sua gúliver, só que é como se você pudesse entrar dentro dele e fazer parte dele. E foi isso o que aconteceu comigo. Foi um pesadelo de um dos trechos do filme que me mostraram quase no final daquela tipo assim sessão da tarde, todo de maltchiks smekando e ultraviolentando uma ptitsa novinha que krikava cheia de króvi vermelho-vermelho, as platis todas razrasgadas muito horrorshow. Eu estava ali meio que filando, smekando e sendo meio que o líder do bando, vestido no auge da moda nadsat. E então, no auge de toda aquela drata e toltchoks, eu me senti tipo assim paralisado e com vontade de vomitar, e todos os outros maltchiks smekaram muito gromki de mim. Então eu abri meu caminho de volta até acordar através do meu próprio króvi, litros e litros dele, e aí eu vi que estava na minha cama neste quarto. Eu queria vomitar, então saí da cama todo trêmulo para descer o corredor até o velho WC. Mas, vede, irmãos, a porta estava trancada. E, ao me virar, eu videei pela primeira raz que havia barras na janela. E então, quando corri para o penico na cabeceira malenk ao lado da cama, videei que não havia como escapar de tudo aquilo. Pior, eu não ousava retornar à minha própria gúliver adormecida. Logo descobri que não queria mais vomitar, mas aí eu estava pugli de voltar para a cama para dormir. Mas logo eu caí no sono e não sonhei mais não.

– Pare, pare, pare – eu continuava krikando. – Desliguem isso, seus graznis filhos da puta, eu não aguento mais. – Foi o dia seguinte, irmãos, e eu havia realmente dado o melhor de mim de manhã e à tarde para jogar o jogo deles e ficar sentado ali como um maltchik sorridente e colaborador horrorshow na cadeira de tortura enquanto eles exibiam trechos sujos de ultraviolência na tela, meus glazis abertos com presilhas para videar tudo, meu ploti, minhas rukas e meus nogas presos na cadeira para eu não poder fugir. O que estavam me fazendo videar agora não era realmente uma veshka que eu teria achado tão ruim antes, sendo apenas três ou quatro maltchiks krastando numa loja e enchendo os karmans de cortador, e ao mesmo tempo filando com a ptitsa starre que gerenciava a loja e krikava sem parar, dando toltchoks nela e deixando o króvi vermelho-vermelho correr. Mas o latejar e o tipo crash crash crash na minha gúliver e o desejo de vomitar e a terrível secura na minha rot, tudo era pior do que ontem. – Ai, eu já vi demais – gritei. – Não é justo, seus vonis sodomitas – e lutei pra sair da cadeira mas não foi possível, porque eu estava praticamente pregado a ela.

– Perfeito – krikou aquele tal Dr. Brodsky. – Você está indo muito bem mesmo. Só mais um e aí terminamos.

O que era agora era a guerra starre de 1939-45 mais uma vez, e era um filme todo cheio de borrões, riscos e arranhões, que dava pra videar que fora feito pelos alemães. Ele abriu com águias alemãs e a bandeira nazista com aquela cruz tipo assim torta que todos os maltchiks na escola adoram desenhar, e aí apareceram oficiais alemães muito feios e nadmenis caminhando por entre ruas inteiras cobertas de pó e cheias de buracos de bombas e prédios quebrados. Então permitiam que você videasse plebeus sendo fuzilados contra paredes, oficiais dando as ordens, e também horríveis plotis nagois caídos em sarjetas, parecendo estruturas construídas com costelas nuas e nogas brancas e finas. Então havia plebeus sendo arrastados e krikando, embora não fizesse parte da trilha sonora, meus irmãos, pois o único som era música, e levando toltchoks enquanto eram arrastados. Então reparei,

LARANJA MECÂNICA

no meio de toda a minha dor e enjoo, que música era aquela que estalava e ribombava na trilha sonora. Era Ludwig van, o último movimento da Quinta Sinfonia, e eu krikei como bizumni quando percebi isso. – Parem! – eu krikei. – Parem, seus sodomitas graznis vonis nojentos. É um pecado, é o que isso é, é um pecado sujo e imperdoável, seus bratchnis! – Eles não pararam na hora, pois havia somente mais um ou dois minutos de filme. Plebeus sendo surrados e todos cheios de sangue, então mais pelotões de fuzilamento, depois a velha bandeira nazista e THE END. Mas quando as luzes se acenderam, aquele Dr. Brodsky e também o Dr. Branom estavam em pé à minha frente, e o Dr. Brodsky disse:

– O que é essa história toda de pecado, hein?

– Isso – eu disse, passando muito mal. – Usar o Ludwig van desse jeito. Ele não fez mal nenhum a ninguém. Beethoven só escrevia música. – E foi aí que eu passei realmente mal e tiveram que me trazer uma tigela em forma de rim.

– Música – disse o Dr. Brodsky, tipo assim devaneando. – Então você gosta de música. Eu não entendo nada desse assunto. Só sei que é um elemento útil para ampliação emocional. Ora, ora. O que acha disso, hein, Branom?

– Não se pode evitar – disse o Dr. Branom. – Cada homem mata a coisa que ama, como dizia o poeta-prisioneiro. Talvez esteja aí o elemento da punição. O Diretor vai ficar contente.

– Me dê uma bebida – eu disse. – Pelo amor de Bog.

– Soltem-no – ordenou o Dr. Brodsky. – Tragam para ele uma jarra de água bem gelada. – Então aqueles subalveks foram ao trabalho e dali a pouco eu estava pitando litros e litros de água e era como o paraíso, Ó, meus irmãos. O Dr. Brodsky disse:

– Você parece um jovem suficientemente inteligente. E parece também ter um certo bom gosto. Você só tem essa coisa de violência, não é? Violência e roubo, sendo o roubo um aspecto da violência. – Não govoretei uma única slovo, irmãos, ainda estava me sentindo mal, embora me sentisse um malenk melhor agora. Mas havia sido um dia terrível. – Então – disse o Dr. Brodsky –, como você acha que isto é feito? Diga-me, o que acha que estamos fazendo com você?

– Vocês estão me fazendo sentir mal – disse eu. – Fico mal quando olho esses seus filmes sujos e pervertidos. Mas não são exatamente os filmes que estão fazendo isso. Mas sinto que, se pararem de passar esses filmes, eu vou parar de passar mal.

– Correto – disse o Dr. Brodsky. – Isso se chama associação, o método educacional mais antigo do mundo. E o que realmente faz com que você passe mal?

– Essas porcarias destas veshkas graznis que saem da minha gúliver e do meu ploti – eu disse. – E isso.

– Interessante – disse o Dr. Brodsky, tipo assim sorrindo. – O dialeto da tribo. Você sabe alguma coisa a respeito de suas origens, Branom?

– Alguns fragmentos de gíria rimada antiga – disse o Dr. Branom, que não parecia assim mais tão amigável. – Um pouco de linguagem cigana também. Mas a maioria das raízes é eslava. Propaganda política. Penetração subliminar.

– Tudo bem, tudo bem – disse o Dr. Brodsky, tipo assim impaciente e não mais interessado. – Bem – ele disse para mim –, não são os fios. Não tem nada a ver com o que está preso a você. Isso é apenas para medir as suas reações. Então, o que é?

Foi então, claro, que videei o que este shut bizumni aqui não deveria ter notado, ou seja, a agulha da scringa hipodérmica enfiada no meu ruka. – Ah – krikei – ah, estou videando tudo agora. Um truquezinho voni sujo de kal. Um ato de traição, fodam-se vocês, vocês não farão isso novamente.

– Fico feliz que tenha verbalizado suas objeções agora – disse o Dr. Brodsky. – Agora podemos ser perfeitamente transparentes a respeito. Podemos introduzir essa substância de Ludovico em seu sistema de uma série de maneiras diferentes. Por via oral, por exemplo. Mas o método subcutâneo é o melhor. Não lute contra isso, por favor. Não há por que lutar. Você não pode nos vencer.

– Bratchnis graznis – eu disse, tipo assim fungando. Então falei: – Não ligo para a ultraviolência e essa kal toda. Isso eu posso suportar. Mas não é justo para com a música. Não é justo que eu me sinta mal ao sluchar o adorável Ludwig van, G. F. Handel e outros. Tudo isso demonstra que vocês são um bando de escrotos safados, e eu jamais os perdoarei, seus sodomitas.

Ambos pareceram então um pouco pensativos. Em seguida, o Dr. Brodsky disse: – Delimitação é sempre difícil. O mundo é um só, a vida é uma só. A mais doce e a mais celestial das atividades compartilha em alguma medida com a violência; o ato do amor, por exemplo; música, por exemplo. Você deve fazer sua escolha, garoto. A escolha sempre foi toda sua. – Eu não estava entendendo slovo nenhuma, mas aí eu respondi:

– O senhor não precisa dizer mais nada. – Eu havia mudado minha melodia um malenk, do meu jeito astuto. – O senhor me provou que toda essa drata, ultraviolência e matança são erradas, erradas e terrivelmente erradas. Aprendi minha lição, senhores. Vejo agora o que nunca tinha visto antes. Estou curado, graças a Deus. – E levantei meus glazis para o teto de forma tipo assim sagrada. Mas os dois doutores balançaram as gúlivers tipo assim tristemente e o Dr. Brodsky disse:

– Você ainda não está curado. Ainda há muito a ser feito. Apenas quando seu corpo reagir de modo instantâneo e violento à violência, assim como a uma cobra, sem mais ajuda de nossa parte, sem medicação, somente então... – Eu disse:

– Mas, senhor, senhores, eu estou *vendo* que isso é errado. É errado porque é contra tipo assim a sociedade, é errado porque cada vek na terra tem o direito de viver e de ser feliz sem ser surrado e toltchokado e esfaqueado. Eu aprendi muito, se aprendi. – Mas o Dr. Brodksy deu uma smekada alta e demorada quando eu disse isso, mostrando todos os seus zubis brancos, e disse:

– A heresia de uma idade da razão – ou slovos do gênero. – Eu vejo o que é certo e aprovo, mas faço o que é errado. Não, não, meu garoto, você deve deixar isso tudo por nossa conta. Mas alegre-se. Em breve tudo isso irá acabar. Em menos de quinze dias você será um homem livre. – Então me deu uns tapinhas no pletcho.

Menos de quinze dias. Ó, meus irmãos e amigos, pareciam séculos. Era como desde o começo do mundo até o seu fim. Cumprir os quatorze anos na Prestata sem diminuição da pena não teria sido nada em comparação. Todo dia era a mesma coisa. Mas, quando a devotchka com a hipodérmica voltou, quatro dias depois dessa govoretagem com o Dr. Brodsky e o Dr. Branom, eu disse: – Ah, não, você não vai fazer isso – e dei-lhe um toltchok na ruka, e a seringa fez clink clink no chão. Isso foi só para tipo assim videar o que eles fariam. O que eles fizeram foi pegar quatro ou cinco subalveks desgraçados de jaleco branco e bolshis de verdade para me segurarem na cama, me dando toltchoks com litsos sorridentes, e então aquela ptitsa enfermeira disse: – Seu moleque endiabrado – enquanto me enfiava no ruka outra seringa e injetava aquele negócio de modo muito brutal e sujo mesmo. E aí eu fui levado exausto para aquele cine-cínico infernal como antes.

Todo dia, meus irmãos, aqueles filmes eram tipo assim os mesmos, todos cheios de chutes, toltchoks e o króvi vermelho--vermelho pingando de litsos e plotis e respingando por todas as lentes das câmeras. Eram normalmente maltchiks sorridentes e smekantes no auge da moda nadsat, ou então torturadores japas chingling ou chutadores e atiradores nazis brutais. E a cada dia a vontade de querer morrer com o mal-estar e as dores na gúliver e nos zubis e a sede terrível, terrível, aumentava de verdade. Até uma manhã em que tentei derrotar os desgraçados fazendo crak crak com minha cabeça na parede de modo a dar toltchoks em mim mesmo até ficar inconsciente, mas tudo o que aconteceu foi que eu fiquei enjoado só de videar aquele tipo de violência que era igual à violência dos filmes, então eu simplesmente ficava exausto, recebia a injeção e era rodado para lá como antes.

E um dia veio uma manhã em que eu acordei e comi meu desjejum de ovos, torrada, geleia e um tchai com leite muito quente, e aí pensei: "Não deve demorar muito agora. Deve faltar bem pouco para o fim. Sofri até o limite e não posso sofrer mais". E fiquei esperando e esperando, irmãos, aquela ptitsa enfermeira trazer a seringa, mas ela não veio. E aí o subalvek de jaleco branco entrou e disse:

– Hoje, amigão, vamos deixar você caminhar.

– Caminhar? – perguntei. – Pra onde?

– Para o lugar de sempre – ele disse. – Isso mesmo, não fique assim tão espantado. Você vai caminhar até os filmes, comigo acompanhando você, claro. Você não será mais conduzido em uma cadeira de rodas.

– Mas – eu disse – e aquelas minhas terríveis injeções? – Porque eu fiquei surpreso mesmo com isso, irmãos; eles gostavam tanto de me injetar essa tal substância de Ludovico, como eles diziam. – Não vão mais enfiar aquela coisa doentia e nojenta no meu pobre e sofredor ruka?

– Tudo isso acabou – esse vek meio que smekou. – Para todo o sempre, amém. Agora você está por sua conta, garoto. Vai caminhar e tudo mais até a câmara dos horrores. Mas você ainda vai ser amarrado à cadeira e ser obrigado a ver. Então vamos lá, meu rapazinho.

E tive que vestir meu camisolão e os tuflis e descer o corredor até aquele mesto de cine-cínico.

Agora, desta vez, Ó, meus irmãos, eu não só estava muito doente como também muito intrigado. Lá estava aquilo novamente, toda a velha ultraviolência e veks com as gúlivers esmagadas e ptitsas rasgadas pingando króvi e krikando por piedade, toda aquela sujeira e filada privada. Então mostraram os campos de concentração, os judeus e as ruas estrangeiras cinzentas cheias de tanques e uniformes e veks caindo com rajadas de fogo de metralhadora; isso era o lado público da coisa. E desta vez eu não podia culpar ninguém senão eu mesmo por me sentir mal e cheio de sede e cheio de dores, só que eu era forçado a videar; meus glazis ainda eram mantidos abertos por presilhas e meus nogas e ploti fixados à cadeira, mas aquele conjunto de fios e outras veshkas não saía mais do meu ploti nem da minha gúliver. Então, que outra coisa poderia fazer aquilo comigo a não ser os filmes? A não ser, claro, irmãos, que essa substância do Ludovico fosse assim uma espécie de vacina e ela estivesse atravessando meu króvi de modo que eu ficasse doente para todo o sempre, amém, toda vez que videasse qualquer dessa ultraviolência. Então agora eu fiz uma cara séria com a rot e fiz buábuá, e as lágrimas tipo assim embaçaram o que eu era forçado a videar, graças às abençoadas gotas de orvalho prateadas que corriam. Mas aqueles bratchnis de jaleco branco eram skorres com seus tashtuks para enxugar as lágrimas, dizendo: – Pronto, pronto, neném, num plicisa cholá mais. – E lá estava novamente tudo claro diante dos meus glazis, aqueles alemães empurrando judeus que imploravam chorosos – veks, shinas, maltchiks e devotchkas – para dentro de mestos onde eles iriam todos sufocar com gás venenoso. Buábuábuá, eu fiz de novo, e lá vinham eles novamente me enxugar as lágrimas, muito skorre, para que eu não perdesse uma única veshka do que estavam mostrando ali. Foi um dia terrível e horroroso, Ó, meus irmãos e únicos amigos.

Eu fiquei deitado na cama totalmente sozinho naquela notchi após meu jantar de cozido de carneiro reforçado com muita gordura, torta de frutas e sorvete, e pensei comigo mesmo: – Diabo diabo diabo, poderia haver alguma chance para mim caso eu tentasse fugir agora. – Mas eu não tinha arma. Aqui não era permitida britva, e eu era barbeado dia sim dia não por um vek gordo e careca que vinha até a minha cama antes do desjejum, dois bratchnis de jaleco branco em pé ao lado para videar se eu estava sendo um bom maltchik não violento. As unhas nas minhas rukas haviam sido cortadas e lixadas bem curtinhas para que eu não pudesse arranhar. Mas eu ainda era skorre no ataque, embora eles tivessem me enfraquecido, irmãos, e me transformado numa sombra do que eu havia sido nos velhos e livres dias. Então agora eu saí da cama e fui até a porta trancada e comecei a socá-la muito horrorshow e com muita força, krikando ao mesmo tempo: – Ó, socorro, socorro. Estou doente. Estou morrendo. Doutor, doutor, doutor, rápido. Por favor. Ó, eu vou morrer, morrerei mesmo. Socorro. – Minha gorlo ficou muito seca e ferida antes que alguém aparecesse. Então ouvi nogas descendo o corredor e uma goloz tipo assim resmungando, e aí eu reconheci a goloz do vek de jaleco branco que me trazia pishka e me escoltava até meu suplício diário. Ele meio que resmungou:

– O que foi? O que está acontecendo? Qual é o seu joguinho imundo desta vez?

– Ó, estou morrendo – eu tipo assim gemi. – Ó, eu tenho uma dor infernal aqui do lado. É apendicite, é sim. Aaaaaai.

– Apendicite o cacete – resmungou aquele vek, e então, para minha alegria, irmãos, sluchei o clangor de chaves. – Se você estiver tentando algo, amiguinho, meus amigos e eu vamos te bater e chutar a noite toda. – Então ele abriu a porta e trouxe assim o doce ar da promessa da minha liberdade. Agora eu estava tipo assim atrás da porta quando ele a abriu, e eu pude videá-lo à luz do corredor procurando por mim intrigado. Então eu levantei meus dois punhos pra toltchoká-lo feio no pescoço, e aí, eu juro, meio que videei ele antecipadamente deitado e gemendo ou fora fora fora, e senti a alegria se elevar nas minhas entranhas, foi aí que aquele enjoo subiu em mim como se fosse uma onda e eu senti um medo terrível como se eu realmente fosse morrer. Eu meio que cambaleei até a cama fazendo urg urg urg, e o vek, que não estava usando seu jaleco branco, mas sim um camisolão, videou com bastante clareza o que eu tinha em mente, porque disse:

– Bem, tudo na vida é uma lição, não é? A gente aprende o tempo todo, como se pode dizer. Vamos lá, amiguinho, levante-se dessa cama e me acerte. Eu quero que você faça isso, quero mesmo. Me dê um bom soco no maxilar. Ah, eu estou morrendo de vontade que você faça isso, estou mesmo. – Mas tudo o que eu pude fazer, irmãos, foi apenas ficar deitado ali soluçando buábuá. – Escória – esse vek debochou. – Animal. – E me puxou pelo colarinho da minha camisa de pijama, eu estava muito fraco e molinho, e ele levantou e lascou a ruka direita de modo que eu tomei um toltchok direto no litso. – Isso – disse ele – é por me tirar da cama, seu escrotinho. – E ele esfregou as rukas uma na outra e saiu. Crec crec, fez a chave na fechadura.

E aí, irmãos, eu tive que usar o sono para fugir daquela terrível e equivocada sensação de que era melhor apanhar do que bater. Se aquele vek tivesse ficado ali, eu poderia até mesmo ter dado a outra face.

7

Eu não podia acreditar, irmãos, no que estavam me dizendo. Parecia que eu estava naquele mesto voni desde sempre e lá ficaria por muito mais tempo ainda. Mas foram sempre quinze dias e agora eles diziam que os quinze dias estavam quase acabando. Eles disseram: – Amanhã, amiguinho, fora fora fora. – E fizeram um gesto com o velho polegar, tipo assim apontando para a liberdade. E aí o vek de jaleco branco que havia me dado um toltchok e que ainda me levava minhas bandejas de pıshka e me escoltava até minha tortura diária disse: – Mas você ainda tem um longo dia pela frente. Vai ser o dia do seu exame final – e ele smekou debochante.

Naquela manhã eu esperava itiar, como de costume, até o mesto do cine-cínico, vestido de pijama, tuflis e camisolão. Mas não. Naquela manhã me deram minha camisa, veshkas de baixo e minhas platis da noite e minhas botas de chutar horrorshow, todas adoráveis e lavadas ou passadas e engraxadas. E até me deram minha britva degoladora que eu havia usado naqueles velhos dias felizes para filar e dratar. Eu até franzi a testa, desconfiado de tudo aquilo, enquanto me vestia, mas o subalvek de jaleco branco só riu e nada govoretou, Ó, meus irmãos.

Fui levado com bastante gentileza até o mesmo velho mesto, mas havia mudanças ali. Cortinas haviam sido puxadas na frente da tela do cine-cínico e o vidro fosco embaixo dos buracos para a projeção não estava mais ali; parecia que tinha sido recolhido como se fosse uma persiana. E exatamente onde havia o ruído de tosse kof kof kof e as tipo assim sombras dos plebeus era agora uma plateia de verdade, e nessa plateia havia litsos que eu conhecia. Tinha o Diretor da Prestata e o homem santo, o chapelão ou capelão, como era chamado, o Chasso Chefe e aquele tchelovek mui importante e bem-vestido que era o Ministro do Interior ou Inferior. Todo o resto eu não conhecia. O Dr. Brodsky e o Dr. Branom estavam lá, embora agora não com jaleco branco, mas vestidos no auge da moda como médicos bastante importantes se vestiriam. O Dr. Branom apenas ficou ali parado, mas o Dr. Brodsky se levantou e govoretou de um jeito tipo assim culto para toda a plebe reunida.

Quando ele me videou entrando, disse: – Ahá! Neste palco, cavalheiros, apresentamos a cobaia. Ele está, como vocês irão perceber, em forma e bem alimentado. Está vindo diretamente de uma noite de sono e um bom desjejum, sem drogas e sem hipnose. Amanhã o mandaremos confiantes para o mundo exterior novamente, um rapaz tão decente quanto qualquer um que vocês encontrassem numa manhã de maio, nada violento ou perverso, pelo contrário – como vocês poderão observar –, inclinado a dizer palavras gentis e ser solidário às pessoas. Que mudança veremos aqui, cavalheiros, da ruína humana que o Estado entregou para uma punição inadequada há cerca de dois anos, e inalterado após dois anos. Eu disse inalterado? Não exatamente. A prisão lhe ensinou o sorriso falso, o esfregar de mãos da hipocrisia, o risinho obsequioso, untuoso e bajulador. Também lhe ensinou outros vícios, assim como lhe confirmou aqueles que já praticava há muito. Mas, cavalheiros, chega de palavras. Ações falam mais alto. Observem, todos.

Eu estava um pouco confuso com toda essa govoretagem e estava tentando captar o que exatamente aquilo tudo tinha a ver comigo. Então todas as luzes se apagaram e dois tipo assim refletores começaram a brilhar vindos dos quadrados de projeção, e um deles estava apontado direto para Vosso Humilde e Sofredor Narrador. E na direção de outro refletor estava caminhando um tchelovek bolshi grande que eu nunca havia videado antes. Ele tinha um litso tipo assim banhudo e umas faixas de cabelo empastadas sobre a sua gúliver quase careca. Ele tinha mais ou menos uns trinta ou quarenta ou cinquenta anos, uma idade velha dessas, starre. Ele itiou até onde eu estava e o refletor itiou junto, e num instante os dois refletores haviam criado um grande círculo. Ele me disse, muito debochado:

– Oi, monte de lixo. Cacete, pelo seu cheiro horrível, tu não toma banho não, é? – Então, como se ele estivesse dançando, pisou nos meus nogas, esquerdo, direito, aí me deu uma unhada no nariz que doeu que nem bizumni e trouxe as velhas lágrimas aos meus glazis, então ele torceu minha oko esquerda feito um botão de rádio. Eu sluchei risinhos e uns dois hahahas muito horrorshow vindo da plateia. Meu nariz e meus nogas e o minha orelha ardiam e doíam que nem bizumnis, então eu disse:

– Por que está fazendo isso comigo? Eu nunca lhe fiz nada de mal, irmão.

– Ah – disse aquele vek. – Eu faço isto – unhou o nariz novamente – e isto – torceu bonito o buraco da orelha – e mais isto – pisou feio no noga direito – porque não estou nem aí pro seu tipinho horrível. E se você quiser fazer alguma coisa a respeito, vem, vem, por favor. – Agora, eu sabia que teria de ser skorre mesmo e sacar minha britva degoladora antes que aquela terrível doença de enjoo me inundasse e transformasse a alegria da batalha na sensação de que eu iria morrer. Mas, Ó, irmãos, quando minha ruka alcançou a britva no meu karman de dentro eu meio que vi um quadro no glazi da minha mente, desse tchelovek insultuoso uivando por misericórdia com o krôvi vermelho-vermelho todo escorrendo quente de sua rot, e depois desse quadro o mal-estar, a secura e as dores estavam correndo para me assolar, e eu videei que teria de mudar o que estava sentindo por aquele vek muito muito muito skorre, então enfiei as rukas nos karmans procurando cigarros ou tia pecúnia, e, Ó, meus irmãos, não havia nenhuma dessas veshkas. Eu disse, todo gemendo e borbulhando:

– Eu gostaria de lhe dar um cigarro, irmão, mas acho que não tenho nenhum. – E o vek:

– Blebleblé. Buábuá. Chora, neném. – Então ele unhou mais uma vez meu nariz com a unha bolshi safada, e eu pude sluchar muito alto smeks tipo assim de regozijo vindos da plateia às escuras. Eu disse, muito desesperado, tentando ser gentil com aquele vek que me insultava e magoava para fazer com que as dores e o enjoo que estavam subindo parassem:

– Por favor, deixe-me dar alguma coisa para você, por favor. – E procurei nos meus karmans mas só consegui encontrar minha britva degoladora, então tirei-a, dei para ele e disse: – Por favor, fique com isto, por favor. Um presentinho. Por favor, aceite. – Mas ele disse:

– Fique com esses seus subornos de merda. Você não pode fugir de mim desse jeito. – E ele, pou, na minha ruka e minha britva degoladora caiu no chão. Então eu disse:

– Por favor, eu preciso fazer alguma coisa. Quer que eu limpe suas botas? Olhe, eu me abaixo e lambo elas. – E, meus irmãos, acreditem em mim ou chupem meu shako, eu me ajoelhei, pus um palmo da minha yazik vermelha pra fora e comecei a lamber aquelas botas vonis graznis. Mas tudo o que aquele vek fez foi me chutar sem muita força na rot. Então achei que não ficaria enjoado nem com dores se eu apenas agarrasse ele pelos tornozelos bem forte com minhas rukas e derrubasse aquele bratchni grazni. Então eu fiz isso e ele teve uma surpresa muito bolshi, caindo crac no meio de muita gargalhada da plateia voni. Mas, quando videei ele no chão, senti toda aquela terrível sensação tomando conta de mim, então lhe estendi minha ruka skorre e ele se levantou. Então, no instante em que ele iria me aplicar um toltchok sujo e honesto no litso, o Dr. Brodsky disse:

– Chega, assim já está bom. – Então aquele vek horrível tipo assim se curvou e saiu dançando feito um ator enquanto as luzes se acendiam e eu ficava piscando e com a rot aberta uivando. O Dr. Brodsky disse para a plateia: – Nossa cobaia é, como vocês estão vendo, impelida para o bem, paradoxalmente, por ser impelida na direção do mal. A intenção de agir de modo violento é acompanhada por fortes sensações de mal-estar físico. Para contrabalançar isso, a cobaia precisa mudar para uma atitude diametralmente oposta. Alguma pergunta?

– Escolha – resmungou uma goloz rica e profunda. Videei que ela pertencia ao chapelão da prisão. – Ele não tem nenhuma escolha, tem? A preocupação consigo mesmo, o medo da dor física, o levaram a esse ato grotesco de autodepreciação. Sua insinceridade estava clara. Ele deixa de ser um malfeitor. Ele também deixa de ser uma criatura capaz de escolha moral.

– Isso são sutilezas – o Dr. Brodsky meio que sorriu. – Não estamos preocupados com o motivo, com uma ética superior. Estamos preocupados apenas em reduzir o crime...

– E – interrompeu aquele Ministro bolshi bem-vestido – com a redução da assustadora superlotação de nossos presídios.

– Apoiado – disse alguém.

Então muito se govoretou e se argumentou e eu simplesmente fiquei ali parado, irmãos, tipo assim completamente ignorado por todos aqueles bratchnis ignorantes, então krikei:

– Eu, eu, eu. E eu? Onde é que eu entro nisso tudo? Será que eu sou apenas uma espécie de animal ou de cão? – E isso fez com que eles começassem a govoretar ainda mais alto e lançar slovos para mim. Então eu krikei mais alto, ainda krikando: – Será que eu

serei apenas uma laranja mecânica? – Eu não sabia o que me fez usar aquelas slovos, irmãos, que simplesmente saíram sem pedir permissão à minha gúliver. E isso calou aqueles veks por algum motivo, por um minueto ou mais. Então um tchelovek tipo professor muito magro e starre se levantou, o pescoço parecendo cabos que carregavam energia da gúliver até o ploti, e ele disse:

– Você não tem motivo para reclamar, garoto. Você fez sua escolha e tudo isto é uma consequência dessa sua escolha. O que quer que aconteça agora, você mesmo escolheu. – E o chapelão da prisão krikou:

– Ah, quisera eu acreditar nisso. – E dava pra videar o Diretor lhe dar um olhar que significava que ele não iria subir assim tão alto na Religião da Prisão como ele achava que iria. Então a discussão em voz alta começou novamente, e aí eu pude sluchar a slovo Amor sendo lançada no ar, o próprio chapelão da prisão krikando tão alto quanto qualquer um sobre o Amor Perfeito Acaba com o Medo e aquela kal total. E agora o Dr. Brodsky disse, sorrindo por todo o litso:

– Fico contente, cavalheiros, que esta questão do Amor tenha sido levantada. Agora veremos em ação uma forma de Amor que é considerada extinta desde a Idade Média. – E então as luzes se apagaram e os refletores foram ligados mais uma vez, um sobre vosso pobre e sofredor Amigo e Narrador, e no outro ali rolava ou deslizava a mais adorável devotchkazinha que você jamais poderia esperar videar em toda a sua jizna, Ó, meus irmãos. Quero dizer com isso que ela tinha grudis muito horrorshow e dava pra videá-los inteirinhos, porque ela estava usando platis que caíram dos seus pletchos. E suas nogas eram como Bog em Seu Paraíso, e ela caminhava como tipo assim para fazer você gemer nas suas kishkas, e mesmo assim seu litso era um jovem litso inocente, doce e sorridente. Ela veio em minha direção com a luz como se fosse a luz da graça celestial e toda essa kal a possuindo e a primeira coisa que passou pela minha gúliver foi que eu gostaria de deitá-la ali no chão pro bom e velho entra-sai muito selvagem, mas skorre como um tiro veio o enjoo, como um detetive que estivesse vigiando numa esquina e agora começava a seguir para efetuar sua prisão grazni. E agora o von de perfume adorável que saía dela me deu tipo assim vontade de vomitar nas minhas kishkas, então percebi que precisava pensar em alguma nova maneira de pensar em alguma outra coisa antes que toda a dor, sede e horrível enjoo me acometessem muito horrorshow. Então krikei:

– Ó, mais linda e bela das devotchkas, jogo meu coração aos vossos pés para que pises nele todinho. Se eu tivesse uma rosa eu a daria para você. Se o chão estivesse todo molhado e cheio de kal agora, eu lhe estenderia minhas platis para você andar por cima para não cobrir seus nogas sensíveis com sujeira e kal. – E, enquanto eu dizia isso tudo, Ó, meus irmãos, podia sentir o enjoo meio que recuando. – Permita-me – krikei – venerar você e ser tipo assim vosso ajudante e protetor do mundinho maligno. – Então pensei na slovo certa e me senti melhor por isso, dizendo: – Deixa-me ser vosso verdadeiro cavaleiro andante – e mais uma vez me ajoelhei, curvando--me e meio que ralando os joelhos.

E aí eu me senti bobo e tosco mesmo, porque tudo aquilo havia sido novamente uma representação: aquela devotchka sorriu, fez uma mesura para a plateia e saiu meio que tipo dançando, as luzes se acendendo e alguns aplausos. E os glazis de alguns daqueles veks starres na plateia ficaram como que arregalados com aquela jovem devotchka com um desejo sujo e indecente, Ó, meus irmãos.

– Ele será seu verdadeiro cristão – krikava o Dr. Brodsky –, pronto para dar a outra face, pronto para ser crucificado ao invés de crucificar, doente até a alma só de pensar em sequer matar uma mosca. – E era verdade, irmãos, pois bastou ele dizer que eu pensava em matar uma mosca que comecei a sentir aquele enjoozinho, mas coloquei o enjoo e a dor de lado pensando na mosca sendo alimentada com pedacinhos de açúcar e cuidada como um bichinho de estimação ferido e essa kal total. – Regeneração – ele krikou. – Alegria perante os Anjos de Deus.

– A questão é – esse Ministro do Inferior estava dizendo muito gromki – que isso funciona.

– Ah – o chapelão da prisão disse, meio que suspirando. – Funciona muito bem. Que Deus nos ajude a todos.

PARTE TRÊS

1

– Então, o que é que vai ser, hein? Isso, meus irmãos, era eu perguntando a mim mesmo na manhã seguinte, de pé do lado de fora daquele prédio branco que ficava tipo assim colado à velha Prestata, usando minhas platis da noite de dois anos atrás à luz cinzenta do amanhecer, com uma sacolinha malenk com minhas poucas veshkas pessoais e um pouco de cortador gentilmente doado pelas Autoridades vonis para eu tipo assim recomeçar minha nova vida.

O resto do dia anterior havia sido muito cansativo, com entrevistas gravadas para as telenotícias e fotografias tiradas flash flash flash e mais tipo assim demonstrações minhas me encolhendo em face da ultraviolência e aquela kal totalmente embaraçosa. E então eu meio que caí na cama e então, foi o que me pareceu, fui acordado e me disseram para me mandar já, para itiar pra casa, não queriam videar Vosso Humilde Narrador nunca mais, Ó, meus irmãos. Então lá estava eu, muito muito cedo pela manhã, com apenas um tiquinho de tia pecúnia no meu karman esquerdo tilintando, e me perguntando:

– Então, o que é que vai ser, hein?

Um desjejum em algum mesto, pensei, porque eu não tinha comido nada naquela manhã; todos os veks estavam tão ansiosos em me empurrar aos toltchoks para a liberdade lá fora. Uma chasha de tchai apenas eu havia pitado. Aquela Prestata ficava numa região muito sombria da cidade, mas havia lanchonetes malenks de trabalhadores por toda parte e logo encontrei uma delas, meus irmãos. Era muito kali e voni, com uma lâmpada no teto com sujeirinha de mosca obscurecendo seu pouco de luz, e havia robotadores madrugadores ali, bebericando tchai e comendo salsichas e pedaços de klebi de aspecto horrível que eles engoliam fazendo arf arf arf e depois krikando por mais. Eram servidos por uma devotchka muito kali mas com grudis muito bolshis, e alguns dos veks que comiam tentavam agarrá-la, fazendo hahahaha enquanto ela fazia hihihihi, e vê-los assim quase me fez querer vomitar, irmãos. Mas pedi um pouco de torrada e geleia e tchai mui educadamente com minha goloz de cavalheiro, então me sentei num canto escuro para comer e pitar.

Enquanto eu fazia isso, um anão tipo malenk itiou pra dentro, vendendo as gazetas da manhã, um tipo prestupnik retorcido e grazni com óculos fundo de garrafa e aros de aço, suas platis da cor de pudim de groselha podre e muito starre. Kupetei uma gazeta; minha ideia era me preparar para voltar à jizna normal videando o que estava itiando no mundo. Aquela parecia uma gazeta do Governo, pois a única notícia que estava na primeira página era sobre a necessidade de cada vek se certificar de colocar o Governo de volta no lugar na próxima Eleição Geral, que parecia que ia acontecer dali a duas ou três semanas. Havia slovos muito presunçosas sobre o que o Governo havia feito, irmãos, no último ano mais ou menos, com o aumento das exportações e uma política externa muito horrorshow e serviços sociais melhores e aquela kal total. Mas o Governo se vangloriava mesmo era da forma pela qual eles calculavam que as ruas haviam se tornado mais seguras para todos os plebeus amantes da paz que gostam de caminhar à noite nos últimos seis meses, com melhores salários para a polícia e a polícia ficando tipo assim mais severa com os jovens vândalos, pervertidos, ladrões e aquela kal total. O que interessovatou Vosso Humilde Narrador um bocado. E na segunda página da gazeta havia uma fotografia meio assim desfocada de alguém que me parecia muito familiar, e acabou que não era outro senão eu, eu, eu mesmo. Eu parecia muito mal-humorado e tipo assim amedrontado, mas isso foi por causa dos flashes estourando na minha cara o tempo todo. O que dizia embaixo da minha foto era que ali estava o primeiro formando do novo Instituto Estatal para Recuperação de Tipos Criminais, curado de seus instintos criminosos em apenas quinze dias, hoje um bom cidadão temente à lei e aquela kal total. Então eu videei que havia um artigo muito presunçoso sobre essa Técnica Ludovico e como o Governo era inteligente e aquela kal total. Então havia outra foto de um vek que eu achava que conhecia, e era aquele tal Ministro do Inferior ou Interior. Parece que ele andava se vangloriando, vislumbrando uma bela era sem crimes na qual não haveria mais medo de ataques covardes de jovens vândalos e pervertidos e ladrões e aquela kal total. Então eu fiz bleeerg e joguei aquela gazeta no chão, de modo que ela cobriu manchas de tchai derramado e os horríveis perdigotos dos animais kalis que frequentavam aquela lanchonete.

– Então, o que é que vai ser, hein?

O que ia ser agora, irmãos, era o caminho de casa e uma bela surpresa para papapa e mama, pois seu único filho e herdeiro estava de volta ao seio da família. Então eu poderia me deitar de volta à cama em meu próprio antro malenk e sluchar um pouco de música adorável, e ao mesmo tempo pensar no que fazer da minha jizna. O Oficial de Condicional me dera uma longa lista na véspera, contendo trabalhos que eu poderia tentar, e telefonara para vários veks a meu respeito, mas eu não tinha a intenção, meus irmãos, de robotar naquele momento. Antes, um malenk de descanso, sim, e um pensar silencioso na cama, ao som de uma música adorável.

E então o autobus para o Centro, e depois o autobus para a Kingsley Avenue, os apartamentos do Flatbloco 18A logo ali. Vocês hão de acreditar em mim, meus irmãos, quando digo que meu coração fazia tunctunctunc tipo assim de empolgação. Tudo estava muito quieto, pois era uma manhã ainda no comecinho do inverno, e quando itiei para dentro do vestíbulo do flatbloco não havia vek por ali, só os veks e shinas nagois da Dignidade do Trabalho. O que me surpreen-

deu, irmãos, era a forma com que eles haviam sido limpos; não havia mais balões com slovos indecentes saindo das rots dos Trabalhadores Dignificados, nem partes indecentes do corpo acrescentadas aos seus plotis nus por maltchiks canetadores de mentes poluídas. E o que me surpreendeu também foi que o elevador estava funcionando. Ele desceu ronronando quando apertei o nopka elétrico, e quando entrei fiquei surpreso novamente ao videar que tudo estava limpo dentro da gaiola.

Então subi até o décimo andar, e lá eu vi 10-8 como antes, e minha ruka tremeu e balançou quando tirei do karman a pequena klutch para abrir a porta. Mas encaixei a klutch com muita firmeza na fechadura e girei, depois abri e entrei, e lá eu vi três pares de glazis surpresos e quase apavorados olhando para mim, e eram pê e eme tomando seu café da manhã, mas também havia outro vek que eu nunca havia videado em toda a minha jizna, um vek bolshi parrudo usando camisa e suspensórios, sentindo-se bem em casa, irmãos, dando goles no tchai com leite e mascamascando seu ovovo com torrada. E foi esse vek estranho quem primeiro falou, dizendo:

– Quem é você, amigo? Onde você conseguiu essa chave? Fora, antes que eu soque essa sua cara. Vá lá para fora e bata antes de entrar. Explique o que você quer, rápido.

Papai e mama ficaram sentados ali tipo assim petrificados, e eu podia videar que eles ainda não haviam lido a gazeta, e depois me lembrei de que a gazeta só chegava depois que papapa já tinha ido para o trabalho. Mas aí mama disse: – Ai, você fugiu. Você escapou. O que é que nós vamos fazer? A polícia virá aqui, ai ai ai. Ai, seu garoto mau, desgraçando nós todos assim. – E, acredite em mim ou chupem meu shako, ela começou a fazer buábuá. Então eu comecei a tentar explicar, eles podiam ligar para a Prestata se quisessem, e o tempo todo aquele vek estranho ficou lá sentado franzindo a testa e fazendo uma cara de quem podia pegar meu litso e socá-lo com seu punho maciço, bolshi e cabeludo. Então eu disse:

– Que tal você responder a algumas perguntas, irmão? O que é que você está fazendo aqui e há quanto tempo? Não gostei do jeito como você falou comigo agora há pouco. Cuidado. Vamos lá, fale. – Ele era um tipo classe-operária muito, muito feio, cerca de trinta ou quarenta anos, e agora estava sentado com a rot aberta para mim, sem govoretar uma única slovo. Então meu pai disse:

– Estamos muito surpresos, filho. Você deveria ter nos avisado que estava vindo. Achamos que pelo menos levaria mais cinco ou seis anos até que o soltassem. Não – disse ele, e disse com um jeito muito tristonho – que não estejamos muito satisfeitos em vê-lo novamente e ainda por cima um homem livre.

– Quem é esse aí? – perguntei. – Por que ele não fala nada? O que está acontecendo aqui?

– Este é o Joe – disse minha mama. – Ele mora aqui agora. É nosso inquilino. Ai, meu deus, meu deus, meu deus – ela continuou.

– Você – disse esse Joe. – Já ouvi tudo sobre você, garoto. Eu sei o que você fez, decepcionando seus pobres pais, coitados. Então você voltou, não é? Voltou para tornar a vida angustiante para eles de novo, não é? Só por cima do meu cadáver, porque eles me deixaram ficar aqui mais como um filho do que como um inquilino. – Eu podia ter smekado bem alto se a velha razdraz dentro de mim não tivesse começado a despertar a sensação de querer vomitar, pois aquele vek parecia ter a mesma idade de meu pê e minha eme, e lá estava ele tentando colocar a ruka protetora de um filho no ombro da minha mama que chorava, Ó, meus irmãos.

– Então – eu disse, e me senti quase desabando em lágrimas. – Então é isso. Bem, eu lhe dou cinco grandes minuetos para tirar todas as suas veshkas kalis horríveis do meu quarto. – E fui na direção do quarto, pois aquele vek tinha sido um malenk lento demais para me deter. Quando abri a porta, meu coração se quebrou e caiu no chão, porque videei que não era mais meu quarto, irmãos. Todas as minhas flâmulas haviam saído das paredes e aquele vek havia colocado retratos de pugilistas, e também tipo assim uma foto de um time sentado com os rukas cruzados e um escudo tipo assim prateado na frente. E aí eu videei o que mais estava faltando. Meu estéreo e meu armário de discos não estavam mais lá, nem meu baú do tesouro trancado que continha garrafas, drogas e duas seringas limpas e reluzentes. – Alguém fez alguma coisa voni suja aqui – krikei. – O que você fez com minhas veshkas pessoais, seu imbecil miserável? – Isso eu falei para aquele tal de Joe, mas quem respondeu foi meu pai, dizendo:

– Foi tudo levado, filho, pela polícia. Sabe, aquele novo regulamento de compensação para as vítimas...

Tive que lutar muito pra não ficar muito enjoado, mas minha gúliver estava doendo e minha rot estava tão seca que precisei tomar um gole skorre da garrafa de leite sobre a mesa, o que fez aquele tal de Joe dizer: – Que modos sujos e porcos. – Eu disse:

– Mas ela morreu. Aquela velha morreu.

– Foram os gatos, filho – meu pai disse triste. – Eles ficaram sem ninguém para cuidar deles até a leitura do testamento, então precisavam ficar com alguém que os alimentasse. Então a polícia vendeu suas coisas, roupas e tudo, para ajudar no cuidado deles. Essa é a lei, filho. Mas você também nunca foi lá muito de cumprir a lei mesmo.

Aí eu precisei me sentar, e aquele tal de Joe disse: – Peça permissão antes de sentar, seu suíno sem educação – então eu respondi skorre com um – Cale essa sua latrina grande, gorda e suja, seu... –, já me sentindo mal. Então tentei ser todo razoável e sorridente pelo bem de minha saúde, e disse: – Bom, aquele quarto é meu, isso não há como negar. Esta aqui também é minha casa. O que vocês sugerem, meu pê e minha eme? – Mas eles simplesmente estavam muito tristes; minha mãe tremia um pouco, seu litso todo enrugado e molhado tipo assim de lágrimas, e então meu pai disse:

– Precisamos pensar nisso tudo, filho. Não podemos simplesmente chutar o Joe pra fora com uma mão na frente e a outra atrás, podemos? Quero dizer, o Joe aqui está fazendo um trabalho, um contrato, quero dizer, dois anos, e nós fizemos um acordo, não foi, Joe? Quero dizer, filho, como achamos que você ia ficar na prisão por muito tempo e aquele quarto ia ficar vazio... – Ele estava um pouco envergonhado, dava pra videar isso em seu litso. Então eu simplesmente sorri e tipo assim concordei com a cabeça, dizendo:

– Estou videando tudo. Vocês se acostumaram a um pouco de paz e a uma tia pecúnia extra. É, as coisas são assim mesmo. E seu filho não é nada a não ser um terrível fardo. – E então, Ó meus irmãos, acreditem ou chupem meu shako, eu comecei a chorar, sentindo muita pena de mim mesmo. Então meu pai disse:

– Bom, sabe, filho, o Joe já pagou o aluguel do mês que vem. Quero dizer, seja o que for que façamos no futuro, não podemos dizer ao Joe para ir embora, podemos, Joe? – Aquele tal de Joe disse:

– Eu estou pensando é em vocês dois, que foram como pai e mãe para mim. Seria correto ou justo eu sair e deixar vocês aos cuidados desse monstrinho que nunca foi um filho de verdade? Agora ele está chorando, mas a manha dele, a arte dele, é essa. Deixem ele sair e achar um quarto em algum lugar. Deixem que ele aprenda como errou e que um menino mau como ele não merece um pai e uma mãe tão bons como os que ele tem.

– Tudo bem – eu disse, levantando-me com lágrimas nos olhos ainda. – Eu sei como as coisas estão agora. Ninguém me ama, ninguém me quer. Eu sofri, sofri demais, e todo mundo quer que eu continue sofrendo. Eu sei.

– Você fez outras pessoas sofrerem – disse aquele tal de Joe. – É mais do que justo que você sofra também. Já me contaram tudo o que você fez, sentado aqui à noite na mesa da família, e para mim foi um choque ouvir isso. Me deu vontade de vomitar ouvindo muitas dessas coisas.

– Eu gostaria – disse eu – de voltar à prisão. A boa e velha Prestata do jeito que ela era. Estou itiando embora agora – eu disse. – Vocês nunca mais irão me videar. Vou me virar, muito obrigado. Que isso pese nas suas consciências. – Meu pai disse:

– Não encare as coisas assim, filho – e minha mãe ficou simplesmente lá no buábuá, o litso todo amassado, feio demais, e aquele tal de Joe pôs a ruka no ombro dela de novo, dando palmadinhas e dizendo calma calma calma feito um bizumni. E então eu simplesmente fui tipo assim cambaleando até a porta e saí, deixando eles com sua terrível culpa, Ó, meus irmãos.

2

Itiando pela rua tipo assim sem destino, irmãos, com aquelas platis noturnas que os plebeus encaravam enquanto eu passava, sentindo frio também, porque era um dia de inverno frio miserável, tudo o que eu queria era estar longe de tudo aquilo e não precisar pensar mais em veshka nenhuma. Então peguei o autobus até o Centro e caminhei de volta até Taylor Place, e lá estava a discbutique MELODIA, onde eu me acostumara a dar a honra de minha inestimável presença, Ó, meus irmãos, e parecia o mesmo mesto que sempre fora, e ao entrar eu esperava videar o velho Andy ali, aquele vekinho careca e muito, muito magro que sempre me ajudava e do qual eu havia kupetado discos nos velhos tempos. Mas não havia mais Andy ali agora, irmãos, apenas um grito e um krikar de maltchiks e ptitsas nadsats (adolescentes, quero dizer) sluchando alguma música pop nova horrível e dançando também, e o vek atrás do balcão não era muito mais do que um nadsat também, estalando os ossos das rukas e smekando feito bizumni. Então eu fui até ali e fiquei esperando até que ele tipo assim se dignasse a reparar em mim, e então eu disse:

– Eu gostaria de ouvir um disco da Número Quarenta de Mozart. – Não sei por que isso veio à minha gúliver, mas foi assim. O vek balconista disse:

– Quarenta o quê, amigo?

Eu disse: – Sinfonia. Sinfonia Número Quarenta em Sol Menor.

– Oooooh – fez um dos nadsats dançantes, um maltchik com os cabelos caindo por cima dos glazis. – Sim, folia. Não é gozado? Ele quer uma sim, folia.

Eu já estava começando a ficar todo razdraz por dentro, mas precisava me segurar, então eu tipo assim sorri para o vek que havia tomado o lugar do Andy e para todos os nadsats que dançavam e krikavam. Aquele vek do balcão disse: – Vá para aquela cabine ali, amigo, e eu vou tocar uma coisa ali pra você.

Então fui até a caixa malenk onde dava pra sluchar os discos que você queria comprar, e então esse vek colocou um disco para mim, mas não era a Quarenta de Mozart, era "Praga" de Mozart – ele devia ter simplesmente apanhado qualquer Mozart que encontrou na prateleira – e isso deveria ter feito com que eu ficasse muito raz-draz, e precisei me segurar com medo da dor e do mal-estar, mas o que eu havia esquecido era uma coisa que eu não devia ter esquecido e agora me fazia querer me suicidar. Era que aqueles bratchnis médicos haviam consertado tanto as coisas que qualquer música que mexesse tipo assim com as emoções me fazia passar mal do mesmo jeito que eu passaria mal videando ou querendo cometer violências. Era porque todos aqueles filmes com violência tinham música. E eu me lembrava especialmente daquele horrível filme nazista com a Quinta de Beethoven, último movimento. E, assim, o adorável Mozart fora transformado em algo horrível para mim. Saí da caixa como um bizumni, tentando fugir do enjoo e da dor que eu sentia, e saí correndo da loja com aqueles nadsats smekando de mim e o vek balconista krikando: – Ei, ei, ei! – Mas nem prestei atenção, e saí cambaleante quase feito um cego pela rua e dobrando a esquina até chegar no Lactobar Korova. Eu sabia o que queria.

O mesto estava quase vazio, pois ainda era de manhã. Também parecia estranho, porque tinha sido pintado com vaquinhas vermelhas mugindo, e atrás do balcão não havia nenhum vek que eu conhecesse. Mas quando eu disse: – Leite-com, grande –, o vek com um litso muito magro e recém-barbeado sabia o que eu queria. Peguei o grande moloko-com e o levei até um dos cubículos que estavam por todo aquele mesto, com cortinas para separá-los do mesto principal, e lá eu me sentei no banco de pelúcia e fiquei bebericando. Quando acabei tudo, comecei a sentir que as coisas estavam acontecendo. Eu estava com os glazis fixos num pedaço malenk de papel prateado de um pacote de câncer que estava no chão; não varriam assim tão horrorshow aquele mesto, irmãos. Aquele pedaço de prata começou a crescer, crescer, crescer e era tão brilhante e feroz que precisei apertar os glazis para enxergá-lo. Ficou tão grande que se tornou não só aquele cubículo inteiro mas todo o Korova, a rua inteira, toda a cidade. Então foi o mundo inteiro, e depois todo o tudo, irmãos, e foi como um mar que lavasse toda veshka que já fora feita ou sequer pensada. Eu podia tipo assim sluchar a mim mesmo fazendo um tipo especial de shom e govoretando slovos como "caros cactos mumificados, aglomerem coliformes multiformes" e aquela kal total. Então eu pude sentir a visão se chocando com aquela prata toda, e em seguida havia cores do tipo que ninguém jamais videara antes, e depois eu videei tipo assim um grupo de estátuas muito, muito distantes, que estavam sendo trazidas cada vez mais perto, todas iluminadas por uma luz muito brilhante que vinha ao mesmo tempo de cima e de baixo, Ó, meus irmãos. Aquele grupo de estátuas era de Deus ou Bog e todos os Seus Anjos e Santos, todos muito brilhantes como bronze, com barbas e asas bolshis grandes que se mexiam com uma espécie de vento, então elas não podiam mesmo ser de pedra ou bronze, e os olhos ou glazis meio que se moviam e estavam vivos. Aquelas figuras grandes bolshis chegavam cada vez mais perto até que iam me esmagar, e eu sluchei minha goloz fazendo "Aaaaah!" E senti que havia me livrado de tudo: platis, ploti, cérebro, imya, o diabo; e me sentia muito horrorshow, como no paraíso. Então ouvi o shom de coisas desmoronando e se esfacelando, e Bog e os Anjos e Santos tipo assim fizeram que não com as gúlivers para mim, como se fossem govoretar que não havia muito tempo, mas que eu devia tentar novamente, e então tudo meio que me olhou, smekou e desabou, e a luz grande e quente ficou tipo assim fria, e aí eu estava lá, como havia estado antes, o copo vazio em cima da mesa e eu querendo chorar e me sentindo como se a morte fosse a única resposta para tudo.

E foi isso, foi isso o que videei com muita clareza que era o que devia ser feito, mas como fazer eu não sabia ao certo, pois nunca havia pensado nisso antes, Ó, meus irmãos. Em meu saquinho de veshkas pessoais eu tinha minha britva degoladora, mas eu na hora me senti enjoado quando pensei em fazer suiiish em mim mesmo e no meu próprio króvi vermelho escorrendo. O que eu queria não era algo violento, mas algo que me fizesse simplesmente dormir com suavidade, e isso seria o fim de Vosso Humilde Narrador, sem causar mais problemas para ninguém nunca mais. Talvez, pensei, se eu itiasse até a Biblio Pública virando a esquina, pudesse encontrar algum livro sobre a melhor maneira de me matar sem dor. Pensei em mim mesmo morto e em como todo mundo iria lamentar, pê e eme e aquele tal do voni kali Joe que era tipo assim um usurpador, e também o Dr. Brodsky e o Dr. Branom e aquele Ministro do Interior Inferior e todos os outros veks. E o Governo voni presunçoso também. Então saí para o inverno lá fora, e era de tarde, quase duas horas, como dava pra videar do relógio bolshi do Centro, e então aquele negócio de eu ter ficado no outro mundo por causa do velho moloko-com devia ter durado mais do que eu pensava. Desci o Marghanita Boulevard e virei na Boothby Avenue, depois virei outra esquina, e lá estava a Biblio Pública.

Era um tipo starre e kali de mesto do qual eu não conseguia me lembrar de ter entrado desde que eu era um maltchik muito malenk, não tinha mais de seis anos de idade, e era dividida em duas partes: uma parte para pegar livros emprestados e outra para ler lá dentro, cheia de gazetas e revistas e tipo o von de velhos muito starres com seus plotis fedendo a velhice e pobreza. Estes estavam em pé nos estandes de gazetas espalhados por todo o salão, fungando, arrotando e govoretando uns com os outros e virando as páginas para ler as notícias muito tristemente, ou então estavam sentados às mesas olhando para as revistas ou fingindo que olhavam, uns deles dormindo e um ou dois até roncando muito gromki. Eu não conseguia me lembrar do que eu queria no começo, então me lembrei, um pouco chocado, de que eu havia itiado até ali para descobrir como me matar sem dor, então guliei até a estante cheia de veshkas de referência. Havia muitos livros, mas nenhum com um título, irmãos, que realmente servisse. Havia um livro médico que eu peguei, mas quando o abri, ele estava cheio de desenhos e fotografias de feridas e doenças terríveis, e isso me fez querer vomitar só um pouquinho. Então coloquei esse livro de volta e tirei o livro grande ou Bíblia, como era chamado, achando que me daria algum tipo assim de conforto, como fizera nos velhos tempos da Prestata (não tão velhos assim, na verdade, mas me parecia algo de muito, muito tempo atrás), e cambaleei até uma cadeira para ler. Mas tudo o que achei foi sobre castigar setenta vezes sete e um bocado de yahuds amaldiçoando e dando toltchoks uns nos outros, e isso também me fez querer vomitar. Então eu quase chorei, e um mudji muito starre e esfarrapado sentado à minha frente perguntou:

– O que foi, filho? Qual é o problema?

– Eu quero me matar – eu disse. – Cansei, foi isso. A vida ficou demais pra mim.

Um vek starre que estava lendo ao meu lado disse: – Shhh – sem levantar a cabeça de uma revista bizumni cheia de desenhos de veshkas geométricas bolshis. Isso me fez lembrar de alguma coisa. O outro mudji disse:

– Você é muito jovem para isso, filho. Ora, você tem tudo à sua frente.

– Sim – respondi, amargo. – Como um par de grudis falsos. – O vek leitor de revista disse – Shhh – mais uma vez, desta vez levantando a cabeça, e uma coisa se encaixou para nós dois. Eu videei quem era. Ele disse, muito gromki:

– Eu nunca me esqueço de uma forma, por Deus. Nunca me esqueço da forma de nada. Por Deus, seu suíno, agora eu te peguei. – Cristalografia, era isso. Era isso o que ele estava tirando da Biblio aquele dia. Dentes falsos esmagados muito horrorshow. Platis rasgadas. Seus livros rasgarazgados, todos sobre Cristalografia. Achei que era melhor sair dali muito skorre, irmãos. Mas aquele velho mudji starre estava em pé, krikando feito bizumni a todos os velhos tossidores starres nos estandes de gazetas que cercavam as paredes e para os que cochilavam sobre revistas nas mesas. – Nós o pegamos – krikou. – O jovem suíno maldito que arruinou os livros de Cristalografia, livros raros, livros que nunca mais serão conseguidos em lugar nenhum. – Isso teve um shom terrivelmente louco, como se aquele vekio estivesse realmente ruim da gúliver. – Um espécime premiado dos jovens covardes brutos – ele krikou. – Aqui, no meio de nós e em nossas mãos. Ele e seus amigos me bateram, me chutaram e me pisotearam. Arrancaram a minha roupa e meus dentes. Me mandaram aos pontapés para casa, tonto e nu. – Nem tudo aquilo era verdade, como vocês sabem, irmãos. Ele estava com as calças, não tinha ficado completamente nagoi.

Eu krikei de volta: – Isso foi há dois anos. Já fui castigado desde então. Aprendi a lição. Veja aí: minha foto está nos jornais.

– Castigo, hein? – disse um starre tipo assim ex-soldado. – Gente da sua laia devia ser exterminada. Assim como muitas pragas incômodas. Esse, sim, seria um castigo.

– Tudo bem, tudo bem – eu disse. – Todo mundo tem direito à sua opinião. Perdoem-me todos. Preciso ir agora. – E comecei a itiar para fora daquele mesto de velhos bizumnis. Aspirina, isso. Eu podia morrer com cem aspirinas. Aspirinas da boa e velha drogaria. Mas o vek da cristalografia krikou:

– Não deixem ele sair. Vamos todos ensinar a esse porco assassino o que é castigo. Peguem ele. – E, acreditem em mim, irmãos, ou façam a outra veshka, dois ou três velhinhos cambaleantes starres, com cerca de noventa anos cada, me agarraram com suas rukas velhas e trêmulas, e eu passei mal com o von da velhice e da doença que vinha desses mudjis quase mortos. O vek dos cristais estava em cima de mim agora, começando a me dar toltchoks fracos e malenks no litso, e eu tentava me desvencilhar e itiar pra fora, mas aquelas rukas starres que me seguravam eram mais fortes do que eu havia imaginado. Então outros veks starres vieram mancando dos estandes das gazetas para dar umazinha no Vosso Humilde Narrador. Eles krikavam veshkas como: – Matem, pisem, assassinem, chutem os dentes dele – e aquela kal total, e eu podia videar o que já era bastante óbvio. Era a velhice descontando na juventude, era o que isso era. Mas alguns deles estavam dizendo: – Coitado do Jack, quase foi morto, coitado do velho Jack, esse aí foi o suíno que fez isso – e por aí ia, como se tudo tivesse acontecido ontem. O que, para eles, suponho que era verdade. Havia agora um mar de velhos sujos, remelentos e vonis tentando me pegar com suas rukas fracas e unhas velhas; krikando e ofegando para mim, mas nosso drugui de cristal estava ali na frente, dando um toltchok atrás do outro. E eu não tinha coragem de fazer uma única veshka, Ó, meus irmãos, pois era melhor apanhar daquele jeito do que querer vomitar e sentir aquela dor horrível, mas claro que o fato de que havia violência acontecendo me fez sentir que o enjoo estava me olhando dali da esquina, para videar quando ia aparecer e estragar tudo.

Então um vek atendente apareceu, um vek mais novo, e ele krikou: – O que está havendo aqui? Parem já com isso. Esta é uma sala de leitura. – Mas ninguém deu a menor bola. Então o atendente disse: – Certo. Vou chamar a polícia. – Então eu krikei, e jamais pensei que faria isso em toda a minha jizna:

– Isso, isso, isso, faça isso, me proteja desses velhos malucos. – Reparei que o vek atendente não estava tão ansioso assim para se juntar à drata e me resgatar da fúria e da loucura das garras daqueles veks starres; ele foi logo para seu tipo assim escritório ou onde quer que o telefone estivesse. Agora aqueles velhos estavam ofegando muito, e eu senti que podia simplesmente dar um peteleco neles, e todos cairiam, mas eu simplesmente me deixei ser agarrado, com muita paciência, por aquelas rukas starres, meus glazis fechados, e senti os toltchoks fracos no meu litso, além de sluchar a respiração ofegante das velhas golozes krikando: – Seu porco, jovem assassino, arruaceiro, matem ele. – Então tomei um toltchok tão dolorido no nariz que eu disse para mim mesmo ao diabo ao diabo, e abri os glazis e comecei a lutar para me libertar, o que não foi difícil, irmãos, e me desprendi krikando até o tipo de corredor que havia fora da sala de leitura. Mas aqueles vingadores starres foram atrás de mim, ofegando como quem ia morrer, com suas garras animais todas tremendo para encostar em seu amigo e Humilde Narrador. Então fui derrubado e caí no chão e começaram a me chutar, aí sluchei golozes de veks jovens krikando: – Tudo bem, tudo bem, vamos parar com isso agora – e percebi que a polícia tinha chegado.

3

Eu estava tipo assim zonzo, Ó, meus irmãos, e não conseguia videar muito claramente, mas eu tinha certeza de que conhecia aqueles miliquinhas de algum mesto. O que havia me segurado, dizendo – pronto, pronto, pronto – logo na porta de entrada da Biblio Pública, aquele eu não conhecia, mas dava a impressão de que ele era novo demais para ser um roza. Mas os outros dois tinham costas que eu tinha certeza de já ter visto antes. Eles estavam batendo nos veks starres com uma grande bolshi alegria e júbilo, suishando com chicotes malenks, krikando: – Pronto, seus malandros. Isso deve ensinar vocês a pararem de fazer baderna e violar a Paz do Estado, seus vilões malvados. – Então eles levaram aqueles vingadores starres ofegantes e quase mortos de volta à sala de leitura, e depois voltaram, smekando com a diversão que tiveram, para me videar. O mais velho dos dois disse:

– Ora ora ora ora ora ora ora. Se não é o bom e velho Alex. Há quanto tempo não te videio, drugui. Como vai? – Eu estava tipo assim zonzo, o uniforme e o shlemi ou capacete dificultando bastante videar quem era, embora o litso e a goloz fossem familiares. Então olhei para o outro, e em relação a ele, com seu litso sorridente bizumni, não havia dúvida. Então, todo dormente e ficando mais dormente ainda, olhei de volta para o cara do ora ora ora. Esse era o então gordo velho Billyboy, meu velho inimigo. O outro era, claro, o Tosko, que costumava ser meu drugui e também inimigo do bode gordo e fedorento do Billyboy, mas era agora um miliquinha com uniforme e shlemi e chicote para manter a ordem. Eu disse:

– Ah, não.

– Ficou surpreso, hein? – e o bom e velho Tosko veio com a velha risada que eu lembrava tão horrorshow. – Houhouhou!

– Impossível – eu disse. – Não pode ser. Não acredito.

– Acredite nos seus bons e velhos glazis – sorriu o Billyboy. – Nada nesta mão, nada nesta outra. Não é mágica, drugui. Um emprego para dois que estão agora na idade de arrumar emprego. A polícia.

– Vocês são jovens demais – eu disse. – Jovens demais. Eles não pegam maltchiks da sua idade pra transformar em rozas.

– Éramos jovens – disse o velho miliquinha Tosko. Eu não conseguia aceitar isso, irmãos, não conseguia mesmo. – Nós éramos jovens, jovem drugui. E você sempre foi o mais jovem. E aqui estamos nós.

– Ainda não consigo acreditar – eu disse. Então o Billyboy, o Billyboy roza que eu não conseguia aceitar, disse para aquele jovem miliquinha que meio que me segurava e que eu não conhecia:

– Mais coisas boas seriam feitas, eu acho, Rex, se aplicássemos um pouco da velha sumária. Garotos nunca mudam, sempre foi assim. Não há necessidade de irmos à velha delegacia. Este aqui é cheio de velhos truques; nós lembramos bem disso, embora você, claro, não lembre. Ele atacou os velhos e indefesos, e eles retaliaram de modo adequado. Mas precisamos dizer o que pensamos em nome do Estado.

– O que é isso tudo? – perguntei, mal conseguindo acreditar nos meus okos. – Foram eles que me atacaram, irmãos. Vocês não estão do lado deles, não podem estar. Você não pode estar, Tosko. Foi um vek com quem filamos um dia, nos velhos tempos, tentando conseguir sua vingancinha malenk depois de tanto tempo.

– Tanto tempo, você tem razão – disse Tosko. – Não me lembro muito horrorshow desses tempos. E não me chame mais de Tosko. Me chame de policial.

– E chega também de tanta lembrança – Billyboy não parava de balançar a cabeça. Ele não estava mais tão gorducho como antigamente. – Maltchikzinhos safados com suas britvas degoladoras: eles devem ser mantidos no cabresto – e me pegaram com muita força e tipo assim me levaram para fora da Biblio. Havia um carro-patrulha miliquinha esperando do lado de fora, e esse vek que chamavam de Rex era o motorista. Eles me puseram no banco de trás daquele auto na base do toltchok, e não consegui deixar de sentir que era tudo realmente uma brincadeira, e que o Tosko dali a pouco ia tirar o shlem1 da gúliver e fazer huahuahua. Mas ele não fez isso. Tentando combater a tensão dentro de mim, eu disse:

– E o velho Pete, o que aconteceu com o bom e velho Pete? Foi triste saber do Georgie – eu disse. – Sluchei tudo o que aconteceu.

– Pete, ah, sim, o Pete – disse o Tosko. – Acho que me lembro assim do nome. – Pude videar que estávamos indo para fora da cidade. Eu perguntei:

– Pra onde vamos?

Billyboy se virou e disse: – Ainda está claro. Um pequeno passeio no campo, pelado por causa do inverno, mas solitário e adorável. Não é justo, nem sempre, que os plebeus da cidade fiquem videando muito a nossa punição sumária. As ruas devem ser mantidas limpas em mais de uma maneira. – E tornou a se virar para a frente.

– O que há? – perguntei. – Não estou entendendo. Os velhos tempos estão mortos e enterrados. Já fui punido pelo que fiz no passado. Fui curado.

– Isso foi lido para nós – disse o Tosko. – O Super leu tudo isso para nós. Ele disse que foi um jeito muito bom que eles deram.

– Leu pra você – eu disse, com um malenk de maldade. – Você ainda é muito tosco para ler sozinho, Ó, irmão?

– Ah, não – disse o Tosko, muito tipo assim gentil e meio que magoado. – Você não pode mais falar assim. Nunca mais, drugui. – E deu um bolshi toltchok bem no meu kluv, e o króvi vermelho--vermelho logo começou a fazer ping ping ping do nariz.

– Eu jamais deveria ter confiado em vocês – eu disse, amargo, limpando o króvi com a ruka. – Eu sempre estive odinoki.

– Aqui está bom – disse Billyboy. Agora estávamos no campo, e eram tudo árvores sem folhas e alguns gorjeios estranhos e distantes, e a distância havia tipo assim uma máquina de fazenda fazendo um shom assim zuinzuinzuin. Estava escurecendo, pois era o auge do inverno. Não havia plebeus por perto, nem animais. Só nós quatro. – Saia, Alex, meu garoto – disse o Tosko. – Só um malenk de sumária.

Durante tudo o que eles fizeram, aquele vek motorista ficou simplesmente sentado ao volante do auto, fumando um câncer, lendo um malenk de um livro. Ele acendeu a luz do auto para videar. Nem reparou no que Billyboy e o Tosko estavam fazendo ao Vosso Humilde Narrador. Não vou dizer o que eles fizeram, mas foi tudo tipo ofegando e batendo contra esse fundo de motores de fazenda zumbindo e o tuituitui nos galhos nagois. Dava pra videar um pouco de hálito de fumaça na luz do auto; o motorista virava as páginas com muita calma. E eles estavam em cima de mim esse tempo todo, Ó, meus irmãos. Então Billyboy ou o Tosko, não sei dizer qual, disse: – Acho que já chega, não é mesmo, drugui? – Então cada um me deu um último toltchok no litso e eu caí e fiquei simplesmente ali deitado na grama. Estava frio, mas eu não estava sentindo frio. Então eles limparam as rukas e colocaram de novo os shlemis e os casacos que haviam tirado, e aí voltaram para o auto. – Vamos voltar a te videar depois, Alex – disse Billyboy, e o Tosko simplesmente deu uma das suas velhas risadas palhaçais. O motorista terminou a página que estava lendo e pôs o livro de lado, então ligou o auto e partiram na direção da cidade, meu ex-drugui e meu ex-inimigo acenando. Mas eu simplesmente fiquei ali deitado, jogado e acabado.

Depois de um tempo, eu comecei a sentir muita dor, e aí a chuva começou, geladíssima. Eu não via nenhum plebeu por perto, nem luz de casa alguma. Para onde eu haveria de ir, eu que não tinha casa e nem muito cortador nos karmans? Chorei por mim mesmo, buábuábuá. Então me levantei e comecei a caminhar.

Lar, lar, lar, era o lar que eu queria, e foi para o LAR que eu fui, irmãos. Caminhei pela escuridão e segui não o caminho da cidade, mas o caminho de onde vinha o shom de uma máquina tipo assim de fazenda. Isso me levou até um tipo de vilarejo que eu achei que já tinha videado antes, mas talvez porque todos os vilarejos são parecidos, especialmente no escuro. Ali estavam casas e mais além um tipo assim de mesto de bebidas, e bem no final do vilarejo havia um chalé malenk totalmente odinoki, e dava pra videar o nome dele reluzindo no portão. Estava escrito LAR.

Eu estava completamente encharcado com aquela chuva gelada, de modo que minhas platis não estavam mais no auge da moda, mas muito miseráveis e tipo assim patéticas, e minha basta cabeleira era uma zona kali toda embaraçada espalhada por cima da minha gúliver, e eu tinha certeza de que havia cortes e escoriações em todo o meu litso, e dois dos meus zubis meio que balançaram frouxos quando os cutuquei com minha língua ou yazik. E eu estava todo doído no meu ploti e com muita sede, então eu ficava abrindo minha rot na chuva fria, e meu estômago grunhia grrrr o tempo todo, porque ele não tinha comido pishka nenhuma desde cedo, e mesmo assim não comeu muito depois, Ó, meus irmãos.

LAR, era o que dizia ali, e talvez houvesse algum vek para ajudar. Abri o portão e meio que deslizei caminho abaixo, a chuva tipo assim virando gelo, e então bati gentil e pateticamente na porta. Não apareceu nenhum vek, então bati um malenk mais alto e com um malenk mais de tempo, e então ouvi o shom de nogas indo até a porta. Então a porta se abriu e uma goloz masculina disse: – Sim, o que é?

– Ai – eu disse –, por favor, me ajude. Fui espancado pela polícia e abandonado para morrer na estrada. Ai, por favor me dê algo de beber e me deixe sentar perto do fogo, por favor, senhor.

Então a porta se abriu inteira, e eu pude videar uma luz tipo assim quente e uma lareira fazendo crepit crepit lá dentro. – Entre – disse aquele vek –, quem quer que você seja. Deus o ajude, pobre vítima, entre e vamos dar uma olhada em você. – Então eu tipo assim entrei cambaleando, e não era nenhum grande teatro que eu

estava fazendo não, irmãos. Eu realmente estava me sentindo acabado. Aquele vek gentil colocou as rukas em meus pletchos e me puxou
para dentro de um salão onde ficava a lareira, e é claro que percebi
na hora onde eu estava e por que a palavra LAR no portão me parecia
tão familiar. Eu olhei para aquele vek e ele olhou para mim de um jeito tipo assim gentil, e agora eu me lembrava bem dele. Claro que ele
não lembraria de mim, pois naqueles dias alegres e despreocupados
eu e aqueles que se diziam meus druguis fazíamos toda nossa bolshi
drata e filada e krastagem usando mascaretas que eram disfarces realmente horrorshow. Ele era um vek baixote de meia-idade, trinta,
quarenta, cinquenta, e usava otchkis. – Sente-se perto do fogo – ele
disse – e eu pegarei um pouco de whisky e água quente para você.
Nossa, nossa, nossa, alguém andou batendo *mesmo* em você. – E ele
deu uma olhada tipo assim carinhosa em minha gúliver e meu litso.

    – A polícia – eu disse. – Aquela polícia horrível e tenebrosa.

    – Outra vítima – ele disse, tipo assim suspirando. – Uma víti-
ma da era moderna. Vou pegar aquele whisky para você e depois vou
precisar limpar um pouco suas feridas. – E lá foi ele. Dei uma olhada
naquele salão malenk confortável. Era quase todo só de livros agora,
e uma lareira e duas poltronas, e dava pra videar de algum modo que
não havia mulher nenhuma morando ali. Sobre a mesa havia uma
máquina de escrever e muitos papéis empilhados, e me lembrei de
que aquele vek era escritor. *Laranja Mecânica,* era isso. Foi engraçado esse nome ficar na minha cabeça. Mas não podia rir, pois precisava de ajuda e gentileza agora. Aqueles horríveis bratchnis graznis
naquele terrível mesto branco haviam feito aquilo comigo, fazendo-
-me precisar de ajuda e gentileza agora e me forçando a querer dar
ajuda e gentileza também, se alguém aceitasse.

LARANJA MECÂNICA

– Prontinho – disse aquele vek ao retornar. Ele me deu um estimulante copo cheio e quente para pitar, o que fez com que eu me sentisse bem melhor, e aí ele limpou os cortes no meu litso. Então ele disse: – Você vai tomar um bom banho quente, vou prepará-lo para você, e depois poderá me contar tudo ao comer um bom jantar quentinho que vou preparar enquanto você toma banho. – Ó, meus irmãos, eu podia ter chorado com a bondade dele, e acho que ele deve ter videado as velhas lágrimas nos meus glazis, pois disse: – Calma, calma, calma – dando tapinhas no meu pletcho.

De qualquer maneira, subi e tomei um banho quente, e ele me levou pijamas e um camisolão para eu colocar, todo aquecido pelo fogo, e também um par muito gasto de tuflis. E agora, irmãos, embora eu estivesse sentindo dores por toda parte, senti que logo me sentiria muito melhor. Itiei para baixo e videei que na cozinha ele havia posto a mesa com garfos, facas e um belo e grande pedaço de klebi, e também uma garrafa de MOLHO PRIMA, e logo em seguida ele serviu um bom omelete de ovovos e lomtiks de presunto e salsichas estourando de tão gordinhas e canecas grandes bolshis de tchai com leite quente e doce. Foi bom ficar ali sentado no calorzinho, comendo, e descobri que estava com muita fome, de modo que depois do omelete eu precisei comer um lomtik atrás do outro de klebi com manteiga e geleia de morango tirada de um pote grande bolshi. – Muito melhor – eu disse. – Como poderei retribuir?

– Acho que sei quem você é – ele disse. – Se você for quem penso que é, então, meu amigo, você veio ao lugar certo. Não era sua a foto nos jornais esta manhã? Você é a pobre vítima daquela horrível técnica nova? Se for, então você foi enviado para cá pela Providência. Torturado na prisão, depois jogado fora para ser torturado

pela polícia. Meu coração está com você, pobre, pobre rapaz. – Irmãos, eu não conseguia pronunciar uma slovo, embora minha rot estivesse escancarada para responder às perguntas dele. – Você não é o primeiro a vir aqui em apuros – ele disse. – A polícia tem predileção em trazer suas vítimas à periferia deste vilarejo. Mas foi providencial que você, que também é outro tipo de vítima, tenha vindo para cá. Talvez, então, você tenha ouvido falar de mim?

Eu precisava tomar muito cuidado, irmãos. Disse: – Já ouvi falar de *Laranja Mecânica*. Não li, mas ouvi falar.

– Ah – ele disse, e seu litso brilhou como o sol em sua glória flamejante da manhã. – Agora me fale de você.

– Não há muito o que falar, senhor – eu disse, todo humilde. – Foi uma brincadeira infantil e idiota, os que se diziam meus amigos me convenceram ou até me forçaram a invadir a casa de uma ptitsa velha... uma senhora, quero dizer. Ninguém desejava fazer mal a ninguém. Infelizmente a senhora forçou seu bom e velho coração ao tentar me colocar para fora, embora eu estivesse pronto para sair por conta própria, e aí ela morreu. Fui acusado de ser a causa da morte dela. Então fui mandado para a prisão, senhor.

– Sim, sim, sim, continue.

– Então fui apanhado pelo Ministro do Inferior ou Interior para experimentarem essa tal veshka do Ludovico.

– Fale-me a respeito – ele disse, inclinando-se para a frente ansioso, os cotovelos do pulôver cheios de geleia de morango do prato que eu havia empurrado para o lado. Então eu contei tudo pra ele. Contei a coisa toda, tudo, meus irmãos. Ele estava muito ansioso para ouvir tudo, seus glazis tipo assim brilhando e seus gubers meio abertos, enquanto a gordura nos pratos ficava cada vez mais dura dura dura. Quando eu acabei, ele se levantou da mesa, balançando muito com a cabeça como quem diz sim e fazendo hum hum hum, apanhando os pratos e outras veshkas da mesa e levando elas para lavar na pia. Eu disse:

– Eu faço isso, senhor, com prazer.

– Descanse, descanse, pobre rapaz – ele disse, abrindo a torneira de modo que todo o vapor saiu arrotando. – Você pecou, suponho, mas seu castigo foi além de qualquer proporção. Eles transformaram você em alguma coisa que não um ser humano. Você não tem mais o poder de decisão. Você está comprometido com atos socialmente aceitáveis, uma maquininha capaz de fazer somente o bem. E vejo isso claramente: essa questão sobre os condicionamentos de marginais. Música e o ato sexual, literatura e arte, tudo agora deve ser uma fonte não de prazer, mas de dor.

– É isso mesmo, senhor – eu disse, fumando um dos cânceres com filtro de cortiça daquele homem gentil.

– Eles sempre vão longe demais – ele disse, secando um prato meio distraído. – Mas a intenção essencial é o verdadeiro pecado. Um homem que não pode escolher deixa de ser um homem.

– Foi isso o que o chapelão disse, senhor – disse eu. – O capelão da prisão, quero dizer.

– Ele disse isso mesmo? Claro que disse. Ele teria de dizer, não teria, sendo um cristão? Bem, agora então – ele disse, ainda enxugando o mesmo prato que estava enxugando há dez minutos. – Amanhã algumas pessoas virão aqui ver você. Acho que você pode ser usado, pobre garoto. Acho que você pode ajudar a desalojar esse governo superexigente. Transformar um jovem decente em uma coisa mecânica não deveria, certamente, ser encarado como triunfo para nenhum governo, a não ser aquele que se gabe de sua capacidade de repressão. – Ele ainda estava enxugando o mesmo prato. Eu disse:

– Cavalheiro, o senhor ainda está enxugando o mesmo prato, eu concordo com o senhor, senhor, sobre se gabar. Este governo parece se gabar muito mesmo.

– Ah – ele disse, tipo assim videando aquele prato pela primeira vez e depois o colocando de lado. – Ainda não estou muito bom – ele disse – com tarefas domésticas. Minha esposa costumava fazê-las e me deixar com minha escrita.

– Sua esposa, senhor? – perguntei. – Ela foi embora e deixou o senhor? – Eu queria realmente saber a respeito da esposa dele, pois me lembrava muito bem.

– Sim, me deixou – ele disse, com uma goloz tipo assim alta e amarga. – Sabe, ela morreu. Foi brutalmente estuprada e espancada. O choque foi grande demais. Foi aqui nesta casa – suas rukas tremiam, segurando um pano de prato – naquele quarto. Precisei ser muito forte para continuar vivendo aqui, mas ela teria desejado que eu continuase onde sua memória fragrante ainda permanece. Sim, sim, sim. Coitadinha. – Eu videava tudo com clareza, meus irmãos, o que havia acontecido naquela notchi distante, e videando a mim mesmo naquela ação, comecei a sentir que queria vomitar e a dor começou na minha gúliver. Aquele vek videou isso, pois meu litso parecia totalmente sem króvi vermelho-vermelho, muito pálido, e ele podia videar isso. – Vá para a cama agora – ele disse gentil. – Já arrumei o quarto de hóspedes. Pobre rapaz, você deve ter passado por momentos terríveis. Uma vítima da era moderna, exatamente como ela. Coitadinha.

5

Tive uma noite de sono muito horror-show, irmãos, sem nenhum sonho, e a manhã estava muito clara e tipo assim gelada, e havia o von muito agradável de café da manhã fritando lá embaixo. Levei um tempo para me lembrar onde estava, como sempre acontece, mas logo caí em mim e aí eu me senti tipo assim aquecido e protegido. Mas, deitado ali na cama, esperando ser chamado para descer e tomar o café, me ocorreu que eu deveria saber o nome daquele gentil vek protetor e tipo assim maternal, então passei um tempo procurando *Laranja Mecânica* com meus nogas nagois, e provavelmente o livro teria o imya dele, já que ele era o autor. Não havia nada no meu quarto a não ser uma cama, uma cadeira e uma lâmpada, então itiei até a porta seguinte e ali eu videei sua esposa na parede, uma foto bolshi gigante, então me senti um malenk mal me lembrando. Mas havia duas ou três prateleiras de livros ali também, e lá estava, como achei que estaria, um exemplar de *Laranja Mecânica*, e nas costas do livro, assim como na lombada, estava o imya do autor – F. Alexander. Meu Bom Bog, pensei, é outro Alex. Então folheei, em pé, metido no pijama dele e com os nogas de fora mas sem sentir sequer um malenk de frio, pois o chalé estava inteirinho aquecido, e eu não conseguia videar do que tratava o livro. Parecia escrito num estilo tipo assim bizumni, cheio de Ah e Oh e aquela kal total, mas o que parecia sair dali era que todos os plebeus hoje em dia estavam sendo transformados em máquinas e que na verdade eles eram – você, eu, ele e o cacete a quatro – mais como algo que cresce naturalmente, como uma fruta. F. Alexander parecia pensar que todos nós crescemos no que ele chamou de árvore-do-mundo no pomar-do-mundo que tipo assim Bog ou Deus plantou, e que estávamos ali porque Bog ou Deus precisava de nós para saciar seu amor sedento, ou uma kal dessas. Eu não gostei nem um pouco do shom disso, Ó, meus irmãos, e me perguntei o quão bizumni aquele F. Alexander realmente era, talvez tivesse ficado bizumni por causa do empacotamento de sua mulher. Mas aí ele me chamou para baixo com uma goloz tipo assim de vek saudável, cheia de alegria e amor e aquela kal total, então para baixo Vosso Humilde Narrador foi.

– Você dormiu bastante – ele disse, servindo ovos quentes e tirando uma torrada de pão preto da grelha. – Já são quase dez horas. Eu estou acordado há horas, trabalhando.

– Escrevendo outro livro, senhor? – perguntei.

– Não, não, agora não – ele disse, e nos sentamos bonitinhos e druguis para o velho crac crac crac de ovos e o crunch crunch crunch daquela torrada preta, um tchai com muito leite em grandes bolshis canecas matutinas. – Não, estive ao telefone com várias pessoas.

– Achei que o senhor não tinha telefone – eu disse, enfiando a colher no ovo, sem prestar atenção no que eu estava dizendo.

– Por quê? – ele perguntou, muito alerta, como um animal skorre com uma colher de ovo na ruka. – Por que você achou que eu não tinha telefone?

– Nada – eu disse – nada, nada. – E me perguntei, irmãos, o quanto ele se lembraria da primeira parte daquela notchi distante, eu aparecendo na porta com a velha história e pedindo para telefonar para o médico e ela dizendo "não temos telefone". Ele me smotou muito de perto, mas depois voltou a ser tipo assim gentil, animado, metendo a colher no velho ovovo. Mastigando, ele disse:

– Sim, liguei para várias pessoas que irão se interessar por seu caso. Sabe, você poderá ser uma arma muito potente para garantir que este atual governo mau e corrupto não volte nas próximas eleições. Sabe, aquilo de que o governo mais se gaba é a maneira pela qual lidou com o crime nesses últimos meses. – Ele olhou para mim muito de perto novamente por sobre seu ovo fumegante, e tornei a me perguntar se ele estava videando que papel eu havia desempenhado na jizna dele. Mas ele disse: – Recrutando jovens brutos para

LARANJA MECÂNICA

a polícia. Propondo técnicas de condicionamento debilitantes e que tiram a força de vontade. – Todas aquelas slovos compridas, irmãos, e um olhar tipo assim maluco ou bizumni em seus glazis. – Já vimos isso tudo antes – ele disse – em outros países. Estamos à beira do abismo. Sem que nos apercebamos, daqui a pouco teremos o aparato completo do totalitarismo. "Nossa, nossa, nossa", pensei, mandando ovo pra dentro e mastigando minha torrada. Eu disse:

– Onde é que eu entro nisso tudo, senhor?

– Você – ele disse, ainda com aquele olhar bizumni – é uma testemunha viva dessas propostas diabólicas. O povo, a gente comum precisa saber, precisa ver. – Ele se levantou da mesa do café e começou a andar de um lado para o outro na cozinha, da pia até a despensa, dizendo muito gromki: – Será que eles gostariam que seus filhos se tornassem o que você, pobre vítima, se tornou? Será que o próprio governo irá decidir agora o que não é crime e tirar a vida, a coragem e a vontade de quem achar por bem desagradar o governo? – Ele ficou mais quieto mas não voltou ao ovo. – Escrevi um artigo – ele disse. – Esta manhã, enquanto você dormia. Ele será publicado em um ou dois dias, junto com sua foto infeliz. Você deverá assiná-lo, rapaz, um registro do que lhe fizeram. – Eu disse:

– E o que o senhor ganha com tudo isso, senhor? Quero dizer, além da tia pecúnia que o senhor vai ganhar com o artigo, é assim que se diz? Quero dizer, por que o senhor está tão esquentado e macho contra esse governo, se posso perguntar?

Ele agarrou a borda da mesa e disse, rangendo os zubis, que estavam muito kalis e todos manchados com fumaça de câncer: – Alguns de nós têm de lutar. Existem grandes tradições de liberdade a defender. Não sou homem de partidos políticos. Onde vejo a infâmia, busco erradicá-la. Nomes de partidos nada significam. A tradição da liberdade significa tudo. As pessoas comuns deixarão isso passar, ah, sim. Elas venderão a liberdade por uma vida mais tranquila. É por isso que elas devem ser espicaçadas, *espicaçadas...* – e aqui, irmãos, ele pegou um garfo e o enfiou duas ou três razes na parede, fazendo com que ele se curvasse. Depois, jogou-o no chão. Com muita gentileza, ele disse: – Coma bem, pobre rapaz, pobre vítima do mundo moderno – e pude videar com muita clareza que ele estava perdendo a gúliver. – Coma, coma. Coma meu ovo também. – Mas eu disse:

– E o que é que eu ganho com isso? Ficarei curado do que sou agora? Será que vou conseguir sluchar a velha Sinfonia Coral sem ficar doente mais uma vez? Será que poderei viver uma jizna normal novamente? O que irá acontecer comigo, senhor?

Ele olhou para mim, irmãos, como se não tivesse pensado nisso antes e, de qualquer maneira, não importava, comparado com a Liberdade e aquela kal total, e ele tinha um ar de surpresa por eu ter dito o que disse, como se eu estivesse sendo egoísta por querer algo para mim mesmo. Então ele disse: – Ah, como eu disse, você é uma testemunha viva, pobre rapaz. Coma todo o seu café da manhã e depois venha ver o que escrevi, pois será publicado na *Trombeta Semanal* sob seu nome, sua vítima infeliz.

Bem, irmãos, o que ele havia escrito era um texto muito comprido e muito choroso, e enquanto eu o lia, sentia muita pena do pobre maltchik que govoretava sobre seu sofrimento e como o governo havia sugado sua força de vontade e como era dever de todos os plebeus não deixar um governo tão podre e maligno governá-los novamente, e então, claro, percebi que o pobre maltchik sofredor não era outro senão V.H.N. – Muito bem – eu disse. – Muito horrorshow. Escreveste bem, Ó, senhor. – E aí ele me olhou apertando bem os olhos e disse:

– O quê? – era como se ele não tivesse me ouvido antes.

– Ah, isso – eu disse – é o que chamamos de linguagem nadsat. Todos os adolescentes usam isso, senhor. – Então ele itiou até a cozinha para lavar os pratos, e fiquei ali, vestindo aquelas platis e tuflis noturnas, esperando que acontecesse comigo o que quer que fosse acontecer comigo, pois eu não tinha planos para mim, Ó, irmãos.

Enquanto o grande F. Alexander estava na cozinha, um dlemdlemdlém tocou na porta. – Ah – ele krikou, saindo de lá e enxugando as rukas –, são essas pessoas. Eu vou lá. – Então ele foi e os deixou entrar no hall, uma espécie de hahaha murmurante de conversas e oi e que porcaria de tempo e como vão as coisas, então eles itiaram até a sala com a lareira e o livro e o artigo sobre como eu havia sofrido, me videando e fazendo "Aaaah" quando me viam. Eram três plebeus, e F. Alex me disse os imyas deles. Z. Dolin era um tipo de vek que fazia muito barulho e fumaça, tossindo kof kof kof com a ponta de um câncer na rot, espalhando cinza nas platis e depois limpando-as com rukas tipo assim muito impacientes. Ele era um vek malenk redondo, gordo, com grandes otchkis de aro grosso. Tinha também um tal de não sei quê Rubinstein, um tchelovek muito alto e educado com a goloz de um verdadeiro cavalheiro, muito starre e com uma barba meio oval. E por último havia o D. B. da Silva, que era tipo assim skorre de movimentos e tinha um von forte de perfume. Todos me deram uma olhada muito horrorshow e pareceram embevecidos com o que haviam videado. Z. Dolin disse:

– Ok, ok, hein? Que instrumento magnífico ele pode ser, este rapaz. Claro que era preferível que ele parecesse ainda mais doente e zumbificado do que parece agora. Tudo pela causa. Sem dúvida podemos pensar em algo.

Não gostei do comentário sobre zumbificação, irmãos, e então eu disse: – O que é que está havendo, bratis? O que tendes vós em mente para vosso pequeno drugui? – E então F. Alexander entrou rápido com:

– Estranho, estranho, essa maneira de falar me instiga. Já nos conhecemos antes, tenho certeza. – E ele ficou ali matutando, tipo assim com a testa franzida. Eu tinha que tomar mais cuidado com isso, Ó, meus irmãos. D. B. da Silva disse:

– Manifestações públicas, em sua maior parte. Exibir você em manifestações públicas será de tremenda ajuda. E, claro, a questão do jornal já está toda acertada. Uma vida arruinada será a abordagem. Precisamos inflamar todos os corações. – Ele mostrou seus trinta e tantos zubis, muito brancos contra seu litso meio escuro, ele parecia um malenk com um estrangeiro. Eu disse:

– Ninguém vai me dizer o que eu ganho com tudo isso. Torturado na prisão, jogado para fora de minha casa por meus próprios pais e seu inquilino sujo e poderoso, surrado por velhos e quase morto pelos miliquinhas: o que será de mim? – O vek Rubinstein saiu-se com esta:

– Você verá, rapaz, que o Partido não será ingrato. Ah, não. No fim de tudo, haverá uma surpresinha bastante aceitável para você. Espere e verá.

– Só tem uma veshka que eu exijo – krikei logo. – E é ser normal e saudável como eu era em starres eras, me divertindo um malenk com druguis *de verdade*, e não aqueles que se diziam isso mas, na verdade, eram mais tipo assim traidores. Vocês podem fazer isso, hein? Será que algum vek poderá fazer com que eu volte a ser o que eu era antes? É isso o que eu quero e é isso o que eu quero saber.

Kof kof kof, tossiu aquele Z. Dolin. – Um mártir da causa da liberdade – ele disse. – Você tem seu papel a desempenhar e não se esqueça disso. Enquanto isso, vamos cuidar de você. – E começou a acariciar minha ruka esquerda como se eu fosse um idiota, sorrindo de maneira bizumni. Eu krikei:

– Parem de me tratar feito uma coisa que é só pra ser usada. Não sou um idiota sobre o qual vocês possam se impor, seus bratchnis estúpidos. Prestupniks comuns são idiotas, mas eu não sou comum nem sou tosco. Estão me sluchando?

– Tosco – disse F. Alexander, como que devaneando. – Tosco. Já ouvi esse nome. Tosco.

– Hein? – perguntei. – O que é que o Tosko tem a ver com isso? O que é que *você* está sabendo sobre o Tosko? – E então eu disse: – Ai, Bog nos ajude. – Eu não estava gostando do olhar nos glazis de F. Alexander. Fui até a porta; queria subir, colocar minhas platis e sair dali.

– Eu podia jurar – disse F. Alexander, mostrando os zubis manchados, os glazis loucos. – Mas essas coisas são impossíveis. Pois, por Cristo, se fosse ele eu o rasgaria. Eu o arrebentaria, por Deus, sim, sim, era isso que eu faria.

– Calma – disse D. B. da Silva, massageando seu peito para acalmá-lo, como se ele fosse um cãozinho. – Isso ficou para trás. Aconteceu com outras pessoas. Precisamos ajudar esta pobre vítima. É isso o que precisamos fazer agora, lembrando do futuro e de nossa Causa.

– Eu só vou pegar minhas platis – disse, ao pé da escada. – Isso quer dizer roupas, e depois vou itiar odinoki. Quero dizer, meus agradecimentos por tudo, mas tenho que viver minha própria jizna. – Porque, irmãos, eu queria sair dali muito skorre. Mas Z. Dolin disse:

– Ah, não. Nós estamos com você, amigo, e com você vamos ficar. Você virá conosco. Tudo vai ficar bem, você vai ver só. – E ele veio na minha direção, tipo assim para pegar na minha ruka novamente. Então, irmãos, eu pensei em lutar, mas pensar em lutar fez com que eu quisesse desmaiar e vomitar, então simplesmente fiquei ali parado em pé. E aí eu vi aquela tipo assim loucura nos glazis de F. Alexander e disse:

– O que vocês quiserem. Estou em suas rukas. Mas vamos logo começar e acabar com isso, irmãos. – Porque o que eu queria agora era sair daquele mesto chamado LAR. Eu estava começando a não gostar do olhar nos glazis de F. Alexander nem um malenk.

– Ótimo – disse esse Rubinstein. – Vista-se e vamos começar.

– Tosco, tosco, tosco – F. Alexander continuava a dizer meio que murmurando. – Quem ou o que era esse tosco? – Itiei para cima muito skorre e me vesti em quase dois segundos. Então saí com aqueles três e entrei num auto, Rubinstein de um lado e Z. Dolin fazendo kof kof kof do outro, D. B. da Silva dirigindo, até a cidade e um flatbloco que não ficava realmente assim tão distante do que costumava ser meu próprio flatbloco ou casa. – Vamos, rapaz, pra fora – disse Z. Dolin, tossindo para fazer a ponta de câncer em sua rot brilhar vermelha como uma fornalha malenk. – É aqui que você ficará instalado. – Então itiamos pra dentro, e havia outra daquelas veshkas de Dignidade no Trabalho na parede do vestíbulo, e nós subimos no elevador, irmãos, e fomos até um apartamento igual a todos os apartamentos de todos os flatblocos da cidade. Muito, muito malenk, com dois quartos e uma sala de estar-jantar-trabalhar, com uma mesa toda coberta de livros, papéis, tinta, garrafas, aquela kal total. – Esta é a sua nova casa disse D. B. da Silva. – Acomode-se aqui, rapaz. Tem comida no armário da cozinha. Pijamas, na gaveta. Descansa, descansa, espírito perturbado.

– Hein? – eu disse, sem ponear aquilo direito.

– Tudo bem – disse Rubinstein, com sua goloz starre. – Vamos deixar você agora. Temos trabalho a fazer. Estaremos com você mais tarde. Ocupe seu tempo da melhor forma possível.

– Só uma coisa – tossiu Z. Dolin kof kof kof. – Você viu o que aconteceu com a memória torturada de nosso amigo F. Alexander. Teria sido, por acaso...? Quero dizer, será que não foi você quem...? Acho que você entende o que quero dizer. Não vamos deixar isso prosseguir.

– Eu já paguei – eu disse. – Bog sabe que paguei pelo que fiz. Não paguei só por mim, mas também por aqueles bratchnis que se diziam meus druguis. – Senti-me violento, e então me senti um pouco enjoado. – Vou me deitar um pouco – eu disse. – Passei por momentos terríveis, terríveis.

– Passou mesmo – disse D. B. da Silva, mostrando todos os seus trinta zubis. – Faça isso.

Então eles me deixaram, irmãos. Itiaram para cuidar da vida, o que achei que tinha a ver com política e aquela kal total, e eu estava na cama, totalmente odinoki com tudo muito, muito quieto. Eu simplesmente fiquei ali depois de tirar os sabogas dos nogas e afrouxar a gravata, tipo assim todo surpreso e sem saber que tipo de jizna eu iria levar agora. E todas aquelas tipo assim imagens ficavam passando pela minha gúliver, dos diferentes tcheloveks que eu havia conhecido na escola e na Prestata, e nas diferentes veshkas que me aconteceram, e como não havia um vek em que se pudesse confiar em todo o mundo bolshi. E então eu tipo assim peguei no sono, irmãos.

Quando acordei, podia sluchar música vindo da parede, muito gromki, e foi isso o que havia me tirado do meu pouco de sono de verdade. Era uma sinfonia que eu conhecia muito horrorshow, mas não sluchava há muitos anos, a saber, a Sinfonia Número Três do vek dinamarquês Otto Skadelig, uma peça muito gromki e violenta, especialmente no primeiro movimento, que era o que estava tocando agora. Sluchei por dois segundos, tipo assim com interesse e alegria, mas aí tudo me bateu, o começo da dor e o mal-estar, e comecei a grunhir no fundo das minhas kishkas. E lá estava eu, eu que tanto amara a música, me arrastando para fora da cama e fazendo aiaiai, e depois poupoupou porrando a parede e krikando: – Pare, pare, pare, desligue isso! – Mas a música continuava, e parecia ainda mais alta. Então bati na parede até os nós dos dedos ficarem todos vermelhos-vermelhos de króvi e pele lacerada, krikando sem parar, mas a música não parava. Então pensei que precisava fugir, então me esgueirei para fora do quarto malenk e itiei skorre até a porta da frente do apartamento, mas ela tinha sido trancada por fora e eu não podia sair. E o tempo todo a música ficava cada vez mais gromki, como se fosse uma tortura deliberada, Ó, meus irmãos. Então enfiei meus dedinhos muito fundo nos meus okos, mas os trombones e os tímpanos irrompiam gromkis demais. Então tornei a krikar para que eles parassem e fui martela-martelamartela na parede, mas não fez um malenk de diferença. – Ai, o que é que eu vou fazer? – buabuei pra mim mesmo. – Ai, Bog no Céu, me ajuda. – Eu estava tipo assim perambulando por todo o apartamento morto de dor e de mal-estar, tentando isolar a música e tipo assim grunhindo no fundo das minhas tripas, e depois no topo da pilha de livros, papéis e aquela kal total que estava em cima da mesa da sala de estar videei o que tinha de fazer e o que eu tinha querido fazer até que aqueles velhos na Biblio Pública e depois o Tosko e o Billyboy disfarçados de rozas me impedissem, e isso era me matar, me empacotar, vestir o paletó de madeira e sair para sempre deste mundo louco e cruel. O que eu videei foi a slovo MORTE na capa de um tipo assim panfleto, muito embora fosse apenas MORTE AO GOVERNO. E como se fosse o Destino, havia outro livreto malenk que tinha uma janela aberta na capa, e dizia: "Abra a janela e deixe entrar o ar fresco, ideias frescas, um novo modo de viver". Então percebi que era como se ele estivesse me dizendo para terminar com tudo pulando dali. Um momento de dor, talvez, e depois dormir para sempre, sempre, sempre.

A música ainda se derramava em metais, tambores e violinos a quilômetros de altura através da parede. A janela do quarto onde eu havia me deitado estava aberta. Itiei até lá e videei uma bela queda até os autos e ônibus e tcheloveks que caminhavam lá embaixo. Krikei para o mundo: – Adeus, adeus, que Bog os perdoe por uma vida arruinada. – Então subi no alpendre, a música estourando à minha esquerda, fechei os glazis e senti o vento frio no litso, então pulei.

Eu pulei, Ó, meus irmãos, e caí com força na calçada, mas não morri, ah, não. Se eu tivesse morrido, não estaria aqui para escrever o que escrevi. Parece que o pulo não foi de uma altura suficientemente grande para matar. Mas quebrei as costas, os pulsos e os nogas e senti uma dor muito bolshi antes de desmaiar, irmãos, com litsos espantados e surpresos de tcheloveks nas ruas olhando de cima

LARANJA MECÂNICA

para mim. E logo antes de desmaiar, videei com clareza que nenhum tchelovek em todo este terrível mundo estava do meu lado, e que aquela música através da parede havia sido tipo assim colocada de propósito por aqueles que supostamente seriam meus novos druguis, e que era exatamente essa veshka que eles queriam para sua horrível política egoísta e presunçosa. Tudo isso foi em tipo assim um bilionésimo de minueto, antes de eu abandonar o mundo, o céu e os litsos dos tcheloveks acima de mim que me encaravam.

Onde eu estava quando voltei à jizna após um longo, sombrio, sombrio intervalo que podia ter sido de um milhão de anos era um hospital, todo branco e com aquele von de hospitais que você conhece, todo tipo assim ácido, vistoso e limpo. Essas veshkas antissépticas que você vê em hospitais deveriam ter um von horrorshow mesmo de tipo assim cebolas fritas ou de flores. Eu voltei muito devagar à noção de quem eu era e estava todo atado de branco e não conseguia sentir nada no ploti, nem dor nem sensação nem veshka nenhuma. Minha gúliver estava toda envolta com uma atadura e havia pedacinhos de coisas tipo assim enfiadas em meu litso, e minhas rukas estavam todas com ataduras e tipo assim pedaços de pau estavam meio que fixados aos meus dedos como se fossem flores para crescer sem entortar, e meus pobres e velhos nogas estavam todos endireitados também, e tudo eram ataduras, tipoias e no meu ruka direito, perto do pletcho, havia króvi vermelho-vermelho pingando de um pote de cabeça pra baixo. Mas eu não conseguia sentir nada, Ó, meus irmãos. Havia uma enfermeira sentada ao pé da minha cama e ela estava lendo algum livro com uma impressão tipo assim muito tosca e dava pra videar que era uma história porque tinha um monte de travessões e ela estava respirando tipo assim ahn, então devia ser uma história sobre o bom e velho entra-sai-entra-sai. Aquela enfermeira era uma devotchka muito horrorshow, com uma rot muito vermelha e cílios tipo assim compridos sobre os glazis, e embaixo do uniforme muito engomado dela dava pra videar que ela tinha grudis muito horrorshow. Então eu disse pra ela: – O que é que há, Ó, minha irmãzinha? Vinde e tende uma bela deitada com seu malenk drugui nesta cama. – Mas as slovos não saíam horrorshow, era como se minha rot estivesse toda travada, e dava pra sentir com a minha yazik que alguns dos meus zubis não estavam mais lá. Mas aquela enfermeira deu tipo assim um pulo, deixou o livro cair no chão e disse:

– Nossa, você recuperou a consciência.

Eram muitas palavras para uma ptitsa malenk como ela, e tentei dizer isso, mas as slovos saíam apenas tipo ar ar ar. Ela itiou pra fora dali e me deixou odinoki, e agora eu podia videar que estava em um quarto malenk só meu, não numa daquelas alas compridas como as que eu estive quando era um maltchikzinho, cheia de veks starres moribundos tossindo para fazer você querer se sentir bem e saudável novamente. Eu tinha tido tipo assim difteria na época, Ó, meus irmãos.

Era agora como se eu não pudesse suportar estar consciente por tanto tempo seguido, porque eu tipo assim adormeci novamente quase no mesmo instante, muito skorre, mas num ou dois minuetos eu tive certeza de que aquela ptitsa enfermeira havia voltado e trazido tcheloveks de jalecos brancos com ela e eles estavam me videando, franzindo muito as testas e fazendo hum hum hum para Vosso Humilde Narrador. E com eles eu tinha certeza de que estava o velho chapelão da Prestata govoretando:

– Ó, meu filho, meu filho –, exalando tipo assim um von muito podre de whisky para mim e dizendo em seguida: – Mas eu não fiquei
lá, não senhor. Não poderia em sã consciência assinar embaixo do
que esses bratchnis irão fazer a outros pobres prestupniks. Então
saí de lá e agora estou pregando sermões sobre isso tudo, meu pequeno e amado filho em J. C.

Acordei de novo mais tarde, e quem é que eu videio ali, ao redor da cama, se não os três de cujo apartamento eu havia pulado,
a saber D. B. da Silva e o tal de não sei quê Rubinstein e Z. Dolin.
– Amigo – um desses veks dizia, mas eu não conseguia videar, ou
sluchar horrorshow qual deles –, amigo, amiguinho – aquela goloz
dizia –, as pessoas estão inflamadas de tanta indignação. Você matou as chances de reeleição daqueles horríveis vilões presunçosos.
Eles cairão e cairão para todo o sempre. Você serviu bem à causa da
Liberdade. – Tentei dizer:

– Se eu tivesse morrido, teria sido ainda melhor para vocês,
bratchnis políticos, não teria? Druguis fingidos e traiçoeiros que vocês são. – Mas tudo o que saiu foi ar ar ar. Então vi que um daqueles
três estava segurando um monte de pedacinhos recortados de gazetas e o que eu pude videar era uma foto minha horrível sendo carregado todo cheio de króvi em uma maca, e parece que eu me lembro
de uma espécie de luzes piscando que devem ter sido veks fotógrafos. Pelo canto de um dos glazis eu podia ler tipo assim manchetes
que meio que tremiam na ruka do tchelovek que as segurava, como
RAPAZ VÍTIMA DE ESQUEMA DE REFORMA CRIMINAL E GO-
VERNO ASSASSINO e havia uma foto de um vek que me parecia familiar e dizia FORA FORA FORA, e esse seria o Ministro do Inferior
ou Interior. Então a ptitsa enfermeira disse:

LARANJA MECÂNICA

– Vocês não deviam excitá-lo tanto assim. Não deviam estar fazendo nada que o aborreça. Agora vamos, vamos todos nos retirar. – Eu tentei dizer:

– Fora fora fora – mas o que saiu foi ar ar ar novamente. De qualquer maneira, aqueles três veks políticos saíram. E eu também saí, só que de volta para outro mundo, de volta para toda a escuridão iluminada por tipo assim sonhos estranhos que eu não sabia se eram sonhos ou não, Ó, meus irmãos. Como, por exemplo, eu tinha a impressão de que todo o meu ploti ou corpo estava esvaziando tipo assim de água suja e depois enchendo de novo com água limpa. Aí tive sonhos muito adoráveis e horrorshow em que eu estava no auto de um vek que foi krastado por mim, e dirigindo para cima e para baixo pelo mundo completamente odinoki, atropelando plebeus e ouvindo eles krikarem que estavam morrendo, e em mim nem dor nem mal--estar. E também havia sonhos em que eu estava fazendo o bom e velho entra-sai-entra-sai com devotchkas, forçando-as no chão e fazendo elas tomarem dentro e todo mundo em pé ao redor aplaudindo com as rukas e gritando feito bizumnis. E então eu acordei de novo e eram meu pê e minha eme que tinham ido videar seu filho doente, minha eme buabuando muito horrorshow. Eu conseguia govoretar muito melhor agora, e pude dizer:

– Ora ora ora ora ora, o que é que há? O que faz vocês acharem que são bem-vindos? – Meu papapa disse, tipo assim envergonhado:

– Você saiu nos jornais, filho. Disseram que lhe fizeram um grande mal. Disseram como o governo levou você a tentar se matar. E também foi nossa culpa de certa forma, filho. Afinal, sua casa é sua casa, filho. – E minha mama continuava no buábuá e com uma cara feia como o diabo. Então eu disse:

– E como está vosso novo filho Joe? Torço e rezo para que esteja bem, saudável e próspero. – Minha mama disse:

– Ai, Alex, Alex. Aiiiiiii. – Meu papapa disse:

– Uma coisa muito estranha, filho. Ele se meteu em um probleminha com a polícia e foi preso.

– Mesmo? – perguntei. – Mesmo? Mas um tipo tão bom de tchelovek, coisa e tal. Estou chocado, com toda a honestidade.

– Ele estava cuidando da própria vida – disse meu pê. – E a polícia mandou ele circular. Ele estava esperando numa esquina, filho, para ver uma garota com quem iria se encontrar. E então eles lhe disseram para circular e ele disse que tinha direitos como todo mundo, e então eles meio que caíram assim em cima dele e o espancaram com crueldade.

– Que terrível – eu disse. – Terrível mesmo. E onde está o coitado agora?

– Aaaaaaai – minha mama buabuou. – Voltooooou, aaaaaaiii.

– Sim – disse papai. – Ele voltou para sua própria cidade natal para se recuperar. Tiveram que dar o emprego dele aqui para outra pessoa.

– Então agora – eu disse – vocês estão querendo que eu volte e as coisas serão como eram antes.

– Sim, filho – disse meu papapa. – Por favor, filho.

– Vou pensar no assunto – eu disse. – Vou pensar com muita calma.

– Aaaai – continuou minha mama.

– Ah, cala a boca – eu disse – ou vou lhe dar motivos pra você uivar e krikar. Vou chutar seus zubis. – E, Ó, meus irmãos, dizer aquilo me fez sentir um malenk melhor, como se tipo assim um króvi vermelho-vermelho fresco estivesse fluindo por todo o meu ploti. Isso era algo em que eu tinha que pensar. Era como se para ficar melhor eu tivesse que ficar pior.

– Isso não é jeito de falar com sua mãe, filho – disse meu papapa. – Afinal, foi ela quem colocou você no mundo.

– Sim – eu disse. – E um mundo muito grazni e voni, por sinal. – Fechei os glazis com força como se sentisse dor e disse: – Vão embora já. Vou pensar se volto ou não. Mas as coisas vão ter que ser muito diferentes.

– Sim, filho – disse meu pê. – O que você quiser.

– Vocês vão ter que decidir – eu disse – quem vai ser o chefe.

– Aaaaii – continuou minha mama.

– Está ótimo, filho – disse meu papapa. – As coisas serão como você quiser. É só você melhorar.

Quando eles foram embora, eu me deitei e fiquei pensando um pouquinho em veshkas diferentes, como todas as imagens diferentes que passavam pela minha gúliver, e quando a enfermeira ptitsa voltou e tipo assim endireitou os lençóis na cama eu disse pra ela:

– Há quanto tempo eu estou aqui dentro?

– Mais ou menos uma semana – ela disse.

– E o que fizeram comigo?

– Bom – ela disse. – Você estava todo quebrado, cheio de escoriações, sofreu uma concussão grave e tinha perdido um bocado de sangue. Eles tinham que consertar isso tudo, não tinham?

– Mas – eu disse – alguém andou fazendo alguma coisa com a minha gúliver? O que eu estou querendo saber é: eles mexeram tipo assim dentro do meu cérebro?

– Seja o que for que eles tenham feito – ela disse –, tudo será para o seu bem.

Mas uns dois dias depois, uns dois tipo assim veks doutores entraram, ambos veks novinhos e com uns sorrisos muito sladkis, e eles carregavam tipo assim um álbum de fotos. Um deles disse:

– Queremos que você dê uma olhada nelas e nos diga o que pensa quando as vê. Tudo bem?

– Como ides vós, Ó, pequenos druguis? – perguntei. – Mas que nova ideia bizumni tendes em vossas cabeças? – Então os dois smekaram meio envergonhados e se sentaram um em cada lado da cama e abriram aquele álbum. Na primeira página havia uma fotografia de um ninho de passarinho cheio de ovos.

– Sim? – um dos veks médicos perguntou.

– Um ninho de passarinho – eu disse. – Cheio de ovinhos. Muito bonitinho.

– E o que você gostaria de fazer? – o outro perguntou.

– Ah – eu disse. – Esmagá-los. Pegar esses ovos todos e tipo assim atirá-los contra uma parede ou encosta ou alguma coisa assim e depois videá-los todos se quebrarem muito horrorshow.

– Ótimo, ótimo – disseram ambos, e viraram a página. Era tipo assim uma foto de um daqueles grandes bolshis pássaros chamados pavões, com a sua cauda toda aberta com todas as cores de forma muito presunçosa. – Sim? – perguntou um daqueles veks.

– Eu gostaria – disse – de arrancar todas aquelas penas da cauda e sluchá-lo morrer de tanto gritar. Pra deixar de ser assim tão exibido.

– Ótimo – ambos disseram. – Ótimo ótimo ótimo. – E continuaram virando as páginas. Eram tipo assim fotos de devotchkas muito horrorshow, e eu disse que gostaria de dar a elas o bom e velho entra-sai-entra-sai com muita ultraviolência. Havia tipo assim fotos de tcheloveks recebendo a bota direto no litso e o króvi vermelho-vermelho por toda parte e eu disse que gostaria de estar ali no meio. E havia uma foto do velho drugui nagoi da Bíblia carregando sua cruz morro acima, e eu disse que gostaria de estar com o martelo e os bons e velhos pregos. Ótimo ótimo ótimo, eu disse:

– O que é isso tudo?

– Hipnopedia profunda – ou outra slovo parecida, disse um daqueles dois veks. – Você parece estar curado.

– Curado? – perguntei. – Eu amarrado nesta cama assim e você ainda diz que estou curado. Chupe meu shako, é o que eu digo.

– Espere – disse o outro. – Agora não vai demorar muito.

Então esperei e, Ó, meus irmãos, eu me senti muito melhor, mastigando ovovos e lomtiks de torrada e pitando canecas grandes bolshis de tchai com leite, e então um dia eles disseram que eu ia ter um visitante muito muito muito especial.

– Quem? – perguntei, enquanto eles endireitavam a cama e penteavam minha basta cabeleira para mim. Eu estava agora sem a atadura da gúliver, e o cabelo tinha crescido novamente.

– Você vai ver, você vai ver – eles disseram. E eu videei mesmo. Às duas e meia da tarde ali estava tudo cheio de fotógrafos e homens de gazetas com lápis e blocos de notas, aquela kal total. E, irmãos, eles quase trombetearam uma bolshi fanfarra para aquele grande e importante vek que estava vindo para videar Vosso Humilde Narrador. E ele entrou, e claro que não era outro senão o Ministro do Interior ou Inferior, vestido no auge da moda e com aquela goloz risonha muito classe alta. Flash flash bang, fizeram as câmeras quando ele estendeu a ruka para que eu a apertasse. Eu disse:

– Ora, ora, ora, ora, ora. O que há, hein, bom e velho drugui? – Parece que ninguém poneou isso, mas alguém disse em uma goloz tipo assim severa:

– Tenha mais respeito, rapaz, ao falar com o Ministro.

– Yarblis – eu disse, resfolegando como um cãozinho. – Yarblokos grandes bolshis para ti e os teus.

– Tudo bem, tudo bem – disse o Interior Inferior muito skorre. – Ele se dirige a mim como a um amigo, certo, filho?

– Eu sou amigo de todos – disse eu. – Exceto de meus inimigos.

– E quem são seus inimigos? – perguntou o Ministro, enquanto todos os veks das gazetas faziam escreve-escreve-escreve. – Diga para nós, meu garoto.

– Todos os que fazem mal a mim – disse eu – são meus inimigos.

– Bem – disse o Min Int Inf, sentando-se na minha cama. – Eu e o Governo do qual sou membro queremos que você nos considere amigos. Sim, amigos. Nós consertamos você, certo? Você está recebendo o melhor tratamento. Nunca lhe desejamos mal, mas há alguns que queriam e querem isso. E acho que você sabe quem são eles.

– Todos os que me fazem mal são meus inimigos – disse eu.

– Sim, sim, sim – ele disse. – Existem certos homens que queriam usar você, sim, usar você com fins políticos. Eles ficariam felizes, sim, felizes se você morresse, pois eles achavam que poderiam colocar toda a culpa no governo. Acho que você sabe quem são esses homens.

– Eu não gostava da aparência deles –falei.

– Existe um homem – disse o Minintinf – chamado F. Alexander, escritor de literatura subversiva, que andou por aí clamando por seu sangue. Ele está louco de desejo de enfiar uma faca em você. Mas você está a salvo dele agora. Nós o afastamos.

– Ele deveria ser meu drugui – eu disse. – Era como uma mãe pra mim, era o que ele era.

– Ele descobriu que você agira mal contra ele. Pelo menos – disse o Min muito muito skorre – ele acreditava que você agira mal contra ele. Ele formou essa ideia na cabeça de que você havia sido o responsável pela morte de alguém próximo e querido para ele.

– O que você quer dizer – eu disse – é que disseram isso a ele.

– Nós também pensamos isso – disse o Min. – Ele era uma ameaça. Nós o afastamos para a própria proteção dele. E também – ele disse – para a sua própria.

– Gentil – eu disse. – Mui gentil de vossa parte.

– Quando sair daqui – disse o Min – você não terá com o que se preocupar. Nós vamos cuidar de tudo. Um bom trabalho com um bom salário. Porque você está nos ajudando.

– Estou? – perguntei.

– Nós sempre ajudamos nossos amigos, não ajudamos? – E aí ele pegou minha ruka e um vek krikou: – Sorriam! – e eu sorri feito bizumni sem pensar, e aí flash flash crac flash bang fotos sendo tiradas de mim e o Minintinf juntos muito druguis. – Bom garoto – disse aquele grande tchelovek. – Bom garoto. E agora, um presente para você.

O que me levaram ali agora, meus irmãos, era uma caixa grande e brilhante, e eu videei claramente que tipo de veshka era. Era um aparelho de som estéreo. Ele foi colocado ao lado da cama, e um vek plugou sua tomada na parede. – O que vai ser? – perguntou um vek com otchkis no nariz, e tinha em suas rukas adoráveis discos brilhantes cheios de música. – Mozart? Beethoven? Schön-berg? Carl Orff?

– A Nona – eu disse. – A gloriosa Nona.

E a Nona foi, Ó, meus irmãos. Todos começaram a sair bo-nitinhos, sem fazer barulho, enquanto eu ficava ali deitado com os glazis fechados, sluchando aquela música adorável. O Min disse: – Bom garoto – me dando tapinhas no pletcho, então itiou para fora. Só havia ficado um vek, que disse: – Assine aqui, por favor. – Abri os glazis para assinar, sem saber o que eu estava assinando e também, Ó, meus irmãos, não dando a mínima para isso. Então me deixaram sozinho com a gloriosa Nona de Ludwig van.

Ah, era linda e nham nhami. Quando chegou ao Scherzo eu conseguia me videar claramente correndo e correndo com nogas muito leves e sorrateiros, esculpindo o litso inteiro do mundo que krikava com minha britva degoladora. E então o movimento lento e o adorável último movimento cantado ainda por vir. Eu estava realmente curado.

7

– Então, o que é que vai ser, hein? Éramos eu, Vosso Humilde Narrador, e meus três druguis, ou seja, Len, Rick e o Touro, Touro por causa de seu pescoção bolshi e uma goloz muito gromki que parecia um touro grande bolshi fazendo muuuuuu. Estávamos sentados no Lactobar Korova botando nossas rassudoks pra funcionar e ver o que fazer naquela noite de inverno sem-vergonha, fria, escura e miserável, embora seca. Ao redor, tcheloveks bem mergulhados em leite com velocet, sintemesc, drencrom ou alguma outra veshka que leva você pra muito muito muito longe deste mundo cruel e real para videar Bog e Todos os Seus Anjos e Santos no seu saboga esquerdo com luzes espocando por cima da sua mosga. O que nós estávamos pitando era o bom e velho leite com faca dentro, como a gente costumava dizer, e isso te aguçava e te deixava pronto para um vinte-contra-um do cacete, mas isso tudo eu já contei a vocês antes.

Nós estávamos vestidos no auge da moda, o que naqueles dias era vestir essas calças muito largas e um tipo assim casaco de couro preto brilhante muito folgado por cima de uma camiseta com a gola aberta e um tipo assim cachecol enfiado dentro. Naquele tempo também era o auge da moda aplicar a velha britva na gúliver, de forma que a maior parte da gúliver era tipo assim careca e só havia cabelo nas laterais. Mas nos bons e velhos nogas o negócio ainda era o mesmo: botas grandes bolshis horrorshow, ideais para chutar litsos.

– Então, o que é que vai ser, hein?

Eu era tipo assim o mais velho de nós quatro, e todos olhavam para mim como seu líder, mas às vezes me dava a impressão de que o Touro tinha na gúliver o pensamento de que gostaria de assumir o controle, isso por causa de seu tamanho grande e da goloz gromki que ele emitia quando berrava indo pro combate. Mas todas as ideias vinham de Vosso Humilde, Ó, meus irmãos, e também tinha aquela veshka que eu havia ficado famoso e tinha minha foto e artigos e aquela kal total nas gazetas. Eu também tinha de longe o melhor emprego de nós quatro, trabalhando no Arquivo Nacional de Gramodiscos na parte de música com um karman muito horrorshow cheinho de tia pecúnia no fim da semana e muitos belos discos grátis para meu próprio malenk eu de lambuja.

Naquela noite no Korova havia um bom número de veks, ptitsas, devotchkas e maltchiks smekando e pitando, e se você apurasse o ouvido, por baixo da govoretagem deles e do borbulhar dos que estavam no outro mundo com seu "Gluglu falatu e o verme spreia na lua cheia" e aquela kal total, você podia sluchar um popdisc no estéreo, sendo dessa vez Ned Achimota cantando "Naquele Dia, É, Naquele Dia". No balcão estavam três devotchkas vestidas no auge da moda nadsat, isto é, cabelos compridos e despenteados tingidos de branco e grudis falsos de um metro ou mais e minissaias muito, muito justas com tipo assim branco rendado por baixo, e o Touro não parava de dizer: – Ei, nós três podíamos ir lá. O bom c velho Len não está interessado. Vamos deixar o Len sozinho com seu Deus. – E Len não parava de dizer: – Yarblis yarblis. Cadê o espírito de um por todos e todos por um, hein, rapaz? – Subitamente eu me senti muito, muito cansado, e ao mesmo tempo formigando, cheio de energia, e disse:

– Fora fora fora fora.

– Pra onde? – perguntou Rick, que tinha o litso igual ao de um sapo.

– Ah, só pra videar o que está rolando no grande lá fora – eu disse. Mas de algum modo, meus irmãos, eu me sentia muito entediado e um pouco sem esperanças, e eu andava me sentindo muito assim naqueles dias. Então me virei para o tchelovek mais próximo de mim no grande banco de pelúcia que percorria as paredes do mesto inteiro, um tchelovek, isto é, que estava borbulhando alterado, e eu o soquei muito skorre ak ak ak na barriga. Mas ele nada sentiu, irmãos, só ficou borbulhando com seu "Cartarte virtude, onde nas caudalontras estão as popi-pipocas?" Então nós saímos para a grande notchi de inverno.

Descemos o Marghanita Boulevard e não havia nenhum miliquinha patrulhando aquele caminho, então quando encontramos um vek starre saindo de uma banca de jornais onde kupetava uma gazeta, eu disse ao Touro: – Ok, Touro, podeis fazê-lo como gostais. – Cada vez mais naqueles dias eu apenas dava as ordens e recuava para vê-los levando essas ordens a cabo. Então o Touro o socou ar ar ar, e os outros dois o derrubaram e chutaram, smekando muito, enquanto ele estava caído e depois o deixaram se arrastar até onde ele morava, tipo assim ganindo para si mesmo. O Touro disse:

– Que tal um bom e saboroso copo de alguma coisa pra afastar o frio, Ó, Alex? – Pois não estávamos muito longe do Duque de Nova York. Os outros dois assentiram sim sim sim mas todos olharam para mim para videar se estava tudo bem. Eu também assenti e para lá itiamos. Lá dentro havia aquelas ptitsas ou esticas ou babushkas starres de que você irá se lembrar no começo, e todas elas começaram com seu – Boa noite, rapazes, Deus os abençoe, garotos, são os melhores rapazes que existem, é isso o que vocês são – esperando que nós disséssemos: – O que vai ser, garotas? – Touro tocou a kolokol e um garçom entrou esfregando as rukas no seu avental gordurado. – Cortador em cima da mesa, druguis – disse o Touro, puxando suas próprias pratinhas e tilintando seu monte de denji. – Escoceses pra nós e o mesmo para as velhas babushkas, hein? – E aí eu disse:

– Ah, pro inferno. Elas que comprem o delas. – Eu não sabia o que era, mas naqueles últimos dias eu havia ficado tipo assim mesquinho. Na minha gúliver havia entrado um tipo assim desejo de guardar toda a minha tia pecúnia para mim mesmo, tipo assim para acumulá-la por algum motivo. O Touro disse:

– O que há, brati? O que está se passando com o velho Alex?

– Ah, pro inferno – eu disse. – Não sei. Sei lá. Só não gosto de jogar fora a tia pecúnia que recebi com sacrifício do meu trabalho, é isso.

– Recebeu? – disse Rick. – Recebeu? Ela não tem que ser recebida, como tu bem o sabes, velho drugui. Tomada, é isso, simplesmente tomada, tipo assim. – E smekou muito gromki e eu videei que um ou dois de seus zubis não estavam assim tão horrorshow.

– Ah – eu disse. – Preciso pensar um pouco. – Mas videando aquelas babushkas parecendo todas ansiosas por um pouco de álcool grátis, eu tipo assim dei de pletchos e puxei meu próprio cortador do karman das minhas calças, notas e moedas todas misturadas, e joguei tudo clinc clinc em cima da mesa.

– Escoceses para todos, ok – disse o garçom. Mas por algum motivo eu disse:

– Não, rapaz, para mim uma cerveja pequena, ok? – Len disse:

– Não estou entendendo isso – e começou a colocar sua ruka na minha gúliver, como se brincando que eu tivesse febre, mas eu tipo assim rosnei feito cachorro para ele desistir skorre. – Tudo bem, tudo bem, drugui – ele disse. – Como quiserdes. – Mas o Touro estava smekando com a rot aberta de algo que havia saído do meu karman junto com a tia pecúnia que eu havia colocado em cima da mesa. Ele disse:

– Ora, ora, ora. E a gente nunca soube.

– Me devolva isso – rosnei e agarrei skorre. Eu não conseguia explicar como aquilo havia parado lá, irmãos, mas era uma fotografia que eu havia tesourado da velha gazeta e era de um bebê. Era de um bebê fazendo gugugu com tipo assim moloko escorrendo da rot e olhando para cima tipo smekando para todo mundo, e estava todo nagoi e sua carne estava cheia de dobrinhas porque era um bebê muito gordinho. Aí houve tipo assim uma luta meio hahaha para pegar esse pedaço de papel, então precisei rosnar de novo para eles e agarrei a foto e a rasguei em pedacinhos e a deixei cair como um pouco de neve no chão. Então chegou o whisky e as babushkas starres disseram: – Muita saúde, rapazes. Deus abençoe vocês, garotos, os melhores garotos que existem, é o que vocês são – e aquela kal total. E uma delas, que era toda rugas e marcas e sem nenhum zubi na rot velha e murcha disse: – Não rasgue dinheiro, filho. Se não precisa dele, dê – o que era muito corajoso e ousado da parte dela. Mas Rick disse:

– Não era dinheiro, Ó, babushka. Era uma foto de um bebezinho pequenininho e fofinho. – Eu disse:

– Estou ficando cansado, se quiserdes saber. São vocês os bebês, sua cambada. Ficam aí dando risadinhas, sacaneando, e tudo o que sabem fazer é smekar e dar nas pessoas toltchoks bolshis e covardes quando elas não podem revidar.

O Touro falou:

– Ora, ora, nós sempre achamos que você era o rei dessas coisas e também o professor. Tu não estás bem, é esse o teu problema, bom e velho drugui.

Eu videei aquele copo vagabundo de cerveja que eu tinha à minha frente na mesa e me senti tipo assim todo vomitoso por dentro, então fiz – aaaaah – e derramei toda aquela kal voni espumante no chão. Uma das ptitsas starres disse:

– Não desperdice. – Eu disse:

– Olhem, druguis. Escutem. Hoje eu não estou assim muito bem. Não sei como nem por que, só sei que estou assim. Vocês três sigam seus caminhos na noite, e me deixem fora. Amanhã nos encontraremos no mesmo local, na mesma hora, pois espero estar bem melhor.

– Ah – disse o Touro – lamento. – Mas dava para videar um tipo assim de brilho nos glazis dele, pois agora ele assumiria o comando naquela notchi. Poder, poder, todo mundo quer poder. – Podemos adiar para amanhã – disse o Touro – o que em mente tínhamos. A saber, uma pequena krastagem em uma loja na Gagarin Street. Posses muito horrorshow a serem adquiridas ali, drugui, para a pilhagem.

– Não – disse eu. – Nada adieis. Continuem em seu próprio estilo. Agora – eu disse – eu itiarei para fora. – E me levantei da cadeira.

– Para onde, então? – perguntou Rick.

– Isso não sei – eu disse. – Simplesmente ficarei só e pensarei nas coisas. – Dava pra videar que as velhas babushkas ficaram realmente intrigadas comigo saindo tipo assim todo rabugento, e não o maltchikvik radiante e smekante do qual você se lembra. Mas eu disse: – Ah, pro inferno, pro inferno – e me arranquei totalmente odinoki para a rua.

Estava escuro e havia um vento cortante como uma noja se elevando, e havia muito, muito poucos plebeus por ali. Havia uns carros-patrulha com rozas brutais dentro deles, tipo assim passeando, e de vez em quando na esquina dava pra videar uma dupla de miliquinhas muito jovens batendo os pés para aquecê-los do frio miserável e soltando vapor pela boca no ar de inverno, Ó, meus

LARANJA MECÂNICA

irmãos. Suponho mesmo que muita da ultraviolência e krastagem estava morrendo agora, pois os rozas eram muito brutais com quem eles pegavam, embora isso tivesse se tornado tipo assim uma luta entre nadsats safados e os rozas que conseguiam ser mais skorres com a noja e britva e o cassetete e até mesmo com a arma de fogo. Mas o que acontecia comigo naqueles dias era que eu não estava ligando muito para tudo isso. Era como se alguma coisa mole estivesse entrando dentro de mim e eu não conseguisse ponear por quê. O que eu queria naqueles dias, eu não sabia. Até mesmo a música que eu gostava de sluchar no meu próprio antro malenk era do tipo que antes teria me feito smekar, irmãos. Eu estava sluchando mais tipo assim canções um malenk românticas, que eles chamavam de *Lieder*, apenas uma goloz e um piano, muito baixinho e tipo assim nostálgicas, diferentes de quando tudo eram bolshis orquestras e eu deitado na cama entre os violinos, trombones e tímpanos. Alguma coisa estava acontecendo dentro de mim, e eu não sabia se era doença ou se aquilo que haviam feito comigo estava perturbando minha gúliver e quem sabe me tornado bizumni de verdade.

Então, pensando assim, com a gúliver abaixada e minhas rukas enfiadas nos karmans das calças, eu caminhei pela cidade, irmãos, e finalmente comecei a me sentir muito cansado e também com grande necessidade de uma bela e bolshi chasha de tchai com leite. Ao pensar nesse tchai, tive uma súbita imagem de mim mesmo sentado em frente a uma bolshi lareira em uma poltrona pitando aquele tchai, e o que era engraçado e muito muito estranho era que parecia que eu havia me transformado num tchelovek muito starre, com cerca de setenta anos de idade, porque eu podia videar meu próprio voloz, que estava muito grisalho, e eu também tinha suíças, e elas também eram muito grisalhas. Eu podia me videar como um velho, sentado perto de uma lareira, e aí a imagem desapareceu. Mas ficou tipo assim muito estranho.

Cheguei a um desses mestos de chá e café, irmãos, e pude videar através da janela comprida comprida que ele estava cheio de plebeus muito chatos, tipo assim comuns, que tinham uns litsos muito pacientes e sem expressão e não fariam mal a ninguém, todos sentados ali e govoretando baixinho e pitando bonitinho e inofensivos seus tchais e cafés. Itiei para dentro e fui até o balcão e comprei um bom e quente tchai com muito moloko, então itiei até uma daquelas mesas e me sentei para pitá-lo. Havia um casal tipo assim jovem nessa mesa, pitando e fumando cânceres com filtro, e govoretando e smekando muito discretamente um para o outro, mas não prestei muita atenção neles e simplesmente continuei pitando e tipo assim sonhando e imaginando o que era exatamente que estava mudando em mim e o que iria me acontecer. Mas videei que a devotchka naquela mesa que estava com aquele tchelovek era muito horrorshow, não do tipo que você quer jogar no chão e aplicar o bom e velho entra-sai-entra-sai, mas com um ploti e um litso horrorshow e uma rot sorridente e um voloz muito muito louro, aquela kal total. E aí o vek que estava com ela, que tinha um chapéu na gúliver e tinha o litso tipo assim virado para o outro lado, girou para videar o bolshi grande relógio que tinha na parede daquele mesto, e então videei quem ele era e então ele videou quem eu era. Era Pete, um dos meus três druguis daqueles dias em que éramos Georgie, Tosko, ele e eu. Era o Pete tipo assim parecendo bem mais velho, embora não pudesse ter mais de dezenove anos agora, e tinha um bigodinho e um terno tradicional e um chapéu. Eu disse:

LARANJA MECÂNICA

– Ora, ora, ora, drugui, o que é que há? Há muito, muito tempo não te videio. – Ele disse:

– É o pequeno Alex, não é?

– E nenhum outro – eu disse. – Muito muito muito tempo se passou desde aqueles bons e mortos dias. E o pobre Georgie, me contaram, está a sete palmos e o bom e velho Tosko é um miliquinha brutal, e eis-te aqui e eis-me aqui, e que novas me trazes, velho drugui?

– Ele fala gozado, não fala? – perguntou aquela devotchka, tipo assim dando risadinhas.

– Este – disse Pete para a devotchka – é um velho amigo. O nome dele é Alex. Posso – ele disse para mim – apresentar minha esposa?

Então minha rot se escancarou. – Esposa? – Tipo assim me engasguei. – Esposa esposa esposa? Ah, não, não pode ser. És muito jovem para se casar, velho drugui. Impossível impossível.

Essa devotchka que era tipo assim esposa de Pete (impossível impossível) deu outra risadinha e perguntou ao Pete: – Você também costumava falar assim?

– Bem – disse Pete, e tipo assim deu um sorriso. – Tenho quase vinte anos. Sou velho o bastante para me casar, e já faz quase dois meses. Você era muito jovem e muito ousado, lembra?

– Bem – eu ainda estava com a rot escancarada. – Não consigo acreditar nisso, velho drugui. Pete casado. Ora ora ora.

– Temos um pequeno apartamento – disse Pete. – Estou ganhando um salário pequeno na Companhia Estatal de Seguros Marítimos, mas as coisas vão melhorar, tenho certeza. E a Georgina aqui...

– Que nome é esse? – perguntei, a rot ainda aberta como se eu fosse bizumni. A esposa de Pete (esposa, irmãos) tipo assim tornou a dar risadinhas.

– Georgina – disse Pete. – Georgina também trabalha. Datilografia, sabe? Nós vamos levando, vamos levando. – Eu não conseguia, irmãos, tirar os glazis dele, sério. Ele estava tipo assim crescido agora, com uma goloz de crescido e tudo. – Você precisa – disse Pete – vir nos ver um dia desses. Você ainda – ele disse – parece muito jovem, apesar de todas as suas terríveis experiências. Sim, sim, sim, nós lemos tudo a respeito. Mas, claro, você ainda é *de fato* muito jovem.

– Dezoito – eu disse. – Acabei de completar.

– Dezoito, hein? Tão velho assim? Ora, ora, ora. Agora – ele disse – precisamos ir. – E ele deu a essa sua Georgina um olhar tipo assim amoroso e apertou uma das rukas dela entre as dele e ela lhe deu um desses olhares de volta, Ó, meus irmãos. – Sim – disse Pete, virando-se para mim. – Vamos a uma festinha na casa do Greg.

– Greg? – perguntei.

– Ah, é claro – disse Pete. – Você não conhece o Greg, conhece? O Greg foi depois do seu tempo. Enquanto você esteve fora, Greg apareceu. Ele dá festinhas, sabe? Basicamente vinho e brincadeiras de palavras. Mas muito bacana, muito agradável, sabe? Inofensivo, se entende o que digo.

– Sim – eu disse. – Inofensivo. Sim, sim, videio isso muito horrorshow. – E aquela devotchka Georgina tornou a rir de minhas slovos. E então aqueles dois itiaram para suas brincadeiras de palavras vonis na casa daquele Greg, quem quer que ele fosse. Eu fiquei odinoki com meu tchai com leite, que agora estava ficando frio, tipo assim pensando e imaginando.

Talvez fosse isso, eu continuava pensando. Talvez eu estivesse ficando velho demais para o tipo de jizna que eu levava, irmãos.

Eu tinha dezoito agora, recém-completados. Dezoito não era uma idade jovem. Aos dezoito anos, Wolfgang Amadeus havia escrito concertos, sinfonias, óperas, oratórios, aquela kal total, não, kal não, música celestial. E também havia o velho Felix M. com sua Abertura *Sonho de uma Noite de Verão*. E havia outros. E havia aquele poeta francês musicado pelo velho Benjy Britt, que havia feito toda a sua melhor poesia aos quinze anos, Ó, meus irmãos. Arthur, era seu primeiro nome. Portanto, dezoito não era uma idade assim tão jovem. Mas o que é que eu ia fazer?

Caminhando pelas miseráveis ruas geladas e escuras de inverno depois de itiar para fora daquele mesto de tchai e café, eu continuei videando tipo assim visões, como aqueles cartuns nas gazetas. Havia Vosso Humilde Narrador Alex voltando para casa do trabalho para um bom e quente prato de jantar, e lá estava aquela ptitsa toda hospitaleira e carinhosa. Mas eu não conseguia videá-la assim tão horrorshow, irmãos, eu não conseguia pensar em quem poderia ser ela. Mas tive uma impressão súbita e muito forte de que se eu entrasse no quarto ao lado daquele aposento onde o fogo queimava na lareira e meu jantar quente estava esperando sobre a mesa, ali eu deveria encontrar o que eu realmente queria, e agora tudo se encaixava, aquela foto tesourada da gazeta e encontrar o velho Pete assim. Pois naquele outro quarto, sobre uma caminha, estava deitado gorgolejando gugugu meu filho. Sim sim sim, irmãos, meu filho. E agora eu sentia aquele grande bolshi vazio dentro do meu ploti, sentindo-me muito surpreso também comigo mesmo. Eu sabia o que estava acontecendo, Ó, meus irmãos. Eu estava tipo assim crescendo.

Sim sim sim, era isso. A juventude precisa acabar, ah sim.

Mas a juventude é apenas quando nos comportamos tipo assim como os animais. Não, não é bem tipo assim ser um animal, mas ser um daqueles brinquedos malenks que você videia sendo vendidos nas ruas, como pequenos tcheloveks feitos de lata e com uma mola dentro e uma chave de corda do lado de fora e você dá corda nele e grrr grrr grrr e ele vai itiando, tipo assim andando, Ó, meus irmãos. Mas ele itia numa linha reta e bate direto em coisas bang bang e não pode evitar o que está fazendo. Ser jovem é como ser uma dessas máquinas malenks.

Meu filho, meu filho. Quando eu tivesse meu filho, eu iria explicar tudo isso a ele quando ele fosse starre o bastante para tipo assim compreender. Mas aí eu sabia que ele não compreenderia ou não iria querer compreender tudo e faria todas as veshkas que eu fiz, sim, talvez até mesmo matando alguma pobre forela starre cercada de kots e koshkas miantes, e eu não seria capaz de impedi-lo. E nem ele seria capaz de deter seu próprio filho, irmãos. E assim isso itiaria até tipo assim o fim do mundo, sem parar sem parar sem parar, como um tchelovek bolshi gigante, como o velho Bog em pessoa (por cortesia do Lactobar Korova), girando e girando e girando uma laranja voni grazni em suas rukas gigantescas.

Mas, antes de tudo, irmãos, havia essa veshka de achar uma devotchka que fosse uma mãe para esse filho. Eu teria de começar isso amanhã, eu não parava de pensar. Isso era tipo assim uma coisa nova a se fazer. Era uma coisa que eu teria de começar a fazer, tipo assim o começo de um novo capítulo.

É isso o que vai ser então, irmãos, quando chego ao fim desta história. Vocês estiveram por toda parte com seu jovem drugui Alex, sofrendo com ele, e videaram alguns dos bratchnis mais graznis que o velho Bog já fez, todos em cima do seu velho drugui Alex. E tudo isso era porque eu era jovem. Mas agora, quando termino esta história, irmãos, não sou jovem, não mais, ah, não. Alex tipo assim cresceu, ah, sim.

Mas para onde itiarei agora, Ó, meus irmãos, itiarei odinoki, onde vocês não podem ir. Amanhã tudo será tipo assim flores de perfume doce e a terra voni girando e as estrelas e a velha Luna lá em cima e seu velho drugui Alex totalmente odinoki, procurando tipo assim uma parceira. E aquela kal total. Este mundo é mesmo muito terrível grazni voni, Ó, meus irmãos. E, portanto, de vosso pequeno drugui, recebam um adeus. E a todos os outros nesta história, profundos shoms de música labial prrrrrr. E eles podem muito bem chupar o meu shako. Mas vós, Ó, meus irmãos, lembrai-vos de quando em vez deste que era vosso pequeno Alex. Amém. E aquela kal total.

Etchingham, Sussex
Agosto, 1961

GLOSSÁRIO NADSAT

aforar	tirar (do bolso)
babushka	velha
banda	gangue
bitva	luta, batalha
bizumni	louco
bog	Deus
bolnói	doente
bolshi	grande
bratchni	miserável, filho da puta
brati	irmão
britva	navalha
brosatar	jogar, atirar
bruko	barriga, estômago
buabuar	chorar
bugati	rico
cabelagem	corte de cabelo
camburoza	camburão
câncer	cigarro
categutes	estômago, tripas
chapelão	capelão (igreja)
chasha	xícara
chasso	guarda, carcereiro
chudesni	maravilhoso
cine-cínico	cinema
correntar	bater com a corrente
cortador	dinheiro
decreps	decrépitos
ded	velho
denji	dinheiro

LARANJA MECÂNICA

GLOSSÁRIO

desculpaculpas	desculpas
devotchka	garota
discbutique	loja de discos
dobi	bom
domi	casa
dorogoi	valioso
dratar	brigar
drencrom	droga alucinógena
drugui	amigo
duk	sombra
dva	dois
eme	mãe
escolacola	escola
estica	mulher
fakia	fatia
filar	brincar
flatblocos	prédios de conjuntos habitacionais
forela	otária
geleialeca	geleia
glazi	olho
glupi	burro, imbecil
goli	unidade monetária
goloz	voz
gordurado	engordurado
gorlo	garganta
govoretar	falar, conversar
grazni	sujo
gromki	alto
grudis	seios

grupa	gangue
guber	lábio
guliar	caminhar
gúliver	cabeça
horrorshow	ótimo, excelente, legal
ialpi	boca
igra	jogo
imya	nome
interessovatar	interessar
itiar	ir, andar, acontecer
jina	mulher, esposa
jizna	vida
joelhar	ajoelhar
kal	merda
kali	esmerdeado, cheio de merda
kantora	escritório
karman	bolso
kartofel	batata
kishka	intestino, tripa
klebi	pão
klutch	chave
kluv	bico
kolokol	sineta, campainha
kopatar	compreender
koshka	gato (genérico)
kot gato	(macho)
krastar	roubar
krikar	gritar
króvi	sangue

279

LARANJA MECÂNICA

kupetar	comprar
litso	rosto
lomtik	fatia
lovetar	capturar, prender
lubilubilando	fazendo sexo
machucaboys	leões de chácara
malenk	pequeno, pouco
maltchik / maltchikvik	garoto
mascamascar	mascar
mascareta	pequenas máscaras
maslo	manteiga
mastiguete	comida
merzki	sujo, nojento
messel	pensamento, impressão
mesto	lugar
miliquinha	policial
minueto	minuto
molodoi	jovem, novo
moloko	leite
morda	focinho
mosga	cabeça, cérebro
mudji	homem
nachinar	começar, iniciar
nadmeni	arrogante
nadsat	adolescente
nagoi	nu
naz	idiota
nijnis	calcinhas

GLOSSÁRIO

noga	pé ou perna (dependendo do contexto)
noja	canivete, navalha
nopka	botão
notchi	noite
nukar	cheirar
odin	um
odinoki	sozinho
okna	janela
oko	orelha, ouvido
otchkis	óculos
ouro-de-fogo	cerveja
ovovo	ovo
pê	pai
pianitza	bêbado
pishka	comida
piskpiscar	piscar
pitar	beber
platchar	chorar
platis	roupas
pleni	presidiário
plesk	chapinhar, chafurdar
pletchos	ombros
ploti	corpo
podushka	travesseiro
pol	sexo
polezni	útil
policlave	chave-mestra, gazua
ponear	entender

LARANJA MECÂNICA

prestupnik	criminoso
privodetar	levar (para algum lugar)
prodar	produzir
ptitsa	garota
pugli	apavorado
pushka	arma
radóstia	alegria
rascar	cantar com voz rouca
rasgarazgar	rasgar
rassudok	cabeça, mente
raz	vez
razdraz	irritado
razkaz	história
robotar	trabalhar
rot	boca
roza	policial
ruka	mão ou braço (dependendo do contexto)
saboga	sapato
sakar	açúcar
sameadura	generosidade
sarki	sarcástico
shaika	gangue
shako	saco
shesta	cancela
shia	pescoço
shilarnia	preocupação
shina	mulher
shlaga	cassetete

GLOSSÁRIO

shlapa	chapéu
shlemi	capacete
shom	som
shut	bobo
sintemesc	droga alucinógena
skazatar	dizer
skivatar	tomar algo de alguém
skorre	rápido, depressa
skotina	fera
sladki	doce
slovo	palavra
sluchar	escutar
sluchatar	acontecer
smekar	sorrir, gargalhar
smotar	olhar
sniti	sonho
sobiratar	pegar
sofistis	sofisticadas
soviete	conselho
spatchkar	dormir
spugui	aterrorizado
starre	velho, velha
strak	horror, horrível
subalvek	subalterno
suishar	zunir
sumka	mulher (pejorativo)
talya	cintura
tashtuk	lenço
tass	xícara

LARANJA MECÂNICA

tchai	chá
tchelovek	sujeito
tchepuka	bobagem
tchestar	lavar
tia pecúnia	dinheiro
toltchok	golpe, porrada
tri	três
tuflis	pantufas, chinelos
ubivatar	matar
uishar	zunir
ujasni	horrível
uji	corrente
ukadetar	ir embora
umni	esperto, inteligente
usushar	secar
varetar	aprontar alguma
vek	sujeito
vekio	velho
velocet	droga alucinógena
veshka	coisa
videar	observar
vino	vinho
vinte-contra-um	estupro coletivo
voloz	cabelos
von	cheiro, fedor
voni	fedido
vreditar	machucar
yahuds	judeus
yama	ânus

GLOSSÁRIO

yarbli / yarbloko	testículo
yazik	língua
yekatar	dirigir
zamechati	notável
zasnutar	dormir, cochilar
zubis	dentes
zvonoka	campainha (de porta)
zvuk	som, ruído

EXTRAS

NOTAS

Notas escritas por Andrew Biswell, diretor da Fundação Internacional Anthony Burgess, para a edição restaurada de *Laranja mecânica*, publicada pela Heinemann em 2012.

Página 46: Berti Laski: Melvyn Laski foi, ao lado de Frank Kermode e do poeta Stephen Spender, coeditor da revista literária *Encounter*. Porém, é mais provável que seja uma alusão a Marghanita Laski (1915-1988), romancista e dramaturga de Manchester, Inglaterra. Ela forneceu mais de 250 mil citações para os quatro suplementos do *Oxford English Dictionary*. Entre seus livros, estão *Love on the supertax* (1944) e *Little boy lost* (1949), que foi adaptado para um musical estrelado por Bing Crosby, em 1953. Marghanita Laski escreveu uma resenha desfavorável sobre um livro de Burgess, *The right to an answer*, publicada no *Saturday Review* em 28 de janeiro de 1961.

Página 46: Marghanita Boulevard: outra referência pouco lisonjeira a Marghanita Laski. Ver nota sobre "Berti Laski", acima.

Página 46: Boothby Avenue: possivelmente, uma referência a Sir Brooke Boothby (1744-1824), poeta inglês e tradutor de Rousseau. Outra referência a Boothby aparece no primeiro livro de Burgess, *Time for a tiger* (1956), na forma de um personagem. É o diretor da Mansoor School, na Malásia colonial, cujo modelo pedagógico foi a Faculdade Malásia, em Kuala Kangsar, onde, entre 1954 e 1955, o próprio Burgess foi professor. Boothby é uma caricatura cruel de Jimmy Howell, o verdadeiro diretor, que Burgess conhecia e de quem não gostava.

Página 50: Amis Avenue: Kingsley Amis, romancista e crítico inglês (1922-1995). Burgess e Amis frequentemente resenhavam os livros um do outro, e a análise de Amis sobre *Laranja mecânica* ("o sr. Burgess escreveu uma bela miscelânea de ultrajes") foi publicada no *Observer*. Sobre Burgess, nas palavras de Amis, ler o capítulo em sua autobiografia, *Memoirs* (Hutchinson, 1991, p. 274-278), e diversas referências soltas em *The letters of Kingsley Amis*, editado por Zachary Leader (HarperCollins, 2000).

Página 50: pretinhas com espuma: referência à cerveja escura Guinness.

Página 51: copos duplos de ouro-de-fogo: ouro-de-fogo (*firegold*) é uísque, mas é, também, uma alusão a "The Starlight Light", poema de Gerard Manley Hopkins (1844-1889): (*O look at all the fire-folk sitting in the air! (...) The grey lawns cold where gold, where quickgold lies!*). Burgess decorou todos os poemas de Hopkins quando ainda estava na escola e, depois, criou melodias para diversos deles, inclusive "The Wreck of the Deutschland". Para mais detalhes sobre essas composições, ver PHILLIPS, Paul. *A clockwork counterpoint.* Manchester, UK: Manchester University Press, 2010. p. 288-289.

Página 51: Attlee Avenue: Clement Attlee, do Partido Trabalhista inglês, foi primeiro-ministro entre 1945 e 1951. Burgess votou pelo Partido Trabalhista em 1945 e admirava o National Health Service, fundado pelo governo de Attlee.

Página 52: Elvis Presley: Burgess escreveu na margem do manuscrito original: "Esse nome será conhecido quando o livro sair?". Elvis e os Beatles (que foram esculachados no livro de 1968 de Burgess, *Enderby outside*) representavam tudo o que o autor odiava na música pop e na cultura adolescente.

Páginas 54-55: música labial (*lip-music*): uma citação de *St. Winefred's Well*, uma peça teatral inacabada de Gerard Manley Hopkins: (*While blind men's eyes shall thirst after daylight, draughts of daylight, / Or deaf ears shall desire that lipmusic that's lost upon them*). No futuro, Burgess terminou a peça de Hopkins e compôs música incidental para uma produção de rádio, transmitida pela BBC Radio 3, em 23 de dezembro de 1989.

Página 63: Priestly Place: J. B. Priestley, escritor e radialista inglês (1894-1984). Autor de *The good companions* (1929), *Time and the conways* (1937) e *An inspector calls* (1945), entre vários outros livros, peças e ensaios de não ficção. Burgess fala sobre a escrita de Priestley em *The novel now* (Faber, 1971, p. 102-103), e em uma longa resenha sobre a biografia de Vincent Brome, publicada no *Times Literary Supplement*, em 21 de outubro de 1988.

Página 79: Wilsonsway: pode ser uma referência ao nome verdadeiro de Burgess, John Burgess Wilson, ou ao escritor inglês Angus Wilson (1913-1991), cujo romance distópico, *The old men at the zoo*, foi resenhado por Burgess no *Yorkshire Post*, em 1961.

Página 91: Taylor Place: o historiador A. J. P. Taylor (1906-1990) deu aulas a Burgess e a sua primeira esposa, Llewela Jones, na Universidade de Manchester, nos anos 1930. De acordo com o biógrafo de Taylor, Adam Sisman, Dylan Thomas (que depois teve um caso com Llewela durante a Segunda Guerra Mundial) seduziu a primeira esposa de Taylor. Outra possibilidade é que seja uma referência à romancista Elizabeth Taylor (1912-1975), cujos livros Burgess considerava subestimados pela crítica. Ver *The novel now*, p. 214.

Página 92: Ludwig van: Ludwig van Beethoven (1770-1827). O romance de Burgess de 1974, *Napoleon symphony*, usou uma estrutura criada com base na sinfonia *Eroica*, de Beethoven. Cada episódio no livro corresponde a uma passagem da composição. O próprio Beethoven aparece como um dos personagens do livro de Burgess *Mozart and the wolf gang* (1991) e também em *Uncle Ludwig*, um roteiro de Burgess que não foi produzido, sobre o tumultuoso relacionamento de Beethoven com seu sobrinho. Ver também "The ninth", um discurso sobre Beethoven transmitido pela BBC Radio 3, em 14 de dezembro de 1990.

LARANJA MECÂNICA

Página 95: **Alegria sendo uma centelha divina:** original, *Joy being a glorious spark like of heaven*. Referência a uma semicitação de "Hino à Alegria", de Schiller, que fornece o texto ao movimento final do coro da *Nona Sinfonia* de Beethoven.

Página 105: *Só se pode morrer uma vez:* no original, *One can die but once*. Uma citação deliberadamente divergente de *Júlio César*, de Shakespeare: "Covardes morrem diversas vezes antes de suas próprias mortes / O valente degusta a morte apenas uma vez" (*Cowards die many times before their deaths / The valiant never taste of death but once*) (Ato II, Cena 2).

Página 115: **com longos cabelos e (...) o grande plastrom:** note-se que a aparência de Alex, descrita no capítulo de abertura, lembra o busto de Beethoven. Essa identificação entre Alex e Beethoven reforça a afirmação de Burgess (em sua entrevista a Isaac Bashevis Singer, em 1985) de que Alex se tornará um grande compositor depois dos eventos descritos no livro.

Página 129: **Quem diria, a mais bela pentelha divina:** no original, *Boy, thou uproarious shark of heaven*. Uma paródia do "Hino da Alegria", de Schiller. Ver nota sobre a p. 95.

Página 130: **um glazi muito, muito frio:** uma alusão ao poema "Sob o Ben Bulben" ("Under Ben Bulben"), de W. B. Yeats: "Lance um olhar frio / Sobre a vida, sobre a morte. / Cavaleiro, vade retro!" (*Cast a cold eye / On life, on death. / Horseman, pass by!*). Sabemos que Burgess estava lendo Yeats no mesmo ano em que escreveu *Laranja mecânica*. Sua cópia em capa dura de *Collected poems*, de Yeats, tem a inscrição "JBW [John Burgess Wilson] 1961".

Página 141: **Técnica Ludovico:** uma referência dupla a Ludovico, o vilão italiano da tragédia de vingança *The white devil*, escrita por John Webster no século 17, e a Ludwig van (ver nota sobre a p. 92).

Página 142: **Prelúdio do Coral da Cantata *Wachet Auf*:** J. S. Bach, Cantata nº 40, "Wachet auf, ruft uns die Stimme" (1731).

Página 143: **pogui:** do inglês, *poggy*. Gíria do exército britânico no final do século 19. O *Dictionary of Slang*, da editora Partridge, define *poggy* como "rum ou qualquer bebida alcoólica".

Página 143: **arquibaldos:** do inglês, *archibald*. Gíria da Primeira Guerra Mundial para aviões ou armamentos antiaéreos (Partridge).

Página 152: **crime no meio do castigo:** uma alusão ao romance de Fiódor Dostoievski, *Crime e castigo*, que Burgess leu pela primeira vez antes de viajar para a Rússia, em 1961. Em uma carta a Diana e Meir Gillon, escrita enquanto ele trabalhava em *Laranja mecânica*, Burgess disse: "Acabei de terminar a Parte Um – que é crime puro. Agora vem o castigo. A coisa toda está me deixando muito perturbado".

Página 180: **Cada homem mata a coisa que ama:** o Dr. Branom cita o poema "The Ballad of Reading Gaol" (1897), de Oscar Wilde, que foi condenado por sodomia em 1895 e preso por dois anos, com trabalho forçado. Depois, Burgess correspondeu-se sobre Wilde com Richard Ellmann, cuja biografia sobre o escritor irlandês, *Oscar Wilde*, foi publicada em 1987.

Página 181: **O dialeto da tribo:** um trecho da segunda estrofe do poema "Little Gidding" (1942), de T. S. Eliot: (*Since our concern was speech, and speech impelled us / To purify the dialect of the tribe*) (Eliot, *Collected poems 1909-1962*, p. 218). Eliot, por sua vez, cita "Le Tombeau d'Edgar Poe", do poeta francês do século 19 Stéphane Mallarmé: (*Donner un sens plus pur aux mots de la tribu*).

Página 196: **Amor Perfeito Acaba com o Medo:** citação da *Bíblia*, versão do rei James: "No amor não há medo; antes, o perfeito amor lança fora o medo; porque o medo envolve castigo; e quem tem medo não é perfeito no amor" (1 João 4:18).

Página 198: Alegria perante os Anjos de Deus: outra citação bíblica: "Assim vos digo que há alegria perante os anjos de Deus por um pecador que se arrepende" (Lucas 15:10).

Página 212: Número Quarenta de Mozart: depois, Burgess escreveu um conto baseado na *Sinfonia nº 40* (K. 550, 1788), de Mozart, e o incluiu no texto de *Mozart and the wolf gang* (1991, p. 81-91).

Páginas 238-239: Onde vejo a infâmia, busco erradicá-la: uma citação da carta de Voltaire a D'Alembert, em 28 de novembro de 1762: *Quoi que vous fassiez, écrasez l'infâme.*

Página 240: Rubinstein: Harold Rubinstein era o advogado da William Heinemann, a editora de Burgess no Reino Unido. Ele combateu acusações de calúnia e difamação direcionadas a dois dos livros anteriores de Burgess, *The enemy in the blanket* (1958) e *The worm and the ring* (1961).

Página 241: Precisamos inflamar todos os corações: uma referência a São Francisco Xavier, que deu nome ao Xaverian College, onde Burgess estudou. Na arte católica, o coração em chamas é um dos símbolos associados a São Francisco.

Página 244: Descansa, descansa, espírito perturbado: uma frase dita por Hamlet ao fantasma de seu pai na tragédia de Shakespeare (*Hamlet*, Ato I, Cena 5).

Página 259: Eu estava realmente curado: imediatamente depois dessa frase, há uma anotação no manuscrito datilografado, na letra de Burgess: "Deveríamos acabar aqui? Um 'epílogo' opcional vem em seguida".

Eric Swenson, editor da W. W. Norton que foi responsável pela edição norte-americana de 1963, encorajou Burgess a terminar o livro aqui, omitindo o 21º capítulo.

Página 272: Felix M.: O compositor Felix Mendelssohn (1809-1847) escreveu seu prelúdio para *Sonho de uma noite de verão*, de Shakespeare, em 1827.

Página 272: poeta francês musicado pelo velho Benjy Britt: Benjamin Britten (1913-1976) compôs seu ciclo de canções (Opus 18) baseado em *Les illuminations*, de Arthur Rimbaud, em 1939. Burgess estimava o libreto de Montagu Slater para a ópera de Britten, *Peter Grimes*. Ele o descreveu como "o único libreto que conheço que pode ser lido de forma independente, como um poema dramático".

A CONDIÇÃO MECÂNICA

Burgess havia sido abordado por um editor norte-americano que lhe sugeriu a ideia de escrever um livro de não ficção, *A condição mecânica*, cujo tema seria a ética em relação à lavagem cerebral e o controle social. Ele iniciou esse projeto em 1973, mas acabou colocando-o de lado e nunca chegou a terminá-lo.

Este único capítulo, que, até onde se sabe, é tudo o que restou de *A condição mecânica*, foi descoberto em 2012 no arquivo da Fundação Internacional Anthony Burgess, em Manchester, Inglaterra.

Sou, por ofício, um romancista. Acredito tratar-se de um ofício inofensivo, ainda que não venha a ser considerado respeitável por alguns. Romancistas colocam palavras vulgares na boca de seus personagens e os descrevem fornicando e fazendo necessidades. Além disso, não é um ofício útil, como o de um carpinteiro ou de um confeiteiro. O romancista faz o tempo passar para você entre uma ação útil e outra; ajuda a preencher os buracos que surgem na árdua trama da existência. É um mero recreador, um tipo de palhaço. Ele faz mímica e gestos grotescos; é patético ou cômico e, às vezes, os dois; ele faz malabarismo com palavras, como se elas fossem bolas coloridas.

O uso que ele faz das palavras não deve ser levado excessivamente a sério. O presidente dos Estados Unidos usa palavras; o médico, o mecânico, o general do exército e o filósofo usam palavras; e essas palavras parecem estar relacionadas ao mundo real, um mundo em que impostos precisam ser arrecadados e depois evitados; carros precisam ser dirigidos; doenças, curadas; grandes pensamentos, pensados; batalhas decisivas, travadas. Nenhum criador de enredos ou personagens, por maior que seja, deve ser considerado um pensador sério, nem mesmo Shakespeare. Na realidade, é difícil saber o que o escritor criativo realmente pensa, pois ele se esconde atrás de suas cenas e de seus personagens. E quando os personagens começam a pensar e a expressar seus pensamentos, não se trata, necessariamente, dos pensamentos do escritor. Macbeth pensa uma coisa e Macduff, algo diametralmente oposto; as ponderações do Rei não são as mesmas de Hamlet. Até mesmo o dramaturgo trágico é um palhaço, soprando uma melodia triste em um trombone velho. E então seu ânimo trágico se esgota e ele se torna um bufão, cambaleando por aí e plantando bananeiras. *Nada* que deva ser levado a sério.

Por vezes, entretanto, um mero recreador como eu pode ser tragado a contragosto para a esfera do pensamento "sério". Ele se vê forçado a dar sua opinião sobre questões profundas. A causa dessa obrigação pode ser um repentino interesse público por um de seus romances – um livro que ele tenha escrito sem considerar profundamente o significado, cujo objetivo era render algum dinheiro para pagar o aluguel, mas que acabou adquirindo uma importância não prevista pelo autor. Ou pode ser um romance em que, graças a uma preocupação ou a um rancor irredutível em relação a algo que acontece no mundo real, o romancista – para seu próprio arrependimento – cria algo menos recreativo do que o normal; algo mais assemelhado a um sermão ou a uma declaração homilética ou didática – e a elaboração de tais coisas não é, na realidade, a função do romancista. No momento, encontro-me escrevendo um livro bastante diferente de qualquer outro que eu tenha escrito, e o motivo pelo qual escrevo não é tanto o interesse público por um de meus romances, mas o interesse público por um filme realizado a partir de um dos meus romances.

Tanto o romance quanto o filme chamam-se *Laranja mecânica.* Publiquei o livro pela primeira vez em 1962, e desde aquele ano conquistou leitores nos dois lados do Atlântico, o suficiente para garantir sua contínua impressão. No entanto, dez anos depois de corrigir as provas de gráfica, seu título e conteúdo tornaram-se conhecidos por milhões, não apenas milhares, graças à adaptação cinematográfica bastante fiel feita por Stanley Kubrick. Vi-me convocado, então, a explicar o verdadeiro significado, tanto do livro quanto do filme, em todas as mídias públicas dos Estados Unidos, e também em algumas da Europa, e minha explicação tem sido, mais ou menos, a seguinte.

Primeiramente, o título. Ouvi a expressão "tão estranho quanto uma laranja mecânica" pela primeira vez em um *pub* londrino, antes da Segunda Guerra Mundial. Trata-se de uma gíria *cockney* antiga que se refere a uma esquisitice ou insanidade tão extrema que chega a subverter a natureza – afinal, que noção poderia ser mais bizarra do que uma laranja mecânica? A imagem atraiu-me não somente como algo fantástico, mas também como algo obscuramente significativo; surreal, mas também obscenamente real. O casamento forçado de um organismo com um mecanismo; de uma coisa com vida, que amadurece, é doce, suculenta, com um artefato frio e morto – seria apenas um conceito assustador? Descobri a relevância dessa alegoria para o século 20 quando, em 1961, comecei a escrever um romance sobre curar a delinquência juvenil. Li em algum lugar que seria uma boa ideia liquidar o impulso criminoso por meio de terapia de aversão; fiquei estarrecido. Comecei a investigar as implicações dessa noção em um breve trabalho de ficção. O título *Laranja mecânica* parecia estar ali, esperando para se vincular ao livro: era o único nome possível.

O herói, tanto do livro quanto do filme, é um jovem delinquente chamado Alex. Dei-lhe esse nome por causa de seu caráter internacional (você não veria um rapaz inglês ou russo chamado Chuck ou Butch), e também graças às suas conotações de ironia. Alex é uma redução cômica de Alexandre, o Grande, talhando seu caminho pelo mundo e conquistando-o. Mas Alex se torna o conquistado – impotente, mudo. Ele fazia sua própria lei (*a lex*[1]); torna-se uma criatura sem uma *lex* e sem léxico. Os trocadilhos ocultos, claro, não se relacionam com o verdadeiro significado do nome Alexandre, que é "defensor dos homens".

No início do livro e do filme, Alex é um ser humano dotado, talvez exageradamente, de três características que consideramos atributos essenciais do homem. Ele se deleita com o uso de uma linguagem articulada e até inventa uma nova forma de comunicação (a essa altura, ele está longe de ser aléxico); ele ama a beleza, que encontra, acima de tudo, na música de Beethoven; ele é agressivo. Com seus companheiros – menos humanos do que ele, pois não dão importância à música – ele aterroriza as ruas de uma grande cidade, à noite. Essa cidade poderia ser qualquer uma, mas eu a visualizei como uma espécie de amálgama entre minha nativa Manchester, Leningrado e Nova York. A época

---

[1] *a lex:* expressão que mistura inglês (a, "uma") e latim (lex, "lei"). Faz também um jogo de palavras com o nome do protagonista. [N. de T.]

poderia ser qualquer uma, mas é, essencialmente, o hoje. Alex e seus amigos roubam, mutilam, estupram, vandalizam; acabam matando. O jovem anti-herói é preso e punido, mas punição não é suficiente para o Estado. Como a prisão não é um inibidor muito eficiente para o crime, o Home Office[2] ou o Ministério do Interior introduz uma forma de terapia de aversão que garante, em apenas duas semanas, eliminar propensões criminosas para sempre.

Alex, em sua inocência, abraça a oportunidade de ser "curado". Ele tem tanta fé na indestrutibilidade de sua própria libido que se considera mais do que um desafio para os especialistas em comportamento do Estado. Injetam-lhe uma substância que provoca náusea extrema, e a deflagração da náusea é deliberadamente associada a filmes violentos. Em pouco tempo, ele não consegue ver cenas de violência sem se sentir desesperadamente enjoado. Fazer amor era, para ele, apenas um aspecto da agressão; portanto, até mesmo observar uma parceira sexual desejável desperta a náusea avassaladora. Ele é forçado a andar por uma corda bamba de "bondade" imposta. A sociedade fica satisfeita e mal pode esperar por um milênio livre do crime.

Mas homens não são máquinas, afinal, e o limite entre um impulso humano e outro é sempre difícil. O tratamento de Alex consistiu em assistir a filmes violentos e sentir a náusea induzida. Tais filmes empregaram trilhas sonoras de música sinfônica como "amplificadores emocionais". Após seu tratamento, o delinquente reformado descobre que não consegue mais ouvir Beethoven sem se sentir desesperadamente doente. O Estado foi longe demais: invadiu uma região além de seu pacto com os cidadãos; fechou para sua vítima um universo de belezas amorais, a visão de ordem paradisíaca que grandes peças musicais transmitem. Perturbado por uma gravação da *Nona Sinfonia*, Alex tenta cometer suicídio, causando perplexidade e despertando compaixão entre os

---

[2] Departamento do governo britânico responsável pela imigração, pelo policiamento de fronteiras e pela segurança pública. [N. de T.]

elementos liberais da sociedade; Alex, então, é submetido a uma terapia hipnopédica que o restaura à sua condição "livre" anterior. Despedimo-nos de Alex enquanto ele sonha com novos e mais elaborados métodos de agressão. A intenção era a de um final feliz.

O que tentei argumentar, com o livro, era o fato de que é melhor ser mau a partir do próprio livre-arbítrio do que ser bom por meio de lavagem cerebral científica. Quando Alex tem o poder da escolha, opta apenas por violência. Entretanto, existem outras áreas de escolha, como ilustra seu amor pela música. Na edição inglesa do livro (mas não na norte-americana, tampouco no filme), há um epílogo que mostra Alex crescendo, aprendendo a desgostar de seu antigo estilo de vida, pensando no amor como algo maior do que uma forma de manifestar violência; até mesmo imaginando-se como marido e pai. Tal caminho sempre esteve aberto; ele, enfim, opta por segui-lo. Antes uma laranja podre, ele agora se preenche com algo mais próximo da doçura humana decente.

Liberdade de escolha é mesmo tão importante? O homem é capaz disso? O termo "liberdade" tem algum significado intrínseco? São questões que preciso perguntar e tentar responder. Devo registrar que fui ridicularizado e criticado por expressar meus receios em relação ao poder do Estado moderno – seja na Rússia, seja na China ou na que poderíamos chamar de Anglo-América – de reduzir a liberdade individual. A literatura já denunciou esse poder em livros como *Admirável mundo novo*, de Aldous Huxley, e *1984*, de George Orwell, mas pessoas "sensatas", que não se comovem muito com textos criativos, garantem que há pouco com o que se preocupar. O livro *Beyond freedom and dignity*, de B. F. Skinner, foi lançado na mesma época em que *Laranja mecânica* surgiu nas telas, pronto para demonstrar as vantagens do que poderíamos chamar de lavagem cerebral benéfica. Nosso mundo está em má situação, diz Skinner, com os problemas das guerras, da poluição ambiental, da violência civil, da explosão demográfica. O comportamento humano precisa mudar – isso, diz ele, é autoevidente, e poucos discordariam – e, para tanto, precisamos de uma tecnologia para o comportamento humano. Podemos deixar de fora dessa equação o homem interior, o homem que encontramos quando discutimos com nós mesmos, o ser oculto que se preocupa com Deus, com a alma e com a realidade absoluta. Precisamos enxergar o homem de fora, considerando especialmente o que leva uma característica do comportamento humano a transferir- -se de um indivíduo para o outro. A abordagem behaviorista do homem, da qual o professor Skinner é um grande expoente, prega que ele é levado a vários tipos de ações por estímulos de aversão e não aversão. Medo do chicote fazia o escravo trabalhar; medo da demissão ainda faz o escravo do salário trabalhar. São tais reforços negativos para a ação que o professor Skinner condena; o que ele deseja ver são reforços positivos. Você ensina truques a um animal de circo não por meio da crueldade, mas da bondade. (Skinner deveria saber disso: muito de seu trabalho experimental foi realizado com animais; alguns de seus avanços em condicionamento animal aproximavam-se de um nível circense bastante elevado.) Com os estímulos positivos certos – aos quais respondemos não de maneira racional, mas por meio de nossos instintos condicionados –, todos nós poderemos nos tornar cidadãos melhores, submissos a um Estado cujo objetivo maior é o bem-estar da comunidade. Não devemos, diz tal argumento, temer o condicionamento. Precisamos ser condicionados para salvar o ambiente e a raça. Mas precisa ser condicionamento do tipo certo.

Segundo o discurso skinneriano, é o tipo errado de condicionamento que transforma o herói de *Laranja mecânica* em um nauseado modelo de não agressão. O fato de eu mesmo considerar qualquer tipo de condicionamento um erro deve ser atribuído, imagino, à força da tradição religiosa na qual fui educado. Eu fui, pode-se dizer, condicionado por ela, mas minha consciência aprova as convicções que sinto em meu âmago. Minha família é de Lancashire, um condado ao norte do Reino Unido que foi uma fortaleza da fé católica. A Reforma Protestante, que transformou a Inglaterra no que ela é hoje, nunca chegou a Lancashire ou, caso tenha chegado, o fez de maneira suave e moderada, nas infiltrações pacíficas dos períodos mais tolerantes que seguiram as sangrentas imposições dos Tudors. O tipo de protestantismo que floresceu na época de Cromwell e criou uma nova estirpe de mercadores burgueses era calvinista. Predestinação era seu eixo doutrinal. O homem não teria arbítrio sobre a própria salvação; seu estado futuro havia sido predeterminado por Deus.

O catolicismo rejeita uma doutrina que parece enviar alguns homens arbitrariamente ao Paraíso, e outros, de maneira não menos arbitrária, para o Inferno. Seu destino, diz a teologia católica, está em suas mãos. Não há nada que o impeça de pecar se você quiser pecar; ao mesmo tempo, não há nada que o impeça de se aproximar dos canais de graça divina que são a garantia de sua salvação. O fato de duas doutrinas opostas – a do livre-arbítrio e a da predestinação – poderem coexistir na mesma fé religiosa requer explicação. Primeiramente, há a onisciência de Deus. Se Deus sabe tudo, Ele sabe se eu serei condenado ou salvo: meu destino derradeiro foi, digamos, reservado desde o início dos tempos. Mas, se Deus dá ao homem o poder da livre escolha, poderia parecer que Ele está deliberadamente renunciando à Sua consciência sobre o que o homem fará com esse poder. Um Deus onisciente e onipotente, em um gesto de amor pelo homem, limita tanto Seu poder quanto Seu conhecimento.

Sean O' Faolain, em sua autobiografia, relata uma incapacidade de conciliar o livre-arbítrio do homem com o conhecimento total de Deus, o que foi resolvido certo dia por um súbito *insight* mágico ou milagroso, antes de uma corrida de táxi em Manhattan. O' Faolain chegou à seguinte conclusão: toda e qualquer ação do homem continuava uma ação livre até ser executada. Uma vez executada, tornava-se algo que Deus havia determinado que acontecesse. Ele e o taxista ficaram bêbados para celebrar a descoberta.

Mas os calvinistas sempre dispuseram de munição pesada para defender a campanha da predestinação. Na direção do exército do livre-arbítrio, eles miram o canhão da Queda. Adão caiu por causa do pecado original da desobediência; ele transmitiu a culpa por esse pecado a todos os seus descendentes. Os homens são predispostos a pecar; não são criaturas livres. A resposta ortodoxa para isso é, claro, a de que Jesus Cristo morreu para que os homens fossem libertados, mas o calvinismo parece não se entusiasmar com tal fato. As teocracias construídas pelos calvinistas, cidades-Estados ou comunidades inteiras governadas por homens da fé autoeleitos, foram sempre caracterizadas por uma espécie de melancolia chuvosa. Veja a Massachusetts de Cotton Mather; a Genebra do próprio João Calvino. Para eles, permitir que os homens determinassem o próprio destino era uma marca da depravação católica. Homens são pecadores, homens não evitarão o pecado (por que deveriam, se estão predestinados ao Paraíso ou ao Inferno, independentemente do que façam?). Homens precisam ser obrigados a ser bons; as mulheres, filhas da pérfida Eva, ainda mais. O calvinismo é repleto de reforços negativos.

Não é meu objetivo ensinar teologia elementar, e certamente não é minha intenção considerar o mundo contemporâneo a partir desse ângulo da fé herdada. Estou apenas demonstrando que certos termos que emprestamos da teologia têm validade em uma abordagem secular de nossos problemas. Por ser uma pessoa cuja religião tem sido hesitante por 40 anos, seria hipocrisia de minha parte pregar que, para acabar com as guerras e regenerar os rios poluídos, deveríamos nos voltar para Deus. O que sugiro é que a religião e outras disciplinas seculares ou antropocêntricas, como filosofia, psicologia e sociologia, têm algo em comum: uma consciência sobre a contínua infelicidade do homem. E, talvez, certas palavras de origem arcaica, como "bem", "mal" e "livre-

-arbítrio", até mesmo "pecado original", não precisem ser substituídas por terminologia pseudocientífica apenas por serem derivadas de uma abordagem teocêntrica do homem.

"Chamávamos o tabuleiro de xadrez de branco – chamamo-lo de preto", diz o bispo Blougram no poema de Robert Browning. Em outras palavras, uma perspectiva otimista da vida humana é tão válida quanto uma pessimista. Mas de que vida estamos falando? A de toda a raça ou a do imperceptível fragmento dela que cada um de nós chama de "eu"? Creio que sou otimista em relação ao homem: acredito que sua raça sobreviverá; acredito que, por mais doloroso e lento que seja o caminho, ele resolverá seus grandes problemas, simplesmente por ter consciência deles. Quanto a mim mesmo, tudo o que posso dizer é que estou ficando velho, minha visão está ficando embaçada, meus dentes requerem atenção constante, não posso comer ou beber como antes, fico entediado com cada vez mais frequência. Não consigo me lembrar de nomes, meu raciocínio funciona lentamente, tenho espasmos de inveja dos jovens e de ressentimento por minha própria decadência iminente. Se eu tivesse fé ardente na sobrevivência pessoal, essa melancolia da senescência poderia ser imensamente abrandada. Mas perdi tal fé, e é pouco provável que eu a recupere. Às vezes, tenho desejo de aniquilação imediata, mas a ânsia de permanecer vivo sempre se sobrepõe. Existem compensações – o amor, a literatura, a música, a rica vivência na cidade sulista em que passo a maior parte do meu tempo –, mas elas são muito incertas. Existe um consolo maior e mais duradouro – o fato de que sou livre para escrever o que desejar, de não ter de seguir nenhum relógio, de não precisar chamar nenhum homem de "senhor" e submeter-me a ele por medo. Mas tal liberdade traz seus próprios remorsos: sinto-me culpado se não trabalho; sou meu próprio tirano. As coisas que tenho agora me eram mais necessárias quando eu era jovem. Lembro-me da máxima de Goethe: "Cuidado ao desejar qualquer coisa na juventude, pois você a terá na meia-idade".

Reconheço que estou em melhores condições do que a maioria, mas não acho que tenha optado por me eximir da agonia e da ansiedade que atormentam homens e mulheres escravos de vidas que não escolheram, habitantes em comunidades que odeiam. Penso, especialmente, nos cidadãos de grandes centros comerciais e industriais – Nova York, Londres, Bombaim, a minha própria Manchester. "Você comerá seu pão com o suor do seu rosto": o Livro de Gênesis resume perfeitamente. A manutenção de uma sociedade complexa depende, cada vez mais, de trabalhos repetitivos, trabalhos sem prazer ou criatividade. As coisas que comemos, as roupas que vestimos, os lugares em que moramos tornam-se progressivamente padronizados, pois a padronização é o preço que pagamos pelos preços que podemos pagar. A vida simplesmente passa para a maioria de nós, como a hora em um despertador. Acabamos por nos acostumar com o ritmo imposto pela nossa necessidade de subsistência; em pouco tempo, passamos a gostar de nossas amarras.

Um dos slogans do super-Estado no romance *1984*, de George Orwell, é "Liberdade é escravidão". Uma das interpretações possíveis é a de que o fardo de tomar as próprias decisões é, para muitas pessoas, intolerável. Estar vinculado à necessidade de decidir por conta própria é ser escravo de seus próprios ímpetos. Lembro-me de quando me alistei no exército britânico, aos 22 anos. Inicialmente, ressenti-me da disciplina, da remoção de até mesmo a mais ínfima liberdade (como o direito de comer quanto e o que fosse desejado e o direito de ir ao banheiro quando o próprio corpo, e não uma corneta, determinasse). Em pouco tempo, minha redução a mero mecanismo começou a me agradar, a me acalmar. Participar de um esquadrão obedecendo a ordens com o restante do grupo, proibido de fazer perguntas ou questionar regulamentos – eu estava, depois de quatro anos de rigorosa vida acadêmica, em férias da necessidade de precisar *escolher* o tempo todo. Depois de seis anos, posso simpatizar com o civil que não gosta de tomar as próprias decisões (onde comer, em quem votar, o que usar). É mais fácil *receber orientações:* fume tal cigarro – 90% menos alcatrão; leia tal livro – 75 semanas na lista de *best-sellers*; não veja tal filme – é pseudoarte.

Talvez exista algo de positivo na submissão social, considerando que a vida dos trabalhadores tem muito pouco espaço para o individualismo: é doloroso ser um especialista em Spinoza à noite e um operário durante o dia. E existe algo em nossa natureza gregária que faz com que desejemos nos submeter. Até mesmo os rebeldes anticonformistas encontram suas próprias conformidades: o "uniforme" de cabelo longo, barba, calças de algodão trançado, miçangas e amuletos, por exemplo, e o invariável gosto por maconha e músicas de protesto tocadas no violão. Uma pessoa precisa se acomodar em um padrão de trabalho para que possa comer e alimentar a família; uma pessoa pode achar agradável, natural ou conveniente acomodar-se em seus gostos sociais. Porém, quando os padrões de conformidade são impostos pelo Estado, as pessoas têm o direito de se assustar. Infelizmente, a conformidade política que leva a um uniforme, a uma bandeira, a um slogan, a uma mordaça no livre discurso tende a funcionar a partir de uma disposição para a obediência em áreas não políticas.

Talvez não tenhamos obrigação nenhuma de gostar de Beethoven ou de detestar Coca-Cola, mas é, pelo menos, concebível que sejamos obrigados a não confiar no Estado. Thoreau escreveu sobre o dever da desobediência civil; Whitman disse: "Resista muito, obedeça pouco". Para esses liberais, e muitos outros, a desobediência é uma coisa boa. Em pequenas comunidades sociais (paróquias inglesas, cantões suíços), o sistema que governa pode, ocasionalmente, ser adequado à sociedade governada. Porém, quando a comunidade social cresce, transforma-se numa megalópole, num Estado, numa federação, o sistema de governo se distancia, torna-se impessoal, até desumano. Ele toma nosso dinheiro para propósitos que, aparentemente, não aprovamos; trata-nos como estatísticas abstratas; controla um exército; apoia uma força policial cuja função nem sempre parece ser de proteção.

Tudo isso, claro, é uma generalização que poderia ser considerada bobagem preconceituosa. Eu, particularmente, desconfio de políticos ou representantes do Estado (poucos escritores e artistas confiam) e acredito que as pessoas entram na política por duas razões: uma negativa, a de não terem talento para mais nada; outra positiva, a de que ter poder é sempre delicioso. Contra isso deve ser considerada a verdade de que o governo cria leis saudáveis para proteger a comunidade e, no grande mundo internacional, pode ser a voz de nossas tradições e aspirações. Mas ainda é fato que, em nosso século, o Estado foi responsável pela maior parte de nossos pesadelos. Nenhum indivíduo ou associação livre de indivíduos poderia ter chegado às técnicas de repressão da Alemanha nazista, ao massacre de bombardeios intensos ou à bomba atômica. Departamentos de guerra podem pensar em termos de milhões de mortos, enquanto o homem médio pode apenas fantasiar sobre o assassinato de seu chefe. O Estado moderno, seja em um país totalitário, seja democrático, tem poder demais, e provavelmente estamos certos em temê-lo.

É relevante o fato de que os livros agourentos de nossa época não sejam sobre novos dráculas ou frankensteins, mas sobre o que poderia ser chamado de distopias – utopias invertidas, em que um governo megalítico imaginário leva a vida humana a um extraordinário extremo de miséria. Sinclair Lewis, em *It can't happen here* (um romance curiosamente negligenciado), apresenta uma América do Norte que se tornou fascista, e as características desse fascismo são tão norte-americanas quanto torta de maçã. O sardônico e grosseiro presidente estilo Will Rogers usa as cláusulas de uma constituição escrita por otimistas jeffersonianos para criar um despotismo que, aos olhos ignorantes da maioria, parece, inicialmente, mero senso comum. A vitória de intelectuais com cabelos longos e anarquistas verborrágicos sempre agrada o homem médio, apesar de poder, na realidade, significar a supressão do pensamento liberal (a Constituição norte-americana foi escrita por intelectuais de cabelos longos) e a eliminação da divergência de opiniões políticas. O livro *1984*, de Orwell – uma visão aterradora que talvez tenha evitado uma realidade aterradora: ninguém espera que o ano de 1984 seja igual ao de Orwell – mostra o descarado amor pelo poder e pela crueldade que muitos líderes políticos escondem sob as flores da retórica "inspiradora". O "Núcleo do Partido" da Inglaterra futura de Orwell exerce controle sobre a população por meio da falsificação do passado, para que ninguém possa recorrer a uma tradição morta de liberdade; por meio da delimitação da língua, para que pensamentos de rebeldia não possam ser formulados; por meio de uma epistemologia de "duplipensar", que faz o mundo exterior parecer o que os governantes querem que pareça; e por meio de simples tortura e lavagem cerebral.

A visão norte-americana e a inglesa se aproximam ao pressuporem que os instrumentos aversivos do medo e da tortura são as inevitáveis técnicas do despotismo, que busca controle total sobre o indivíduo. Mas, no longínquo ano de 1932, Aldous Huxley, em seu *Admirável mundo novo*, demonstrou que a submissa docilidade que poderosos Estados buscam de seus súditos pode ser mais facilmente alcançada por meio de técnicas não aversivas. Condicionamento pré-natal e na infância resulta em escravos contentes com a própria escravidão, e a estabilidade é reforçada não por meio de chicotes, mas de um contentamento imposto pela ciência. Este, claro, é um caminho que o homem pode seguir se realmente deseja um mundo sem guerras, crises populacionais, angústias dostoievskianas. As técnicas de condicionamento estão disponíveis, e talvez, em breve, a condição do mundo assuste o homem o suficiente para que ele as aceite. Porém, como diz Huxley por meio de seu herói, um selvagem incivilizado criado em uma reserva indígena, a felicidade não é, na verdade, o que queremos. O homem é, quase por definição, uma criatura inquieta – criativa, destrutiva, inclinada ao entusiasmo e à dor.

O jovem selvagem exige o que o admirável mundo novo não pode oferecer: infelicidade; e se suicida.

"O homem", diz G. K. Chesterton, "é uma mulher" – ele não sabe o que quer. Há poucos de nós que não rejeitam imediatamente os pesadelos orwelliano e huxleyano. De certa maneira, preferiríamos uma sociedade repressiva, repleta de polícias secretas e arame farpado, a uma sociedade condicionada pela ciência, em que ser feliz significa fazer a coisa certa. Todos nós poderíamos concordar com o professor Skinner: uma sociedade bem governada e condicionada é algo excelente para uma nova raça – uma espécie de homem racionalmente convencida da necessidade de ser condicionada, desde que o condicionamento seja baseado em recompensas, não em punições. Mas não somos essa nova raça, e teimamos em não ser nada além do que somos – criaturas conscientes das próprias falhas e mais ou menos determinadas a fazer algo para resolvê-las, e fazê-lo de nossa própria maneira. Poderíamos até pensar em termos de dois seres humanos: nós mesmos, homens livres ou imperfeitos; e o novo homem, que ainda surgirá (criação do próprio homem, não da natureza), a quem talvez possamos chamar de neoantropos, um nome que soa como um estrangulamento.

Curiosamente, ou talvez não, as figuras históricas que mais reverenciamos são aqueles homens e mulheres que lutaram contra a repressão e foram até martirizados por defender os justos ou bons. Prometeu, Sócrates, Jesus Cristo, Sir Thomas More, Giordano Bruno, Galileu – a lista é extensa, e a história continua a aumentá-la com heróis como os Kennedy e Martin Luther King Jr. É como se, perversamente, precisássemos da intolerância por não conseguirmos seguir adiante sem heróis. O que os grandes intransigentes fazem por nós é lembrar-nos de certos conceitos absolutos, como bem e mal. Foi a ocupação nazista da França que fez Jean-Paul Sartre formular uma nova filosofia para o homem, que soa como uma teologia, apesar de não ser. Ao falar sobre a "era de assassinos" prevista por Rimbaud, Sartre, em seu *Que é a literatura?*, diz:

> Fomos ensinados a levar [o mal] a sério. Não é nossa culpa, nem nosso mérito, se vivemos em uma época em que a tortura era um fato diário. Chateaubriand, Oradour, a Rue des Saussaies, Dachau e Auschwitz demonstraram que o Mal não é uma aparência, que saber sobre ele não o afasta, que não se opõe ao Bem como uma ideia confusa é oposta a uma ideia clara... Apesar do que desejamos, chegamos a essa conclusão, que parecerá chocante para almas elevadas: o Mal não pode ser redimido.

O estagnado, exaurido e corrupto período dos anos 1930 na França representou uma espécie de condição mecânica, um lúgubre funcionamento da máquina humana. Quando os franceses estavam submetidos à menor liberdade possível, sob ocupação, vivendo um paradoxo tipicamente humano, eles estavam, enfim, livres para recuperar um senso de dignidade da liberdade humana. Ocorreu a Resistência; houve a última e irredutível liberdade de dizer "não" ao mal. Trata-se de um direito indisponível em uma sociedade preocupada com reforços de comportamento. O fato de um homem poder se dispor a sofrer tortura e morte em nome de um princípio é o tipo de perversidade insana que faz pouco sentido no laboratório dos behavioristas.

Tendemos a usar o termo "mal" sem estarmos dispostos a defini-lo. Não se trata exatamente de um sinônimo para "ruim", pois não podemos falar de uma laranja malvada, exceto poeticamente, ou sobre uma performance maldosa de violino. Certamente não é um sinônimo para "errado". "Certo" e "errado" são, sabemos, termos com referências variadas – em outras palavras, o que é certo em determinada época pode ser errado em outra. Em um período de guerra contra a Alemanha, pode ser tão errado ter amizade com alemães que você corre o risco de ser morto por isso. Em um período de paz, pode ser certo ser amigável com eles, ou, pelo menos, algo de importância neutra. É certo obedecer a quaisquer leis que estejam em voga em determinado momento, e errado insultá-las propositalmente. Não podemos levar o certo e o errado muito a sério, pois eles mudam e oscilam com frequência. Precisamos de conceitos absolutos, como "bem" e "mal". Nossa atitude em relação ao bem é curiosamente descompromissada ou indiferente; estamos mais acostumados a ser instruídos a não fazer o mal do que estimulados a fazer o bem.

O mal é sempre o mal, e pode ser considerado, talvez, algo essencialmente destrutivo, uma negação consciente e deliberada da vida orgânica. É sempre maldade matar outro ser humano, mesmo que, às vezes, seja certo fazê-lo. Talvez seja maldade matar qualquer organismo, até mesmo o gado e as ovelhas de que precisamos para nossa nutrição. Ser um carnívoro não é certo nem errado, pelo menos na sociedade ocidental: é algo de significado neutro. O hinduísmo é tão veemente em relação à santidade de toda vida que se opõe à matança de qualquer coisa, seja por comida, seja até, em certas situações, por autoproteção. É permitido usar uma rede contra mosquitos, mas não mata-moscas. Eu já vi operários hindus paralisando grandes empreendimentos imobiliários para proteger a vida subterrânea que subiu à superfície com o movimento de uma pá. O Oriente e o Ocidente acreditam, essencialmente, na santidade da vida, mas o Ocidente é mais pragmático em relação a ela. Em uma espécie de extensão metafórica, o Ocidente vai mais longe do que o Oriente no que diz respeito ao mal (não apenas ao errado) atribuído à destruição de um artefato, especialmente se tal artefato for uma obra de arte. Uma obra de arte é, de certa maneira, orgânica, e rasgar uma pintura ou demolir uma escultura não é apenas uma ofensa contra a propriedade; é uma ofensa contra a vida.

Poder-se-ia considerar o princípio do mal no âmbito da conduta em que a destruição de um organismo não é intencional. É errado forçar crianças a consumirem drogas, mas poucos negariam que é, também, maldade: a capacidade de autodeterminação daquele organismo está sendo prejudicada. Mutilar é maldade. Atos de agressão são maldosos, apesar de sermos propensos a encontrar fatores atenuantes no espírito passional da vingança ("um tipo de justiça selvagem", definiu Francis Bacon) ou no desejo de proteger os outros de esperados, senão praticados, atos de violência. Todos nós guardamos, na imaginação ou na memória, imagens do mal em que não há sequer um sopro de atenuação – quatro jovens sorridentes torturando um animal, um estupro em gangue, vandalismo a sangue-frio. Aparentemente, o condicionamento forçado de uma mente, por melhor que seja a intenção social, é maldade.

GELEIA MECÂNICA

Texto de Anthony Burgess originalmente publicado na revista *The Listener* (v. 87, n. 2238, p. 197-199, 17 fev. 1972) sob o título "Clockwork marmalade".

Fui assistir ao filme *Laranja Mecânica*, de Stanley Kubrick, em Nova York, brigando para entrar, assim como todo mundo. Acredito que valeu a briga – um típico filme de Kubrick, tecnicamente brilhante, profundo, relevante, poético, de abrir a mente. Para mim, foi possível enxergar a obra como uma reinterpretação radical de meu próprio livro, não uma simples adaptação, e isso – a sensação de não ser impertinência proclamá-lo como *Laranja Mecânica de Stanley Kubrick* – é o maior tributo que posso fazer à maestria kubrickiana. Porém, ainda é fato que o filme surgiu com base em um livro, e parte da controvérsia que começou a ser associada ao filme é uma discussão com a qual eu me sinto inevitavelmente envolvido. Em termos filosóficos, e até mesmo teológicos, a *Laranja* de Kubrick é fruto da minha árvore.

Escrevi *Laranja mecânica* em 1961, um ano bastante remoto, e passo por certa dificuldade para me sentir ligado àquele longínquo escritor que, preocupado em ganhar a vida, chegou a escrever cinco livros em 14 meses. O título é a parte menos difícil de ser explicada. Em 1945, ao voltar do serviço militar, ouvi um velho *cockney*[1] de 80 anos, em um *pub* de Londres, dizer que certa pessoa era "tão *queer*[2] quanto uma laranja mecânica". O *queer* não significava "homossexual"; significava "louco". A expressão me intrigou, graças à sua improvável fusão de plebeísmo e surrealismo. Durante quase 20 anos, quis usá-la como o título de alguma coisa. Durante esses 20 anos, ouvi-a muitas outras vezes – em estações de metrô, em *pubs*, em programas de televisão –, mas sempre dita por *cockneys* idosos, nunca por jovens. Era uma locução tradicional, e pedia para servir de título a um trabalho que combinasse preocupação com a tradição e técnica bizarra. A oportunidade para utilizá-la chegou quando concebi a ideia de um romance sobre lavagem cerebral. Stephen Dedalus, de Joyce (em *Ulisses*), se refere ao

---

[1] *Cockney*: termo usado como referência a habitantes pobres do East End, em Londres; é associado à rusticidade e a um dialeto e sotaque específicos. [N. de T.]

[2] *Queer*: em inglês, significa esquisito, estrambótico, excêntrico, bizarro. O termo é usado, também, para se referir a homossexuais masculinos, geralmente de forma pejorativa. [N. de T.]

mundo como uma "laranja oblata"; o homem é um microcosmo ou pequeno mundo; é um desenvolvimento tão orgânico quanto uma fruta, capaz de desenvolver cor, aroma e doçura; influenciá-lo, condicioná-lo, é transformá-lo em uma criação mecânica.

Havia certo burburinho na imprensa britânica sobre o problema da criminalidade crescente. A juventude do final dos anos 1950 era inquieta e malcriada, insatisfeita com o mundo pós-guerra, violento e destrutivo, e os jovens – mais facilmente visíveis do que os malfeitores e valentões do passado – representavam o que muitas pessoas queriam dizer quando falavam sobre criminalidade crescente. Ao observarmos o passado a partir do pico atual de violência, podemos ver que os *teddy-boys*[3], os *mods*[4] e os *rockers*[5] britânicos eram meros novatos na arte da agressão antissocial; mas, de qualquer forma, eram presságios, e o homem comum estava certo ao temê-los. Como lidar com eles? Prisões ou reformatórios os pioravam. Por que não poupar o dinheiro dos impostos sujeitando-os a um tratamento fácil de condicionamento, algum tipo de terapia de aversão que deveria fazê-los associar atos de violência a desconforto, náuseas ou até mesmo insinuações de mortalidade? Muitas cabeças acenaram positivamente para essa proposta (que, na época, não era uma proposta governamental, mas uma ideia que surgiu do pensamento privado de teóricos influentes). Muitas cabeças acenam positivamente até hoje. No *The Frost Show*[6] ouvi a sugestão de que teria sido bom se Adolf Hitler tivesse sido submetido à terapia de aversão para que até o pensa-

---

[3] *Teddy-boys*: tribo urbana britânica das décadas de 1950 a 1970, associada ao rock'n'roll e ao rockabilly. [N. de T.]

[4] *Mods*: abreviação de "modernistas"; tribo urbana britânica dos anos 1950 e 1960, que acompanhava o jazz e o R&B. [N. de T.]

[5] *Rockers*: tribo urbana britânica dos anos 1950 e 1960, associada ao rock'n'roll, a motocicletas e a jeans e roupas de couro. Na época à qual o autor se refere, havia muitos conflitos entre gangues dessas três tribos (*teddy-boys*, *mods* e *rockers*), especialmente entre os *mods* e os *rockers*. [N. de T.]

[6] *The Frost Show*: extinto programa da televisão britânica com entrevistas realizadas pelo jornalista David Frost. [N. de T.]

mento de um novo golpe de Estado ou de massacre massivo o fizesse vomitar todos os seus brioches.

Hitler era, infelizmente, um ser humano, e, se tivéssemos tolerado o condicionamento de um único ser humano, teríamos de aceitar o de todos. Hitler foi um grande estorvo, mas a história já viu outros que produziram rupturas grandes o bastante para fazerem os dedos do Estado coçarem, como Cristo, Luther, Bruno, até mesmo D. H. Lawrence. É preciso ser verdadeiramente filosófico em relação a esse assunto, por mais que se tenha sofrido. Não sei a medida de livre-arbítrio que o homem possui de verdade (o Hans Sachs, de Wagner, diz: *Wir sind ein wenig frei* – "somos um pouco livres"), mas sei que o pouco que parece ter é precioso demais para ser usurpado, por melhores que sejam as intenções do usurpador.

A intenção era que *Laranja mecânica* fosse uma espécie de tratado, até um sermão, sobre a importância do poder de escolha. Meu herói, ou anti-herói, Alex, é muito perverso, talvez até de um jeito impossível, mas sua perversidade não é produto de um condicionamento genético ou social: é sua própria característica, na qual ele embarca com total consciência. Alex não é simplesmente desgarrado, ele é malvado, e, em uma sociedade propriamente governada, essa maldade precisa ser controlada e punida. Mas sua maldade é uma maldade humana, e reconhecemos em seus atos de agressão algumas de nossas próprias potencialidades – traduzidas, no caso dos cidadãos não criminosos, na guerra, na injustiça segregacionista, na violência doméstica, nos sonhos estéreis. De três maneiras, Alex é um exemplo de humanidade: ele é agressivo, ele ama a beleza, ele usa a linguagem. Ironicamente, o significado de seu nome pode ser "sem palavras", apesar de ele ter um palavreado muito próprio – um dialeto tribal, inventado. Porém, ele não tem voz alguma na administração de sua comunidade ou de seu governo; para o governo, ele é um simples objeto, algo "que está lá fora", como a Lua, mas não tão passivo.

LARANJA MECÂNICA

Teologicamente, o mal não é quantificável. Ainda assim, insisto na noção de que um ato de maldade pode ser maior do que outros, e que o ato de maldade definitivo talvez seja a desumanização, o assassinato da alma – que é o equivalente à capacidade de escolher entre atos de bondade ou maldade. Imponha a um indivíduo a capacidade de ser bondoso e apenas bondoso, e você matará sua alma em nome de uma presumida estabilidade social. O que a minha parábola (e também a de Kubrick) tenta declarar é que é preferível ter um mundo de violência assumida em plena consciência – violência escolhida como um ato da vontade – a um mundo condicionado a ser bom ou inofensivo. Reconheço que essa lição já está ficando antiquada. B. F. Skinner, com sua capacidade de acreditar que existe algo *além* de liberdade e dignidade, deseja ver a morte do homem autônomo. Ele pode ou não estar certo, mas, em termos da ética judaico-cristã que *Laranja mecânica* tenta expressar, ele perpetua uma heresia grosseira. De acordo com a tradição da qual o homem ocidental ainda não está pronto para abrir mão, parece-me que toda área em que seja possível a escolha humana é uma área que deveria ser expandida, mesmo que isso signifique enfrentar novos anjos com espadas e cartazes com "*Não*" em letras garrafais. Creio que o desejo de restringir o livre-arbítrio é o verdadeiro pecado contra o Espírito Santo.

Tanto no livro como no filme, a maldade que o Estado comete ao fazer uma lavagem cerebral em Alex é vista em sua própria e espetacular falta de autoconsciência em termos de valores não éticos. Alex aprecia Beethoven e usou a *Nona Sinfonia* como estímulo para sonhos de violência. Foi sua escolha, mas não havia nada que o impedisse de optar por aquela música como mero reconforto ou imagem da ordem divina. No momento em que começa seu condicionamento, o fato de ele não ter feito a melhor escolha não significa que ele nunca a fará. Mas uma terapia de aversão que associe Beethoven e uma punição inesperada é o equivalente a privar alguém – de maneira estúpida, inconsequente – de seu direito de apreciar a visão divina. Pois existe uma bondade além da simples bondade ética, e que é sempre existencial: existe a bondade *essencial*, aquele aspecto de Deus que podemos intuir com maior intensidade no sabor de uma maçã ou no som de uma música do que em meros atos corretos ou até mesmo na caridade.

O que me ofende, e a Kubrick também, são as alegações de alguns espectadores e leitores de *Laranja mecânica* de que há uma entrega gratuita à violência, que transforma um trabalho com intenções homiléticas em algo pornográfico. Para mim, não foi prazer nenhum narrar atos de violência ao escrever o romance. Mergulhei em excessos, em caricaturas, até em um dialeto inventado, com o propósito de fazer a violência ser mais simbólica do que realista, e Kubrick encontrou extraordinários equivalentes cinematográficos para minhas próprias ferramentas literárias. Teria sido mais agradável, e eu conquistaria mais amigos, se não houvesse violência alguma, mas a história da regeneração de Alex teria perdido força se não tivéssemos permissão para ver do que ele estava sendo regenerado. Para mim, a descrição da violência era tanto um ato de catarse como um ato de misericórdia, pois minha própria esposa foi vítima de uma violência cruel e estúpida durante um blecaute em Londres, em 1942, quando foi roubada e espancada por três desertores do exército norte-americano. Leitores do meu livro talvez se lembrem de que o autor cuja esposa foi estuprada é o autor de uma obra chamada *Laranja mecânica*.

Parte dos espectadores do filme ficou perturbada com o fato de Alex, apesar de sua maldade, ser bastante carismático. Para alguns, foi necessário um ato consciente e autoimposto de terapia de aversão para deixarem de gostar dele, e para que uma indignação virtuosa confundisse a compaixão humana. A questão é que, se desejarmos amar a humanidade, seremos obrigados a também amar Alex como um de seus representantes. O lugar em que Alex e sua imagem em espelho, F. Alexander, são mais culpados de ódio e violência é no chamado LAR, e é ali, nos dizem, que deve começar a compaixão. Porém, no que diz respeito àquele

LARANJA MECÂNICA

mecanismo, o Estado, que em primeiro lugar está preocupado com sua autopropagação e, em segundo, é mais feliz quando os seres humanos são previsíveis e controláveis, não temos nenhum dever, certamente nenhum dever de compaixão.

Tenho um último ponto a esclarecer, e ele não há de interessar a muitos que gostam de pensar que o *Laranja* é de Kubrick, e não de Burgess. O linguajar, tanto do filme como do livro (chamado nadsat – o sufixo russo equivalente ao *teen* inglês, como em *pyatnadsat*, que significa *fifteen*), não é mero enfeite, tampouco uma indicação sinistra do poder subliminar que um super-Estado comunista talvez já exerça sobre os jovens. Foi criado para transformar *Laranja mecânica*, entre outras coisas, em uma cartilha sobre lavagem cerebral. Ao ler o livro ou assistir ao filme, você se verá, no final, de posse de um mínimo vocabulário russo – sem nenhum esforço, para sua surpresa. É assim que funciona a lavagem cerebral. Escolhi palavras russas porque elas se misturam melhor com o inglês do que as do francês ou do alemão (que já é uma espécie de inglês, não exótico o suficiente). Mas a moral de *Laranja* não tem nenhuma relação com a ideologia ou com técnicas de repressão da Rússia soviética; é completamente dedicada a discutir o que pode acontecer com qualquer um de nós do Ocidente se não nos defendermos. Se *Laranja*, assim como *1984*, ocupar um lugar entre os avisos literários salutares – ou entre os avisos cinematográficos – contra a frouxidão, o pensamento preguiçoso e a confiança excessiva no Estado, terá feito algo de valor. De minha parte, não gosto tanto desse livro como de outros que escrevi; mantive-o, até recentemente, dentro de um recipiente de vidro fechado – uma geleia, uma conserva na prateleira, em vez de uma laranja no prato. O que eu gostaria mesmo de ver é um filme de algum dos meus outros livros, todos exclusivamente edificantes, mas receio que seja esperar demais. Parece que hei de passar o resto de minha vida como a fonte e a origem de um filme grandioso, e como um homem que precisa insistir, contra toda oposição, que é a criatura mais mansa que existe. Assim como Stanley Kubrick.

OS RUSSOS HUMANOS

Texto de Anthony Burgess originalmente publicado na revista *The Listener* (p. 1107-1108, 28 dez. 1961) sob o título "The human Russians".

O que mais gostei nos russos foi sua ineficiência. Fui a Leningrado esperando encontrar uma assustadora imagem "ferro e fogo" do futuro orwelliano. Em vez disso, o que encontrei foram seres humanos em seu estado mais humano, ou, para dizer de outra maneira, em seu estado mais ineficiente.

Preciso esclarecer tal afirmação: pessoas ineficientes não produzem sputniks nem astronautas. Mas parece que a eficiência é uma fina camada de nata que boiou até a superfície; no mais, a impressão é a de uma escola na qual todos os professores estão ocupados em uma reunião, ou nos laboratórios do colegial, abandonando os alunos mais novos às suas próprias vontades, sem censura. Bombas de fedor são lançadas, manchas de tinta espalham-se pelas paredes (que, de todo jeito, já estão bem sujas); o pequeno Ivanov escreve na lousa, "o companheiro Khrushchev tem uma pançona". Mas ninguém se importa, pois há um experimento muito interessante acontecendo no laboratório de física, e todo o corpo docente está amontoado em torno dele. Ou, então, algum professor está sendo reprimido por todos os outros por causa de algum deslize na disciplina docente. Ou, ainda, grandes planos estão sendo concebidos para uma inauguração colossal. Ou, talvez, o diretor esteja examinando os testes de impressão do glorioso e hipócrita prospecto da escola.

Não sei se a hipocrisia é um aspecto da personalidade russa ou algo que surge do "duplo pensamento" soviético.[1] Em um restaurante, um garçom me garantiu que todas as mesas estavam ocupadas, quando eu podia ver com meus próprios olhos que a maioria delas estava vaga. Tentei comprar um jornal inglês, mas só consegui encontrar o *Daily Worker*. A garota da banca deveria ter dito: "Apenas o *Daily Worker* diz a verdade; portanto, é o único jornal britânico permitido na Rússia soviética". Mas o que ela disse foi: "O senhor deveria ter vindo mais cedo. Todos os outros jornais britânicos foram comprados". Não foi exatamente um elogio ao

---

[1] Referência a um termo cunhado por George Orwell no livro *1984*: *double-think*, ou a capacidade de acreditar em dois conceitos contraditórios entre si. [N. de T.]

Daily Worker, tampouco ao que eu chamo de minha inteligência – todo mundo sabe que nenhum outro jornal britânico é permitido na Rússia.

Algumas das mentiras estão longe de ser negativas. Um agente da Intourist[2] me contou que eu precisaria pagar 25 libras por uma única noite em um quarto duplo do hotel Astoria. O que paguei foi, na verdade, menos do que 30 xelins[3]. Tenho o recibo para provar.

Entretanto, o que chamo de "hipocrisia" talvez seja apenas uma indisposição russa para encarar a realidade. E, talvez, essas duas palavras – hipocrisia e ineficiência – não sejam boas escolhas. O mundo dos romances e dos contos de fadas nunca está distante da utopia khrusheviana (aliás, *Utopia* era, de fato, um conto de fadas). Gagarin e Titov[4] talvez sejam cognatos de Baba Yaga[5] e de outras bruxas e magos de contos de fadas. Se você acha aceitável uma cabana poder caminhar sobre pés de galinha, não se surpreenda com o que pode ser feito com uma espaçonave.

Fiquei amigo de um jovem muito sério, com uma boa bagagem científica. Durante dias, conversamos seriamente sobre questões políticas e científicas. Então, de repente, sem nenhum aviso, sem hesitação nem titubeio, ele me disse que tinha, em seu apartamento, um gato siberiano com quase um metro de comprimento, sem contar o rabo. Esse gato, ele me contou, tinha olhos muito verdes e compartilhava a cama com ele; de vez em quando, o gato o chutava para fora da cama e ele caía no chão. Era visível que o rapaz, às vezes, ficava um pouco cansado da realidade.

---

[2] Intourist: agência de turismo russa fundada por Joseph Stalin, hoje uma das maiores do mundo. [N. de T.]

[3] Xelim (*shilling*): moeda inglesa que saiu de circulação em 1971. Uma libra esterlina equivalia a 20 xelins (que, por sua vez, valiam 12 pence cada um); ou seja, Burgess pagou algo em torno de 1,5 libra pela noite no hotel Astoria. [N. de T.]

[4] Yuri Gagarin (1934-1968) e Gherman Titov (1935-2000) foram, respectivamente, o primeiro e o segundo homem a viajarem ao espaço sideral, orbitando a Terra em 1961. [N. de T.]

[5] Baba Yaga: figura do folclore eslavo semelhante a uma bruxa (mas de moral variável, dependendo da região). De acordo com a lenda, ela mora em uma cabana sustentada por pés de galinha. [N. de T.]

Em um mundo de contos de fadas, o tempo é facilmente suspenso. Atrasos em refeições são proverbiais. No menor restaurante de Leningrado, pedi estrogonofe de carne às 12h30; fui servido às 16 horas. Esse fato não me perturbou muito; eu estava com mais sede do que fome e queria, desesperadamente, uma cerveja. Mas ninguém me atendia. Mostrei a língua e fiz sons sedentos, que divertiram os presentes, mas ninguém me trouxe cerveja. O que fiz, então, foi seguir até uma geladeira que reluzia a distância e pegar minha própria bebida. Trouxe-a de volta à minha mesa e a abri com uma faca. Ninguém manifestou objeções. Assim o fiz quatro vezes; ninguém deu a mínima.

Entre beber minha cerveja *self-service* e esperar pelo meu estrogonofe de carne, decidi fazer umas comprinhas. Tinha visto uma butique com braceletes, broches e distintivos de Lenin e do major Gagarin. Eu queria comprar um pequeno presente soviético para minha esposa. As moças atrás do balcão eram muito bonitas e muito prestativas. Ninguém sabia falar inglês, mas inventamos uma macarrônica mistura de russo, francês e alemão. Escolhi um charmoso bracelete e saquei meus rublos e copeques. As moças ficaram chocadas. Monsieur, apenas moedas estrangeiras são aceitas aqui. Esses itens eram para estrangeiros. Como eu não podia entender a lógica? Eu não entendia, mas perguntei quanto era em dinheiro inglês. Houve uma grande confusão com tabelas escritas à máquina. Depois de algum tempo, foi-me orgulhosamente anunciado que o bracelete custaria 30 xelins e 15 pence. Dei uma pequena aula às moças. Elas se amontoaram por perto. Ficaram muito agradecidas; os russos adoram aulas. Entreguei duas notas de uma libra, e houve um momento de admiração diante do retrato da rainha. "A tsarina", elas disseram, "muito bonita." Pedi meu troco. Elas lamentaram profundamente, mas não tinham troco. Era o primeiro dia, sabe, e o objetivo delas era receber moedas estrangeiras, não dá-las aos outros. O que eu precisaria fazer era escolher algum outro presentinho para que minha compra total somasse duas libras. Parecia razoável.

LARANJA MECÂNICA

Assim, escolhi um broche. Quanto, dessa vez? Dessa vez, elas disseram, ocupadas com suas canetas esferográficas, eu precisaria pagar 15 xelins e 14 pence. Uma recapitulação das minhas breves aulas de aritmética e alguns toques gentis nas mãos. Risadinhas adoráveis; pois bem, então, 35 xelins e 29 pence, somando o total de uma libra, 17 xelins e cinco pence. Isso significava que havia, ainda, dois xelins e sete pence a serem gastos. Eu me lamuriei e disse: "Por favor, fique com o troco, *mademoiselle*. Compre alguma coisinha para você com esse dinheiro".

Todas ficaram imensamente chocadas. Não, não, não, impensável, grosseiro, anti*soviético*. Eu precisava comprar outra coisa. Vasculhei desesperadamente a pequena butique e voltei ao balcão, enfim, com um pequeno distintivo com um martelo, uma foice e os dizeres "Mir Miru", que significam "Paz ao Mundo". Custava dois xelins. Implorei e supliquei para que as moças ficassem, pelo menos, com o troco de sete pence, mas elas não podiam e não queriam. Por fim, levei duas caixas de fósforos soviéticos; trocamos beijos e apertos de mão, e todos ficaram felizes. Havia demorado muito tempo. Àquela altura, eu já tinha esquecido o que pedira de almoço. Mas o garçom, finalmente de volta após seu período obrigatório de descanso de três horas, não tinha esquecido *de jeito nenhum*. Em minha mesa, estava um prato de estrogonofe de carne *frio*. O garçom estalou a língua em um gesto de reprovação. A comida estava ali havia 20 minutos, ele disse.

Talvez a depressão maníaca da qual tantos russos parecem sofrer seja uma militância contra o que gostamos de chamar de eficiência: ora nas alturas, em uma onda de euforia em massa; depois no fundo do poço, numa infelicidade indescritível – é assim com todos eles. Muitos são o que se chamam tipos pícnicos: baixos, corpulentos e temperamentais, como o próprio camarada Khrushchev. Um bom comunista nunca lamenta os pecados do mundo, mas vi muita lamentação e uma indisfarçável depressão nos restaurantes de Leningrado. Em um instante, um arrebatamento de danças saltitantes, cantorias e beijos promíscuos

– beijocas estaladas e amorosas –, com vodca e conhaque soviéticos; no instante seguinte, um mergulho na depressão mais profunda. Isso, muitas vezes, acabava em sono, uma soneca com a cabeça enfiada em uma pilha de copos, garrafas e cinzeiros cheios. E, então, uma mulher rígida e barulhenta aparecia com a cura instantânea – uma compressa de algodão embebida em amônia. Enfiava nas narinas, e até nos olhos, e o sofredor tossia e voltava à vida, era enxotado pelos garçons e então procurava desesperadamente um táxi para ir para casa.

Eu vi muita bebedeira nos restaurantes de Leningrado. Enxerguei esse fato como algo encorajador, no geral; onde há bebedeira, há esperança, pois máquinas totalitárias boazinhas e comportadas não se embebedam. A técnica usada com bêbados ruidosos era sempre a mesma: a expulsão nada cerimoniosa feita por um grupo de garçons. A polícia nunca era chamada. Essa foi outra coisa que me agradou em Leningrado: a ausência da polícia. Talvez toda a polícia seja secreta, e talvez todos os crimes sejam apenas crimes do colarinho branco. Não havia, certamente, nenhuma tentativa oficial de lidar com as pequenas transgressões que abarrotam nossos tribunais: desordem alcoólica, violência, prostituição.

Eu e minha esposa deixamos o restaurante Metropole às três da manhã, com um adorável casal finlandês. Estivemos com eles por muitas horas; tivemos longas e intricadas conversas, apesar da falta de uma língua em comum. Perguntei a um garçom se ele poderia chamar um táxi. Ele disse, com louvável inteligibilidade, *"Taxi, nyet"*. No andar de baixo, pedi a um dos três porteiros suarentos. Mas eles estavam ocupados com um barulhento grupo de *stilyagi*, ou *teddy-boys*, que gritava e ameaçava com garrafas quebradas e exigia que permitissem sua entrada no restaurante. Não havia, claro, táxi *nyet*. Assim, nós quatro nos sentamos na calçada, cantando, em finlandês e em inglês, aquela grande canção internacional "Clementine". Queríamos que a polícia aparecesse, que nos desse uma cutucada no ombro, nos perguntasse se éramos estrangeiros e nos

LARANJA MECÂNICA

levasse para nossos respectivos navios em viaturas policiais. Mas não veio polícia nenhuma. As garotas pintadas vendiam o corpo e os *teddy--boys* urravam e bagunçavam, mas não veio polícia nenhuma. É minha mais sincera opinião: não existe polícia em Leningrado.

Se alguém tem a expectativa de um Estado totalitarista repleto de policiais militares com botas elegantes, capacetes brancos e visivelmente armados, espera também certa indiferença, algum sangue-frio; toda emoção canalizada para o amor pelo Grande Irmão. Você certamente não encontra nada disso em Leningrado. Há uma grande ternura nas pessoas, um desejo declarado de incluir você, o estranho, na família e cobri-lo de beijos. Pedi a meu jovem amigo cientista que me chamasse pelo meu nome, mas ele ficou constrangido. Não queria ser frio nem distante, queria estabelecer uma relação mais próxima do que permitiria o mero uso de prenomes; portanto, eu seria chamado de "tio" – *Dyadya*: eu seria um membro genuíno da família. É possível encontrar isso também em hospitais. Minha esposa foi levada ao hospital por causa de algum mal-estar inexplicável – tanto os médicos como as enfermeiras administraram o remédio de um bom aconchego, um beijo, um maternal ou paternal "pronto, vai ficar tudo bem". Enxerga-se quão distantes da realidade eram as primeiras tentativas soviéticas de abolir a família como uma unidade social.

Curiosamente, esse acolhedor clima familiar pode ser encontrado até na comida. *Borshch*, a onipresente sopa, rústica e deliciosa; não há nada do fantasma da *haute cuisine* flutuando sobre ela. Em vez disso, você encontra pedaços desiguais de carne, vitela e frango, com, às vezes, o resquício da salsicha branca alemã surgindo em meio a destroços de repolho e carne estraçalhada. O que é *borshch,* além de comida caseira? Tem o cheiro da cozinha de sua própria família; é algo que sua mãe costumava fazer.

Suponho que, se alguém quiser usar a imaginação, pode dizer que Leningrado inteira tem os aromas de casa. Não há nomes estranhos em letreiros sobre as lojas. Tudo o que você vê é CARNE, MANTEIGA, OVOS, PEIXE, VEGETAIS, como se cada comércio estatal de alimentos fosse o compartimento de uma colossal cozinha familiar. E não há nenhum modismo assustador entre as pessoas que caminham pelas ruas – estão todas vestidas com os mesmos paletós e os mesmos vestidos amarrotados, mal cortados e desengonçados, como membros de nossa própria família, vestidos informalmente para passar um dia em casa. Aliás, há muito a ser feito em casa, mas ninguém parece se dispor a isso.

A cidade é terrivelmente miserável, de aspecto esquálido, apesar do ouro bizantino da catedral, apesar dos inacreditáveis esplendores do Palácio de Inverno. E o que é verdadeiro para a cidade é, também, verdadeiro para as casas. Pais e irmãos mais velhos adiam indefinidamente as tarefas necessárias: a reposição de vidros quebrados nas janelas, a argamassa e a pintura, o conserto da calçada, a nova lâmpada para a varanda. O pai é um sujeito folgado, cachimbador, que nunca tira o chinelo nem larga o jornal. Ele é ineficiente, assim como o Grande Irmão. Enquanto isso, a uma grande distância, os foguetes espaciais são lançados e o major Titov observa a Terra como um deus. Mas tudo isso acontece em outra Rússia, longe do cheiro caseiro de ralos entupidos e *borshch*.

DE UMA ENTREVISTA INÉDITA COM ANTHONY BURGESS

(25 de outubro de 1972)

Neste momento, estou trabalhando em um livro sobre a vida de Cristo. Nele, vejo Cristo como uma espécie de hippie, um tipo ancestral de revolucionário. Acho curioso ele ter sido carpinteiro e ter trabalhado com pedaços de madeira a vida toda. Quando chegou o momento de morrer, quando ele olhou para aquele pedaço de madeira, deve ter pensado em alguma coisa. Agora, estou desenvolvendo uma linguagem para o livro – como a linguagem nadsat de *Laranja mecânica* –, usando uma fusão de duas línguas, neste caso, inglês e hebraico.

De certa forma, isso saiu de toda a questão em torno de Manson[1]. Tenho uma ligação neurótica com esse tipo de insanidade. É aterrorizante – o mal, o caos, a multiplicidade disso. Se há alguma coisa que me faz desejar morrer, que desperta meu desejo de morte, é isso. Preocupo-me o tempo todo. Preocupo-me com minha esposa e com meu filho em Nova York. Entre os drogados e os psicopatas soltos nas ruas, não é nada seguro sair de casa. Os jovens ficam falando de estarem "sintonizados com a realidade", mas eu me pergunto: Com o que eles estão sintonizados *de verdade*? Não tenho certeza de que os fanáticos por Jesus e os jovens envolvidos com esse tipo de coisa não estejam [...] entrando em contato com algo que não é Jesus – talvez o diabo. Ao longo da história, você sabe, as pessoas praticaram maldades em nome da Igreja. A Reforma, os julgamentos das bruxas de Salem... ao longo de toda a história, as pessoas foram enganadas pela aparência de bondade. Isso me faz escolher a simplicidade [...]. Existe multiplicidade demais. O mal ao nosso redor é assustador e não é seguro lidar com ele. Apenas o artista pode lidar com ele, pois pode fazê-lo com mais objetividade. E isso talvez não seja absolutamente seguro.

Há conflitos em todas as direções que olharmos. Estão nos *campi*, estão na televisão, estão nas ruas. Deus é testemunha, a cidade de Nova

---

[1] Burgess refere-se a Charles Manson, assassino serial da década de 1960 que formou uma espécie de seita conhecida como "família Manson", e que acreditava que seus inúmeros atos de crueldade (e os de seus seguidores) acelerariam a chegada do Apocalipse. Sua notoriedade o transformou em um macabro fenômeno da cultura pop. [N. de T.]

York, onde eu vivo, é a cidade mais perigosa do mundo. [...] O conflito está por toda parte. Este é o século 20 e estamos cercados de conflitos. Como yin e yang, quente e frio, deus e o diabo: tudo é conflito. O universo é assim e, sem conflito, não temos vida. Mas os termos do conflito são vagos. Por exemplo, certo e errado, o que significam essas palavras? Quer dizer, o que significam *de verdade*; o que é absolutamente certo e o que é absolutamente errado? Poderíamos sentar e fazer uma lista. O que você diria que é errado? Você diria que é errado odiar? Talvez. Mas e em época de guerra? Em guerra, é *certo* odiar nossos inimigos. É certo *matar* nossos inimigos. As palavras "certo" e "errado", por si, não significam nada. Têm um cheiro de desinfetante de vigilância policial.

E o mal. Algumas pessoas parecem ter um inexplicável desejo de fazer o mal. Mas para quê? Temos como saber o que é o mal? Quais são os sinais do mal? O desejo de destruir é ruim – a destrutividade inexplicável e generalizada. Mas nem isso é categórico, não é mesmo? A maior parte da história é sobre destruição, não sobre criação. São mantidos registros sobre guerras, sobre a decadência de civilizações, sobre assassinatos e mortes; sobre homens como Alexandre, o Grande, Napoleão, Hitler e outros que construíram impérios enormes com base em sua habilidade para destruir. Porém, de certa maneira, destruição é um tipo de criação. Quando um vândalo quebra uma cabine telefônica ou entalha seu nome na parede de um vagão do metrô, está deixando sua marca. Ele está, conscientemente ou não, tentando mostrar que existe e que tem a capacidade de afetar as coisas, de mudar as coisas. Violência destrutiva é uma maneira de dizer "Veja, eu estou aqui". É o jeito fácil. É a criação negativa. Criação positiva é muito mais difícil – requer paciência e talento. Esses jovens arruaceiros não têm paciência, claro. É muito mais fácil destruir do que pegar um bloco de pedra e, lenta e cuidadosamente, fazer surgir uma imagem – isso requer um artista. Violência é muito mais rápida e, para o arruaceiro, para o valentão, imagino que violência seja mais gratificante porque é mais livre. Não há restrição, não há controle. Na violência, existe também essa ânsia por liberdade.

Meu livro *Enderby*[2] é sobre um poeta, um homem gordo e asqueroso. Ele arrota, bebe demais, vive no banheiro – ele escreve poemas sentado no vaso sanitário –, se masturba, evita qualquer tipo de obrigação, não tem o menor jeito com mulheres. Enderby é livre. Imagino que seja isso o que eu gosto nele [...]. Mas, veja bem, quando um personagem ou pessoa é livre demais, ele desafia a sociedade. Uma das premissas básicas da sociedade é que ninguém tem liberdade demais. O livro *Para além da liberdade e da dignidade*, de B. F. Skinner, que, coincidentemente, saiu [em inglês] na mesma época que o filme baseado em *Laranja mecânica*, diz que devemos abrir mão de certos direitos e privilégios para não nos tornarmos uma imposição às pessoas à nossa volta. Precisamos praticar controle; precisamos limitar nossa liberdade pelo bem da sociedade. Isso significa que renunciamos à nossa liberdade de escolha. O artista é um rebelde que desafia o controle por meio de sua obra. Ele escapa de sua jaula quando pinta, ou escreve, ou faz uma escultura, e, assim, ele mantém sua identidade. Pode ser que, no caso da violência criminosa, seja uma expressão do mesmo tipo, ou de um tipo parecido, de liberdade. Entretanto, no momento em que você usa de violência, você está fora de controle.

[...]

Violência é caos. Existe uma guerra constante entre o caótico e o estético, e o indivíduo precisa lutar para afirmar sua própria autoridade. A única esperança de fuga desse tipo de caos é reconhecer o poder do indivíduo humano. Creio que sou deveras maniqueísta, mas esse tipo de guerra – essa batalha entre o bem e o mal – me intriga há muito tempo.

---

[2] O autor se refere à sua série iniciada por *Inside Mr. Enderby*, publicado em 1963, sob o pseudônimo de Joseph Kell. Depois vieram *Enderby outside* (1968), *The clockwork testament, or Enderby's end* (1975) e *Enderby's dark lady, or no end to Enderby* (1986). O primeiro livro foi publicado no Brasil pela editora Companhia das Letras, em 1990, e chama-se *Enderby por dentro*. [N. de T.]

Tentei lidar com a questão em meu romance *The wanting seed*[3]. Foi um livro que quis escrever durante anos, mas nunca consegui encontrar a forma certa. Acabei enfim escrevendo – ainda que não da melhor forma –, mas o tema que me guiou nele foi uma guerra entre ideologias. De um lado, existe o conceito pelagiano de que o homem é basicamente bom, de que ele é capaz de perfeição se for deixado por conta própria e puder descobrir seus próprios caminhos. Por outro lado, há o conceito agostiniano de que o homem é capaz apenas de fazer o mal e que, sem Deus, seu único destino é a autodestruição e a danação eterna.

[...]

Certa vez, Anatole France escreveu um romance chamado *La revolte des anges*[4], que descreve uma espécie de guerra eterna entre Deus e Satanás. De um lado, Deus reina sobre os poderes do bem e, do outro, Satanás reuniu as forças do mal. Não estou sugerindo que isso seja necessariamente verdade, mas é, decerto, uma possibilidade que devemos considerar. Pense nas palavras do próprio Cristo: "Vim trazer não a paz, mas a espada". Posso ser um maniqueísta, mas precisamos viver com divisões. Lutamos por ordem e união, mas não é sempre que podemos afirmar, verdadeiramente, que as encontramos.

O artista é desafiado pelo dever de revelar a natureza da realidade. Ele não é um pregador – sua função não é ser didático; ele pode ser um professor – todos nós tentamos ensinar, mas o romancista é compelido a cumprir seu dever. Como disse Henry James, seu dever é dramatizar. Revelar a natureza da realidade. Você precisa lembrar que, para o poeta, para o artista e para o romancista, a natureza da realidade é revelada não por vagas imagens que passam pela mente, mas por palavras – palavras que sugerem certos significados e revelam ações como o autor as conhece. Mas o autor não pode determinar o certo e o errado. Tudo o que ele pode fazer é apresentar uma espécie de "panorama simulado" a partir do

---

[3] *Sementes malditas*, na versão em português, publicado pela editora Artenova, em 1975. [N. de T.]

[4] *A rebelião dos anjos*, na versão em português, publicado pela editora Pongetti, em 1941. [N. de T.]

qual o leitor pode tirar suas próprias conclusões. O autor nem sempre pode conceber uma cena em termos de bem e mal. Para começar, o bem não é necessariamente o oposto do mal, e há certo valor subjetivo em relação ao mal. Existe também um valor subjetivo em relação ao bem e que vai além do significado de certo e errado, um bem cuja experiência vivenciamos em uma bela composição musical, no gosto de uma maçã ou no sexo. Sem conhecimento sobre os extremos, é difícil, ou talvez impossível, saber qualquer coisa sobre os intermediários. O homem ou a mulher que nunca fez o mal não pode saber o que é o bem.

É irônico o fato de eu estar sempre associado com *Laranja mecânica*. Entre todos os meus livros, é o de que menos gosto. Escrevi-o em 1961, o ano seguinte àquele em que eu teoricamente deveria ter morrido, e o livro revela muito da perturbação que me ocupava a mente naquela época. Não acho que seja meu melhor livro, mas, ao mesmo tempo, ele revela bastante sobre o conflito entre o bem e o mal e também sobre esse medo da violência irracional. De várias maneiras, o livro sou eu, pois o que escrevemos é muito do que somos. E o livro revela uma batalha interna com essa característica, o mal. Não apenas o mal, mas o perigo de tentar corrigi-lo. Basicamente, tenho muita desconfiança em relação ao uso de poder para mudar os outros.

[...]

Laranja mecânica demonstra também a teoria do pêndulo, como um extremo expurga o outro. Mas, no final das contas, nós, como seres humanos, precisamos aceitar os dilemas entre bem e mal, entre certo e errado, ou o que for, por conta própria. Deus não fará isso por nós. Não hei de me comprometer a dizer *"Credo in unum deum"*[5]. Se existe um Deus, ele é um deus supra-humano; não está preocupado com motivações humanas. Deus existindo ou não, o conflito entre bem e mal é inevitável. Mesmo que não houvesse seres humanos no mundo, os princípios

---

[5] Do latim, "Eu acredito em um Deus". [N. de T.]

de bem e mal existiriam. Não acredito que, daqui a dois mil anos, se o mundo ainda existir, ele será em alguma medida menos mau ou menos bom. A guerra nunca chega a um fim, pois cada momento de calmaria é seguido por um período maior e mais perturbador de conflito. Pode ser, como foi sugerido, que o mal seja dinâmico, enquanto o bem tende a ser estático – pelo menos, parece ser assim na cidade de Nova York, onde vivo –, mas o objetivo do indivíduo engajado deve ser fazer do bem uma força menos estática, fazê-lo mais dinâmico do que o mal. Mas qual é a força ativa do bem? O amor. Eu diria que o amor é a força ativa e que precisamos aprender a amar a todos os outros e todo o resto. Este parece ser o desafio do século 20. Mas será que conseguimos fazer isso?

NOTA A *A CLOCKWORK ORANGE 2004*

Nota escrita por Anthony Burgess para o programa da peça *A Clockwork Orange 2004* (produção teatral da Royal Shakespeare Company; Barbican Theatre, Londres; dirigida por Ron Daniels, 1990).

Alguns anos atrás, publiquei uma breve versão teatral de meu livro *Laranja mecânica*, com letras de músicas e sugestões de trilha sonora (na maior parte, Beethoven). Isso foi feito não por causa de um grande amor pelo livro, mas porque, durante 28 anos, recebi solicitações de permissão por parte de grupos pop amadores para que apresentassem suas próprias versões. Elas eram, no geral, tão inacreditavelmente ruins que fui forçado a me antecipar a outras perversões com uma execução de autoria própria. Entretanto, a autoria textual final desta presente produção, mesmo que não a musical, é da Royal Shakespeare Company. Ron Daniels, que a dirige, contribuiu muito para colocá-la em um formato dramático adequado para um grande teatro, e desejo, neste momento, agradecer-lhe o árduo e valioso trabalho que dedicou ao que estava muito longe de ser uma tarefa fácil.

Creio que a maioria das pessoas sabe de onde surgiu o título. "Laranja mecânica" é uma venerável expressão *cockney*[1] usada para se referir a qualquer coisa *queer*[2], não necessariamente com alguma conotação de homossexualidade. Na verdade, nada seria mais *queer* do que uma laranja mecânica. Quando trabalhei como professor na Malásia, meus alunos, ao receberem a tarefa de escrever ensaios sobre um dia na floresta, muitas vezes se referiram ao fato de terem levado uma garrafa de *orang squash*. "Orang" é uma palavra comum em malaio e significa "ser humano".[3] O *cockney* e o malaio se fundiram em minha mente para formar uma imagem de seres humanos, suculentos e doces como laranjas, forçados à condição de objetos mecânicos.

---

[1] *Cockney*: termo usado como referência a habitantes pobres do East End, em Londres; é associado à rusticidade e a um dialeto e sotaque específicos. [N. de T.]

[2] *Queer*: em inglês, significa esquisito, estrambótico, excêntrico, bizarro. O termo é usado, também, para se referir a homossexuais masculinos, geralmente de forma pejorativa. [N. de T.]

[3] *Orang squash*: apesar de "orang" significar "ser humano" em malaio, há um trocadilho com "orange squash", suco de laranja. O autor não deixa claro se o trocadilho foi intencional por parte dos alunos – o termo malaio correto para laranja é "oren", mas, se Burgess estivesse dando aulas em inglês, é possível que os alunos tenham se confundido. [N. de T.]

É o que acontece com meu jovem delinquente Alex, cuja criminalidade doce e suculenta, que ele aprecia totalmente, é eliminada por um método de condicionamento que o faz perder o livre-arbítrio que lhe permite ser um delinquente, mas também, caso ele queira, ser um adolescente respeitável, com grande talento musical. Ele cometeu maldades, mas o verdadeiro mal está no processo que extinguiu o mal. Ele é forçado a assistir a filmes de violência enquanto uma droga que induz náusea corre em suas veias. Mas, para exacerbar as emoções, esses filmes são acompanhados por música, e ele é condicionado a também sentir náusea quando ouve Mozart ou Beethoven, além de quando vê violência. Música, que deveria ser um paraíso neutro, é transformada em um inferno.

O que parece uma celebração da violência – muito pior nos palcos do que no livro ou no filme feito por Stanley Kubrick (agora inexplicavelmente banido na Grã-Bretanha) – é, na verdade, uma indagação sobre a natureza do livre-arbítrio. É um drama teológico. Quando seres humanos são impedidos, à força, de cometer atos maldosos, também são forçosamente incapacitados de praticar atos de bondade, pois ambos dependem do que Santo Agostinho chamou de *liberum arbitrium* – livre-arbítrio. Gostemos ou não, o poder de escolha moral é o que nos faz humanos. Para que exista a escolha moral, é preciso haver objetos opostos de escolha. Em outras palavras, é preciso haver o mal. Mas também é preciso haver o bem. E é preciso haver uma área em que escolhas morais não se aplicam – aquela área neutra em que bebemos vinho, fazemos amor, ouvimos música. Mas essa área neutra pode, muito facilmente, se transformar em uma área moral. Passamos, ou deveríamos passar nossa vida fazendo escolhas morais.

Desde que publiquei *Laranja mecânica*, em 1962, fui perseguido pelo fato de terem sido, na verdade, dois livros – um norte-americano, outro para distribuição mundial. A edição britânica tem 21 capítulos, enquanto a edição norte-americana, até recentemente, tinha apenas 20. Meu editor norte-americano não gostou do final; disse que era britânico demais, ameno demais. Ou seja, ele tinha visto algo implausível – ou, talvez, meramente invendável – em minha noção de que a maioria dos adolescentes inteligentes inclinados à violência e ao vandalismo sem sentido superava isso quando pressentia a chegada da maturidade. A juventude tem energia, mas raramente sabe o que fazer com ela. A juventude não foi ensinada – e tem sido ensinada cada vez menos – a canalizar essa energia a serviço da criação (escrever um poema, construir a Catedral de Salisbury com palitos de fósforo, aprender engenharia de computação). Sendo assim, os jovens só conseguem usar essa energia para espancar, chutar, esfaquear, estuprar, destruir. Nossas cabines telefônicas operadas por cartão são um monumento aos piores instintos da juventude. Ao final desta peça, você verá o jovem Alex crescendo, se apaixonando, contemplando a possibilidade da paternidade – em outras palavras, tornando-se um homem. Ele enxerga que a violência é coisa de criança. Meu editor norte-americano não gostou desse final. Stanley Kubrick, quando fez seu filme baseado na edição norte-americana, naturalmente não sabia que ele existia. Foi por esse motivo que o filme intrigou os leitores europeus do livro. Você precisa decidir por conta própria qual é o seu final preferido. Evidentemente, você pode ir embora antes do fim.

Uma última questão. Em 1990, que consideramos erroneamente o início de uma nova década, antecipamos um radiante futuro europeu. O Muro de Berlim está vindo abaixo, Mikhail Gorbachev defende a *perestroika* (palavra que o jovem Alex provavelmente conhece, pois grande parte de seu vocabulário é russo), o Eurotúnel escava seu caminho na direção do continente. Estamos, pelo menos politicamente, ficando otimistas. Ron Daniels e seus talentosos atores e músicos, e eu também, sugerimos gentilmente que política não é tudo. Esse foi, de certa maneira, o principal objetivo do livro. O jovem Alex e seus amigos falam uma mistura das duas maiores línguas políticas do mundo – a anglo-americana e a russa –, e isso era para ser irônico, pois suas atividades estão totalmente fora do contexto da política. Os problemas de nossa era não estão relacionados com organização política ou econômica, mas com o que costumava ser chamado de "o velho Adão"[4]. O pecado original, se preferir. Ganância. Cobiça. Egoísmo. Acima de tudo, a agressão por pura agressão. Qual é o propósito do terrorismo? A resposta é: o terrorismo. Alex é um bom, ou mau, exemplo do homem eterno. É por isso que ele chama vocês de irmãos.

Não tenho dúvidas de que, com essa nova versão dramática de meu pequeno livro, serei culpado por promover uma nova onda de violência entre os jovens. Um homem que matou seu tio culpou *Hamlet*, de Shakespeare. Um garoto que arrancou o olho de seu irmão culpou uma edição escolar de *Rei Lear*. Artistas literários são sempre tratados como se tivessem inventado o mal, mas sua verdadeira função, dentre muitas, é mostrar que o mal existia muito antes de eles terem usado suas primeiras canetas ou processadores de texto. Se um escritor não diz a verdade, é melhor que não escreva. Isso a que você está assistindo é a verdade.

---

[4] *Old Adam*: homens sem a graça divina, não redimidos. [N. de T.]

PÁGINAS ORIGINAIS COM ANOTAÇÕES E ILUSTRAÇÕES DO AUTOR

Title page

A CLOCKWORK ORANGE

Anthony Burgess

HEINEMANN
LONDON MELBOURNE TORONTO

old Dim had a very hound-and-horny one of a clown's litso
(face, that is), Dim not ever having much of an idea of things
and being, beyond all shadow of a doubting thomas, the dimmest
of ~~the~~ four. Then we wore waisty jackets without lapels but
with these very big built-up shoulders ("pletchoes" we called
them) which were a kind of a mockery of having real shoulders
like that. Then, my brothers, we had these off-white cravats
which looked like whipped-up kartoffel or spud with a sort of
a design made on it with a fork. We wore our hair not too long
and we had flip horrorshow boots for kicking.

"What's it going to be then, eh?"

There were three devotchkas sitting at the counter all to-
gether, but there were four of us malchicks and it was usually
like one for all and all for one. These sharps were dressed
in the heighth of fashion too, with purple and green and orange
wigs on their gullivers, each one not costing less than three
or four weeks of those sharps' wages, I should reckon, and make-
up to match (rainbows round the glazzies, that is, and the rot
painted very wide). Then they had long black very straight
dresses, and on the groody part of them they had little badges
of like silver with different malchicks' names on them - Joe
and Mike and suchlike. ~~These were supposed to be the names of
the different malchicks they'd spatted with before they were
fourteen.~~ They kept looking our way and I nearly felt like say-
ing the three of us (out of the corner of my rot, that is)
should go off for a bit of pol and leave poor old Dim behind,
because it would be just a matter of koopeeting Dim a demi-
litre of white but this time with a dollop of synthemesc in it,
but that wouldn't really have been playing like the game. Dim
was very very ugly and like his name, but he was a horrorshow
filthy fighter and very handy with the boot.

"What's it going to be then, eh?"

The chelloveck sitting next to me, there being this long
big plushy seat that ran round three walls, was well away with
his glazzies glazed and sort of burbling slovos like "Aristot-
le wishy washy works outing cyclamen get forficulate smartish".

Stet

2.

God bless you, boys," drinking.

Not that it mattered much, really. About half an hour went by before there was any sign of life among the millicents, and then it was only two very young rozzes that came in, very pink under their big copper's shlemmies. One said:

"You lot know anything about the happenings at Slouse's shop this night?"

"Us?" I said, innocent. "Why, what happened?"

"Stealing and roughing. Two hospitalisations. Where've you lot been this evening?"

"I don't go for that nasty tone," I said. "I don't care much for these nasty insinuations. A very suspicious nature all this betokeneth, my little brothers."

"They've been in here all night, lads," the old sharps started to creech out. "God bless them, there's no better lot of boys living for kindness and generosity. Been here all the time they have. Not seen them move we haven't."

"We're only asking," said the other young millicent. "We've got our job to do like anyone else." But they gave us the nasty warning look before they went out. As they were going out we handed them a bit of lip-music: brrrrzzzzrrrr. But, myself, I couldn't help a bit of disappointment at things as they were those days. Nothing to fight against really. Everything as easy as kiss-my-sharries. Still, the night was still very young.

you want? Get out at once before I throw you out." So poor old
Dim, masked like Peebee Shelley, had a good loud smeck at that,
roaring like some animal.

"It's a book," I said. "It's a book what you are writing."
I made the old goloss very coarse. "I have always had the strong-
est admiration for them as can write books." Then I looked at
its top sheet, and there was the name - A CLOCKWORK ORANGE - and
I said, "That's a fair gloopy title. Who ever heard of a clockwork orange?" Then I read a malenky bit out loud in a sort of
very high type preaching goloss: " - The attempt to impose upon
man, a creature of growth and capable of sweetness, to ooze juic-
ily at the last round the bearded lips of God, to attempt to impose, I say, laws and conditions appropriate to a mechanical cre-
ation, against this I raise my swordpen - " Dim made the old
lip-music at that and I had to smeck myself. Then I started to
tear up the sheets and scatter the bits over the floor, and this
writer moodge went sort of bezoomny and made for me with his
zoobies clenched and showing yellow and his nails ready for me
like claws. So that was old Dim's cue and he went grinning and
going er er and a a a for this veck's dithering rot, crack crack,
first left fistie then right, so that our dear old droog the red
- red vino on tap and the same in all places, like it's put out
by the same big firm - started to pour and spot the nice clean
carpet and the bits of his book that I was still ripping away at,
razrez razrez. All this time this devotchka, his loving and
faithful wife, just stood like froze by the fireplace, and then
she started letting out little malenky creeches, like in time to
the like music of old Dim's fisty work. Then Georgie and Pete
came in from the kitchen, both munching away, though with their
maskies on, you could do that with them on and no trouble,
Georgie with like a cold leg of something in one rooker and half
a loaf of kleb with a big dollop of maslo on it in the other,
and Pete with a bottle of beer frothing its gulliver off and a
horrorshow rookerful of like plum cake. They went haw haw haw,
viddying old Dim dancing round and fisting the writer veck so

18.

one of these stinking millicents at the back with me. The fat-necked not-driver said:

"Everybody knows little Alex and his droogs. Quite a famous young boy our Alex has become."

"It's those others,"I creeched. "Gerogie and Dim and Pete. No droogs of mine, the bastards."

"Well," said the fat-neck, "you've got the evening in front of you to tell the whole story of the daring exploits of those young gentlemen and how they led poor little innocent Alex astray." Then there was the shoom of another like police siren passing this auto but going the other way.

"Is that for those bastards?" I said. "Are they being picked up by you bastards?"

"That," said fat-neck, "is an ambulance. Doubtless for your old lady victim, you ghastly wretched scoundrel."

"It was all their fault," I creeched, blinking my smarting glazzies. "The bastards will be peeting away in the Duke of New York. Pick them up, blast you, you vonny sods." And then there was more smecking and another malenky tolchock, O my brothers, on my poor smarting rot. And then we arrived at the stinking rozz-shop and they helped me get out of the auto with kicks and pulls and they tolchocked me up the steps and I knew I was going to get nothing like fair play from these stinky grahzny bratchnies, Bog blast them.

desks, and at the like chief desk the top millicent was sitting, looking very serious and fixing a like very cold glazzy on my sleepy litso. I said:

"Well well well. What makes, bratty? What gives, this fine bright middle of the nochy?" He said:

"I'll give you just ten seconds to wipe that stupid grin off of your face. Then I want you to listen."

"Well, what?" I said, smecking. "Are you not satisfied with beating me near to death and having me spat upon and making me confess to crimes for hours on end and then shoving me among bezoomnies and vonny perverts in that grahzny cell? Have you some new torture for me, you bratchny?"

"It'll be your own torture," he said, serious. "I hope to God it'll torture you to madness."

And then, before he told me, I knew what it was. The old ptitsa who had all the kots and koshkas had passed on to a better world in one of the city hospitals. I'd cracked her a bit too hard, like. Well, well, that was everything. I thought of all those kots and koshkas mewing for moloko and getting none, not any more from their starry forella of a mistress. That was everything. I'd done the lot, now. And me still only fifteen.

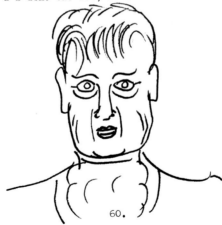

60.